LIQUIDATIONS À LA GRECQUE

DU MÊME AUTEUR

Aux Éditions du Seuil

Le Che s'est suicidé
2006
et coll. « Points Policiers », n° P1599

Actionnaire principal
2009
et coll. « Points Policiers », n° P2455
sous le titre Publicité meurtrière

L'empoisonneuse d'Istanbul
2010

aux Éditions JC Lattès

Journal de la nuit
1988

Une défense béton
2001

Petros Markaris

LIQUIDATIONS À LA GRECQUE

roman

TRADUIT DU GREC
PAR MICHEL VOLKOVITCH

ÉDITIONS DU SEUIL
25, boulevard Romain-Rolland, Paris XIVe

CE LIVRE EST ÉDITÉ
PAR ANNE FREYER-MAUTHNER

Titre original : *Lixiprothesma dania*
Éditions Gabrièlidès (ΕΚΔΟΣΕΙΣ ΓΑΒΡΙΗΛΙΔΗΣ), Athènes, 2010

ISBN original : 978-960-336-577-8

ISBN 978-2-02-105351-7

www.seuil.com

À Josefina
et à Djan

Qui est le plus grand criminel : celui qui vole une banque ou celui qui en fonde une ?

Bertolt Brecht, *L'Opéra de quat' sous*

1

Je n'en peux plus. Nous devons être à l'église à six heures et demie. Déjà six heures et quart, Adriani et Katérina sont encore enfermées dans la chambre à coucher pour des « finitions » de dernière minute à la robe de mariée. Ce qu'on peut avoir à bricoler sur une robe qui a coûté une fortune, va savoir.

– Phanis en aura marre, il va repartir !

Je rugis ça depuis le séjour. Autant crier dans le désert. Je me remets à tourner en rond dans mon grand uniforme. Oui mais là, au lieu de parader sur la place Syntagma, je fais les cent pas chez moi pour essayer de tuer le temps et mon énervement. Et pour couronner le tout, cet uniforme que je mets rarement me boudine comme un corset.

J'en suis sûr, tous ces retards sont voulus, on respecte la tradition qui veut que la promise fasse attendre le marié à la porte de l'église. Katérina étant une oie blanche en la matière, c'est Adriani qui l'a manœuvrée à son insu. Je parle d'expérience, elle m'a fait le même coup le jour de notre mariage. Encore un peu et je disais au pope, Allez, mon père, on commence, la mariée ne va pas tarder.

La porte de la chambre s'ouvre à six heures et demie pile. Katérina en robe de mariée sous son voile, Adriani dans son tailleur bleu-chemisier blanc habituel, aucune « finition » visible à l'œil nu.

– Vous vous rendez compte qu'en ce moment nous sommes censés arriver à l'église ?

Je suis hors de moi.

– Ne t'inquiète pas, me tranquillise Adriani, nous y serons à temps. Tous les mariages commencent en retard.

Devant l'immeuble, la Seat Ibiza m'attend, toute fleurie. Je la conduis depuis quatre mois, mais à tous les coups je m'attends à trouver notre vieille Fiat Mirafiori, sacrifiée au mariage de ma fille. Un soir, nous étions assis devant la petite lucarne quand Adriani s'est soudain avisée qu'il fallait louer un taxi décoré pour conduire Katérina à l'église.

– Un taxi, pour quoi faire ? On prendra notre voiture, ai-je répondu naïvement.

– Emmener Katérina dans ce tas de boue ? s'est-elle écriée. Enfin, si tu ne respectes pas ta fille, tu n'as pas honte devant tes collègues ? Y a-t-il un seul flic dans toute la Grèce qui n'ait pas au moins une Hyundai ?

Bien vu. Les uns avaient une Hyundai, d'autres une Toyota ou une Suzuki, quelques-uns une Opel Corsa. Ma Fiat était un cas unique dans la maison. On l'appelait ironiquement *password* : de même qu'on ne pouvait pas démarrer un programme sans *password*, de même la Mirafiori ne démarrait pas sans Charitos.

Adriani, décryptant mon aveu tacite, a poursuivi l'offensive.

– Par moments tu es une énigme, mon chéri. Quand tu parles de ta fille, tu es tout sucre tout miel. Et maintenant elle ne mérite pas un petit sacrifice pour son mariage ? Tu ne peux vraiment pas la quitter, ta Fiat ?

Elle n'avait pas tort, nous étions inséparables. La Mirafiori était la chair de ma chair, je ne pouvais pas la sacrifier. Mais Adriani n'a pas cédé.

– Plutôt que prendre ta Fiat, je préfère mille fois y aller en pick-up !

Katérina, qui cherchait toujours des compromis, a proposé la voiture de Phanis.

– Et qui va la conduire ? demanda Adriani.

– Phanis.

– Ma chérie, c'est le père qui conduit la mariée à l'église, pas le marié.

Pour finir, je me suis persuadé que la Mirafiori ayant quarante ans, mourir dans son grand âge n'était pas un drame.

Cette décision apaisait, ou du moins estompait, les tourments de mon âme et en suscitait d'autres plus matériels. Je ne savais quelle marque choisir. Or, quand on ne sait pas, on demande. Et quand on demande, tout s'embrouille.

– Monsieur le commissaire, ne cherche pas, me conseillait Dermitzakis. Prends une Hyundai. C'est le meilleur rapport qualité-prix. Sans compter que la moitié de la maison roule en Hyundai et que le concessionnaire nous fait des ristournes.

– N'écoute pas ce que te disent les gars sur les Hyundai et les Nissan, me disait Guikas. Prends une européenne pour être tranquille. Une Volkswagen ou une Peugeot. Ça, c'est de la voiture.

Finalement, c'est Phanis qui a résolu le problème.

– Prends une Seat Ibiza.

– Pourquoi ?

– Pour être solidaire entre pauvres. En ce moment, les Espagnols et les Portugais en prennent plein la gueule, comme nous. On est les PIIGS[1], les porcs. Donc un porc doit aider l'autre, au lieu de courir après les requins. Jusqu'à présent on a essayé de vivre comme les requins et on s'est noyés, puisque les porcs ne savent pas nager. Par conséquent, tu dois prendre une Seat Ibiza.

Ainsi soit-il. Le vendeur a examiné la Mirafiori, que j'avais apportée pour qu'il la reprenne, comme on contemple un dinosaure.

1. Acronyme formé par les initiales des pays d'Europe les plus fragiles économiquement : Portugal, Italie, Irlande, Grèce, Espagne (Spain).

– Vous voulez un conseil, monsieur le commissaire ?

– Vas-y.

– Allez plutôt au musée Fiat. Ils vous en donneront davantage.

Ensuite j'ai entamé un programme de rééducation intensive, qui a duré une bonne semaine. Chaque fois que je tournais le volant de la Seat, je manquais d'emboutir un lampadaire ou une vitrine. Chaque fois que je mettais les gaz, la bête bondissait comme un Grec en colère. La pauvre Mirafiori n'avait pas la direction assistée, et pour accélérer il fallait écraser le champignon.

Adriani s'assoit devant, laissant la banquette arrière à Katérina pour lui éviter de froisser sa robe. Katérina et moi voulions que le mariage se fasse à l'église de l'Ascension, à deux rues de chez nous.

– Pas question ! a décrété Adriani. Avec tous les collègues de Phanis et tous les tiens, sans parler des familles des deux côtés, on ne tiendra jamais dans l'église ! Non, nous irons à Saint-Spyridon.

À notre arrivée devant Saint-Spyridon, en effet, je dois lui donner raison sur deux points. Primo, la cour est remplie d'une masse d'invités, où l'on distingue les uniformes de mes collègues. Secundo, le mariage d'avant n'est pas terminé, nous devons attendre dehors.

La grande surprise, cependant, c'est la fanfare de la police, alignée au pied des marches, qui passe à l'offensive dès l'entrée de la mariée dans la cour.

– Papa, je vais te tuer, chuchote ma fille à mon oreille.

Je la sens qui tremble de colère à mon bras.

– Ce n'est pas moi le coupable, réponds-je en chuchotant de même. L'idée ne vient pas de moi.

La fanfare, j'en suis sûr, est une trouvaille de Guikas, qui demain matin attendra dans son bureau les remerciements de son subordonné.

– Si on s'était mariés le jour de la fête nationale, tu

aurais fait venir les blindés, me lance Phanis tout en prenant réception de Katérina.

De l'autre côté, l'humeur est à l'opposé.

– Tu as très bien fait, mon chéri. Cette musique, c'est le petit quelque chose qui fait la différence, commente Adriani d'un ton suave.

Prodromos, le père de Phanis, s'approche, l'air enthousiaste.

– Bravo, mon cher. Tu as mis ta marque sur ce mariage.

Je reçois ces compliments en silence, et chacun prend mon silence coupable pour de la modestie.

Par bonheur, le mariage précédent s'achève, Phanis et Katérina montent les marches, la fanfare attaque et nous entrons tous dans l'église.

Quand les mariages se succèdent, la cérémonie est d'habitude expédiée en vingt minutes. Le pope avale la moitié des prières pour tenir la cadence. Mais s'agissant du nôtre, ayant vu la fanfare et les uniformes, les popes lisent tout, articulant et psalmodiant avec application. Si bien qu'en arrivant à la danse d'Isaïe nous en sommes déjà à trois bons quarts d'heure. À la fin, nous recevons debout les vœux des invités, qui durent au moins une demi-heure.

Soudain, qui voilà devant moi ? Zissis, en costard démodé, chemise blanche sans cravate. Connaissant sa relation avec Katérina, je devine qu'elle l'a invité. Il serre la main de Phanis puis de Katérina, qui le prend dans ses bras et l'embrasse. Puis il vient vers moi.

– Beaucoup de bonheur à tous, dit-il. Ta fille est un trésor et tu t'es trouvé un bon gendre. Bravo.

À la sortie de l'église, il fait déjà nuit. Dès que les nouveaux mariés apparaissent en haut des marches, la fanfare attaque à nouveau.

2

Guikas danse le zeïbekiko. Toute la préfecture de police de l'Attique, un genou en terre, battant des mains en cadence, accompagne la prestation du directeur de la Sûreté. Je participe moi aussi, mais à distance, depuis la table des mariés.

Le repas de mariage se déroule dans l'*auberge campagnarde* Aux amis d'Épicure, pas vraiment campagnarde puisqu'elle se trouve en banlieue, à Halandri, avec une salle spéciale « pour banquets, baptêmes et mariages. Musique live ». Nous fallait-il de la *musique live* ? L'avis d'Adriani a prévalu, comme toujours :

– Les flics adorent danser. Si nous ne faisons pas venir un groupe, ils vont râler.

Il y a là une cinquantaine d'invités, très différents socialement. Du côté de Phanis, dix médecins et leurs épouses. Katérina a invité les avocats du cabinet où elle fait son stage. Les quinze restants sont mes collègues avec leurs femmes. En dehors de Guikas et de sa compagne, il y a là Sekhtaridis, directeur des Stups, Lazaridis de la Brigade financière et mes deux subordonnés, Vlassopoulos et Dermitzakis. Le premier seul, ayant divorcé récemment, tandis que le second est venu avec madame, qui travaille au ministère de la Justice. Également présents, Fakidis, le nouveau directeur de l'Identité judiciaire, Apostolopoulou, spécialiste en ADN, et Stavropoulos le médecin légiste. Stathakos de la Brigade antiterroriste n'est pas venu, en raison d'une détestation réciproque, mais il a envoyé un télégramme, souhaitant aux nouveaux mariés « un chemin semé de roses ».

À un bout de la salle, le corps médical, à l'autre bout la police, et entre eux les mariés avec leur famille, sorte de frontière artificielle, ou de lien, comme on voudra. Dans le prolongement de notre table, mais au fond de la salle, un homme seul est assis dans un fauteuil roulant. Devant lui, une assiette garnie qui ne semble pas l'intéresser. Son attention se concentre sur les invités. Il les observe avec un sourire figé qui s'adresse à tous et à personne. Je suppose qu'il s'agit d'un ami de Phanis et n'y prête plus attention.

Je cherche Zissis, mais ne le trouve nulle part. En chuchotant, j'interroge Katérina assise à côté de moi :

– Zissis n'est pas venu ?

– Il m'a dit qu'il ne viendrait pas. Mais il a envoyé un cadeau.

– Quel genre ?

– Une bouilloire électrique.

Je me dis qu'il n'y a qu'un seul flic pour avoir au mariage de sa fille un salaud de communiste, qu'il a connu dans les geôles des Colonels.

Guikas termine son exhibition sous des applaudissements prolongés, puis vient à moi tout en faisant signe à sa femme.

– Nous devons vous quitter, avec votre permission, me dit-il cérémonieusement.

Du Guikas pur jus, me dis-je. Dans les réunions, il se réserve le dernier mot, et là, de même, il s'est gardé la dernière danse avant son départ. Il serre d'abord Katérina dans ses bras et l'embrasse, puis serre les mains de Phanis et de la famille. Je viens en dernier, comme dessert.

À ma grande surprise, il me presse contre son cœur.

– Beaucoup de bonheur, murmure-t-il. Je t'aime, salopard, ajoute-t-il. On s'accroche par moments, c'est vrai, mais je t'estime et je t'aime, parce que tu es un type réglo.

C'est ça, l'avantage du mariage. Guikas lui-même parvient à dire des mots doux et à vous émouvoir.

– Qu'est-ce qu'il t'a dit ? demande Adriani.

– C'est une déclaration d'amour.

Elle me jette un regard dédaigneux, croyant que je plaisante, et elle n'a pas tort.

– Eh bien, mon cher, c'est parfait, dit Sevasti, la mère de Phanis, qui tient à me faire part de son contentement. La musique, le repas, tout était parfait.

– Et les uniformes, tu les oublies ? intervient Prodromos Ouzounidis. Dis donc, toute la crème de la police athénienne qui défile…

Adriani me lance un de ses regards lourds de sens qui veut dire « qu'est-ce que je te disais ». Je me contente de sourire aux parents du marié, laissant le regard d'Adriani sans réponse. Je voudrais me réfugier dans une conversation avec ma fille et son époux légitime, mais je m'aperçois qu'ils font le tour des tables pour saluer les invités. Bonne idée, je fais de même, en commençant par mes deux adjoints.

– Beaucoup de bonheur, monsieur le commissaire, disent d'une seule voix Dermitzakis et sa femme, laquelle ajoute : Comme ils sont bien assortis !

– Elle est superbe, la petite Katérina, dit Vlassopoulos au bord des larmes. Je la connais depuis le jour où je suis entré dans le service. Je vous souhaite une chose avant tout : qu'ils s'entendent bien. Parce que sinon, c'est la galère.

– Laisse tomber, lui dit Dermitzakis. C'est pas le moment d'étaler nos états d'âme.

– États d'âme ? s'indigne Vlassopoulos. Un couple sur trois divorce, tu ne le savais pas ? Les écoles sont pleines d'enfants de divorcés.

– D'accord, mais ça ne veut pas dire que Katérina et son mari subiront le même sort.

Dermitzakis s'efforce de parler calmement, mais, moi,

j'ai le sentiment que ces propos le jour du mariage sont en train de nous flanquer la poisse.

– C'est précisément ce que je dis, reprend l'autre. Qu'ils s'entendent bien surtout, pour que l'un des deux ne voie pas ses enfants le samedi seulement, au lieu d'aller au supermarché.

À ces mots, il se lève brusquement. Arrivant près de moi, il chuchote :

– Pardon, monsieur le commissaire, mais c'est dur sans mes enfants. Très dur.

Et il se dirige vers les toilettes.

– Occupe-toi de lui, ça ne va pas fort, dis-je à Dermitzakis, tout en remerciant le ciel de ce que nous n'avons pas d'affaire difficile pour l'instant.

– J'essaie, mais ce n'est pas simple. Vous savez, en ce moment, c'est le bureau des pleurs. Cette histoire lui a fait très mal.

– Ça l'a blessé dans son orgueil, commente sa femme. Tout le monde sait qu'ils se bouffaient le nez depuis des années. Elle l'a plaqué, c'est ça qui l'a blessé. Dans le cas contraire, il aurait sans doute réagi autrement. Là, c'est l'orgueil du mâle qui joue.

– Arrête, Hara. Il est malheureux comme les pierres, tu le vois bien.

Koula, secrétaire de Guikas, assise à la table voisine, se lève et s'approche.

– Excusez mon intervention, mais on vous entend dans toute la salle. S'il arrive un coup dur à Vlassopoulos demain pendant le service, les grosses têtes vont l'envoyer chez un psy direct.

Dermitzakis et madame se taisent, et saisissant l'occasion je m'en décolle pour rejoindre la table de Sekhtaridis des Stups et Lazaridis de la Brigade financière.

– Beaucoup de bonheur, me dit Sekhtaridis. Finalement, tu as bien fait de jouer les papas-gâteaux.

– Moi, papa-gâteau ?

Il éclate de rire et se tourne vers les autres.

– Nous avons débuté, tout jeunots, dans le même service. Katérina était un bébé, et Kostas nous faisait tous les jours un rapport sur les exploits de sa fille.

Puis, se tournant vers moi :

– Mais bravo ! Tu en as fait une petite merveille.

Je juge utile de m'éloigner sur ce compliment, avant de subir la suite.

Phanis et Katérina sont revenus à notre table. Tandis que je m'assois, je vois l'infirme qui roule vers nous.

– Je dois retourner à mes médicaments, dit-il à Phanis.

Celui-ci le présente à la famille.

– Beaucoup de bonheur, monsieur le commissaire, me dit l'homme en me serrant la main. Votre gendre est un excellent médecin.

– Qui est-ce ? Un confrère ? dis-je à Phanis tandis que l'autre s'éloigne.

– Tsolakis ? Non, un patient. Il ne se laisse toucher que par moi, et s'arrange pour se faire examiner à la polyclinique les jours où je suis de garde. Mais mieux vaut ne pas te dire toutes les maladies qu'il trimballe. Ça te casserait le moral, ce n'est pas le jour.

– Papa, viens danser, me dit Katérina.

– Danse avec Phanis.

– Non, je tiens à mes doigts de pied.

– Moi, le kalamatianos mis à part, je ne connais que le tango.

– Justement, c'est prévu.

Le groupe, après avoir accompagné d'un zeïbekiko le show de Guikas, joue à présent la *Comparsita* avec violon, accordéon, bouzouki et baglamas.

3

La journée suivante commence par la distribution. Arrivé au bureau avec deux sacs de dragées, je passe à tous les étages en offrir aux collègues.

Les vœux et les remerciements sont cordiaux, mais un peu brefs, genre « respectons la coutume vite fait, on a d'autres chats à fouetter ». Les chats, en l'occurrence, sont les spéculations intensives auxquelles nous nous livrons, serrant les fesses en vue des restrictions qui nous privent du quatorzième mois de salaire et du treizième en partie.

Je bénis le ciel d'avoir pu assurer les études et la thèse de Katérina avec les quatorze. Pour la suite, je fais confiance aux talents d'Adriani, qui sait toujours se débrouiller avec ce qui tombe dans son porte-monnaie. C'est elle qui a insisté pour que je me colle sur le dos les traites de la Seat en pleine crise économique.

L'ambiance au bureau rappelle un peu celle de 1974, sous la dictature, lorsque les Turcs ont envahi Chypre. Les rumeurs se déchaînent et chacun dit n'importe quoi. Quelqu'un affirme qu'on va nous sucrer tout le treizième mois, un autre qu'on nous prendra seulement la moitié de la prime de Noël, un troisième qu'on perdra seulement cinq pour cent des primes de Noël, de Pâques et du congé annuel…

Et moi qui devrais distribuer des condoléances au lieu de dragées, moi qui viens de payer une réception de mariage avec musique *live*, quand on s'apprête à ratiboiser nos salaires.

– Tout ça, c'est un coup des Allemands, soutient Kalliopoulos de la Brigade antiterroriste. C'est eux qui tirent les ficelles dans l'Union européenne et ils font pression pour qu'elle nous mette la corde au cou.

– Arrêtez vos conneries, lance derrière moi la voix de Stathakos, son chef.

Debout devant la porte, il jette un regard furieux sur ses subordonnés.

– Ils ont bon dos, les Allemands. C'est nous qui avons merdé, pour exiger ensuite que les Allemands paient les pots cassés !

Il prend la dragée que je lui tends, marmonne un vague « beaucoup de bonheur », corvée de remerciement contre corvée de dragées. Puis il se réfugie dans son bureau.

– Bon sang ne peut mentir, me chuchote Sgouros, son lieutenant.

– Pourquoi tu dis ça ?

– Parce qu'il est germanophile de naissance. Son grand-père était secrétaire de Tsolakoglou, Premier ministre sous l'Occupation.

– Je ne comprends pas pourquoi les Allemands ne profitent pas de nos conquêtes au lieu de les démolir, s'interroge Kalliopoulos. Ça leur ferait mal s'ils exigeaient un treizième mois eux aussi, au lieu de nous enlever notre quatorzième ?

Je perds la suite de l'analyse comparative entre les facultés intellectuelles réduites des Allemands et notre débrouillardise, car mon portable sonne et j'entends la voix de Dermitzakis.

– Monsieur le commissaire, Guikas veut vous voir d'urgence.

Je monte au cinquième avec mes deux sacs plastiques à moitié pleins, comme si je rentrais du marché.

– Entrez, me dit sa secrétaire, il vous attend impatiemment.

– Tu peux me rendre service, Koula, en distribuant le reste ?

– Bien sûr. Laissez-les-moi, je m'en occupe.

Guikas fait les cent pas dans son bureau et ce n'est pas bon signe.

– On est dans le pétrin, me dit-il en s'arrêtant net. Heureusement que le mariage a eu lieu, je t'aurais dit de le reporter, je crois.

– Qu'est-ce qui se passe ?

– On a tué Zissimopoulos.

Lisant dans mon regard, apparemment, il poursuit :

– Son nom ne te dit rien ?

– Non.

– Nikitas Zissimopoulos était le gouverneur de la Banque centrale. C'est lui qui l'a introduite en Bourse et l'a ouverte à l'Europe. À son époque, la banque a fait des profits fabuleux. Il s'est retiré il y a cinq ans, mais les fondations qu'il a posées ont résisté à la dernière crise.

– On l'a tué où ?

– Dans le jardin de sa villa, à Koropi.

– Qui l'a trouvé ?

– Le jardinier. Sa femme est morte il y a deux ans. Ses deux fils vivent à Londres. Le jardinier vient arroser tous les jours tôt le matin. Il a fait prévenir la police de Koropi. Heureusement, le commissaire est malin, il m'a appelé directement. Le secret est gardé, pas de journalistes sur le dos.

– On lui a tiré dessus ?

Bref silence.

– Non. On l'a décapité.

– Quoi ?

– Tu as bien entendu. Voilà pourquoi je te dis, heureusement que les médias ne savent rien.

Et le pistolet, la carabine, le couteau, ou du moins le

poison, me dis-je, c'est pour les chiens ? La décapitation est devenue rare dans le monde entier, et a disparu chez nous depuis le temps d'Ali Pacha.

Pour aller à Koropi, naguère, j'aurais pris la Mirafiori. Mais comme je bichonne encore la Seat, je monte dans une voiture de police avec deux de mes hommes. Avant la voie express, il nous fallait plus d'une heure, avec ou sans sirène. À quoi sert la sirène sur une voie unique ? Pour dépasser, il aurait fallu envoyer une dizaine de camions dans le décor.

À présent, nous arrivons en dix minutes à la sortie vers Koropi, ce qui me fait penser aux fastes des jeux Olympiques et oublier les dettes qui nous accablent depuis.

À la sortie de l'autoroute, nous sommes attendus par une voiture de la police locale.

La villa de Zissimopoulos se trouve en dehors de Koropi, dans un lieu nommé Prari, peu construit, aux maisons à étage entourées de jardins.

La villa trône au centre d'un immense terrain. En approchant, je vois devant la grille des reporters avec micros, des équipes de télévision et des photographes barrant l'entrée.

– Tu crois que ça pouvait leur échapper ? rigole Vlassopoulos.

– Fais-leur signe d'arrêter, dis-je à Dermitzakis en montrant la voiture de devant.

Je me rue sur le conducteur.

– Qui a prévenu les médias ? Le directeur de la Sûreté, M. Guikas, m'a certifié que votre chef n'en avait parlé qu'à lui.

Le passager regarde le paysage à sa droite comme si la discussion ne le concernait pas. Le conducteur, qui ne peut faire de même, hausse les épaules d'un air gêné.

– Qu'est-ce que je peux vous dire, monsieur le commissaire ?

– À moi, rien. C'est ton chef qui devra en répondre à Guikas.

Et je lui fais signe d'avancer.

– Comme s'ils allaient nous dire d'où vient la fuite, commente Dermitzakis.

– Tu le sauras dans deux ou trois mois, lui dis-je, quand tu verras qui a changé de voiture.

– N'exagérons rien, monsieur le commissaire. Comme si la télé payait tout un salaire pour une info !

– Tu n'as pas compris. Une chaîne a payé l'acompte et l'autre paie les traites.

Nous garons nos deux voitures devant le portail, fermant l'entrée à la horde, mais dès que nous mettons pied à terre, c'est l'assaut.

– Avez-vous des choses à nous dire, monsieur le commissaire ?

– C'est vrai qu'on l'a décapité ?

– Avez-vous des indices concernant l'assassin ?

– Patience, leur dis-je, je n'ai pas encore fait connaissance avec la victime.

Et j'entre dans le jardin.

De loin je vois s'approcher la camionnette de l'Identité judiciaire et la voiture de Stavropoulos, le médecin légiste.

4

Je gagne le fond du jardin, du côté de la colline, en compagnie de Stavropoulos. Derrière nous, l'équipe de l'Identité judiciaire, menée par Fakidis, son directeur, qui a jugé nécessaire de venir en personne. À son côté, Dimitriou, le technicien le plus expérimenté du service. Nous sommes guidés par les deux motards qui sont arrivés les premiers près du corps, après l'appel de la femme de ménage.

La maison est construite sur la pente. Le jardin devant est impressionnant depuis le portail jusqu'au milieu, rempli de fleurs et surtout de roses. Suit un potager avec des tomates et d'autres légumes. Un système d'arrosage imposant quadrille l'ensemble, et des allées séparent les massifs. Nous prenons l'un des deux sentiers qui bordent la maison.

Le jardin derrière est plein d'arbres de toutes sortes : cyprès, platanes, mais aussi pommiers, poiriers et cerisiers. Une pelouse recouvre le sol.

– On l'a trouvé là, dit l'un des motards.

À gauche, dans une clairière, une sorte de kiosque est couvert de vigne vierge, sur un sol en ciment. Sous la vigne, une petite table et deux chaises pliantes. Devant le kiosque, une forme sous un drap blanc.

Tout le monde a compris, mais Stavropoulos, par curiosité professionnelle, court soulever le drap avant nous. Le corps sans tête apparaît. Pris de nausée, j'avale ma salive et réussis à ne pas vomir.

Zissimopoulos était corpulent. Quand on l'a tué, il était vêtu d'une chemise et d'un pantalon kaki et portait des chaussettes dans ses sandales.

Stavropoulos jette un bref coup d'œil.

– À première vue, il n'y a pas d'autre blessure. Donc la tête n'a pas été détachée ensuite. Il a été tué par décapitation.

Sur la chemise de la victime, à gauche, est épinglée une feuille blanche de format A4, avec un énorme D dessus.

– C'est écrit à l'ordinateur. Ça ne me plaît pas du tout.

– À moi non plus.

Nous savons tous deux ce que ce D peut signifier. Message, signature, marque déposée, tout est possible. Ce D en liaison avec la décapitation nous fait comprendre que les meurtres vont continuer, sans que nous sachions qui sera la prochaine victime.

– La tête, vous l'avez trouvée ? demande Stavropoulos.

L'autre motard montre une forme plus petite, sous une serviette de bain, au pied d'un pommier à quelques mètres de là. Cette fois, c'est Dimitriou qui s'empresse de dévoiler la chose. Au vu de sa tête, Zissimopoulos devait avoir entre soixante-cinq et soixante-dix ans. Il a un reste de cheveux autour des tempes et une barbiche. Ses yeux ouverts fixent terrifiés le pommier qui le surplombe. La vision répugnante du corps tronqué impose un silence général.

– D'après ses vêtements, on a dû le tuer pendant qu'il jardinait, déclare Fakidis au bout d'un moment.

– Ramène-moi le jardinier qui a trouvé le corps, dis-je à Dermitzakis.

Puis je jette un coup d'œil circulaire.

– S'il travaillait dans le jardin, dis-je, il doit y avoir des outils. Pour l'instant, je ne vois rien.

Vlassopoulos tâche d'ouvrir une petite cabane un peu plus loin, mais la porte est fermée à clé, ce qui confirme mon hypothèse.

– Je vais chercher la clé.

– Ne te fatigue pas. Le jardinier l'apportera.

Justement, le voici, amené par Dermitzakis. Dans les trente ans, il porte une salopette et des chaussures de sport qui évoquent plus le livreur de courriers exprès que le jardinier.

– Il est tel que tu l'as trouvé ?

Un œil sur la cabane, il répond :

– Oui, il était là.

– Regarde bien, faut pas se tromper, insiste Vlassopoulos.

– Me tromper, tu rigoles ? Je vais en rêver toutes les nuits et il sera toujours à la même place.

Je n'insiste pas, la question est technique. Qui aurait pu entrer dans le jardin et déplacer le corps ?

– Tu te souviens à quelle heure tu l'as trouvé ? dis-je.

– Je viens arroser tous les matins à sept heures. Enfin, c'était peut-être un quart d'heure plus tôt ou plus tard.

– Les outils sont dans cette cabane ?

– Oui.

– Tu as la clé ?

– Je vous ouvre.

Et il court vers la cabane, soulagé d'échapper au spectacle.

– Jette un œil, dis-je à Vlassopoulos.

– Si le jardinier l'a trouvé vers sept heures, conclut Stavropoulos, alors le meurtre a dû avoir lieu hier soir.

– Ce n'est pas certain. Il avait peut-être l'habitude de se promener dans son jardin tôt le matin.

– Dans ce cas, dit Dermitzakis, avec un peu de chance on tombera sur quelqu'un qui a vu une voiture ou un deux-roues s'approcher de la maison.

– Peut-être, dis-je, mais je pense plutôt qu'on est venu de nuit lui tendre une embuscade. Je ne vois pas pour l'instant de système d'alarme dans le jardin.

– Le jardinier me dit que les outils sont en ordre, crie Vlassopoulos depuis la cabane.

– Vous n'avez plus besoin de moi ? me demande le jardinier, qui n'a qu'une envie : se tailler pour ne plus voir le corps.

– Attends. Zissimopoulos s'occupait du jardin ?

– Presque tous les jours. Des rosiers avant tout, il adorait les roses.

– Donc nous savons qu'on ne l'a pas tué pendant qu'il jardinait. Laissons Stavropoulos et Fakidis faire leur boulot, dis-je à mes hommes.

Et j'interroge le jardinier :

– Y a-t-il des domestiques permanents ?

– Oui, Mme Maria qui s'occupait du ménage et de la cuisine, et Bill.

– Qui est ce Bill ? fais-je, étonné.

– Son domestique personnel. Un Africain, je crois. Les Anglais ont un nom pour ça.

– *Butler*, dit Fakidis, qui a terminé ses études en Angleterre.

– Oui, c'est ça.

J'envoie mes deux hommes à Koropi chercher d'éventuelles informations, tandis que je me dirige vers la maison suivi du jardinier. Je monte les marches de marbre et entre dans un grand hall.

Soudain, je prends conscience de la taille réelle de la maison. Zissimopoulos a dû dépenser une fortune. Face à l'entrée, un escalier mène à l'étage supérieur et à sa droite, dans un renfoncement, on a aménagé un vestiaire. À côté, une porte à deux battants s'ouvre sur la salle à manger. La moitié de l'espace est occupée par une immense table entourée de douze chaises, avec un fauteuil dans chacun des quatre coins et deux vitrines en vis-à-vis, l'une pleine d'argenterie, l'autre de cristaux.

Juste en face, le salon, de dimensions similaires, lourds fauteuils, canapés, bergères et tables basses ouvragées. Sur tout le mur du fond, une bibliothèque ; devant elle, un bureau et un ordinateur dessus. Zissimopoulos, apparemment, travaillait dans son salon.

À côté, un petit salon avec télévision, chaîne hi-fi et autres équipements. Tout cela, y compris les chambres, ouvertes à tous les regards, donne l'impression que Zissimopoulos allait et venait toute la journée d'une pièce à l'autre pour combattre sa solitude.

Je suis perplexe.

– Où est la cuisine ?

– Venez, dit le jardinier.

Derrière le grand escalier, un autre descend vers le sous-sol. Bien que je sois très curieux de connaître ce Bill, je préfère suivre la tradition en commençant par la femme de ménage grecque.

Je la trouve dans une cuisine de la même taille que celle d'un grand restaurant. La soixantaine, vêtue simplement, elle a les cheveux gris et un visage paisible, amical. Ses yeux sont gonflés par les larmes.

– Je ne serai pas long pour l'instant, lui dis-je. On se limite à l'essentiel, et s'il le faut on y reviendra. Tu habites la maison ?

– Non, à Koropi. Je viens vers huit heures et repars à cinq heures.

– Dis-moi ce qui s'est passé ce matin.

– J'ai trouvé Iordanis, le jardinier, qui m'attendait à la porte du jardin. Il était tellement bouleversé qu'au début il ne pouvait pas m'expliquer. Quand j'ai compris, je suis tout de suite entrée dans la maison pour appeler la police.

– Pourquoi le jardinier ne l'a-t-il pas fait avant toi ?

– Il ne peut pas entrer. Il a la clé du jardin, mais ne connaît pas le code pour la maison.

– Il n'y a pas d'autre personnel ?

– Nous avons deux femmes bulgares qui viennent deux fois par semaine faire le ménage à fond.

– Et l'Africain ?

– M. Bill s'occupe…

Elle s'interrompt et corrige :

– M. Bill s'occupait uniquement de M. Zissimopoulos.

– Et toi, que fais-tu ?

– Je viens le matin, je mets un peu d'ordre. Ensuite je téléphone pour les courses, je prépare le déjeuner puis je continue jusqu'à cinq heures, dans la cuisine surtout. Je prépare le dîner et c'est monsieur Bill qui le sert.

Elle l'appelle toujours monsieur, ce qui prouve qu'elle voit en lui un supérieur hiérarchique.

– Votre patron et Bill s'entendaient bien ?

Elle fait un geste d'ignorance.

– Qu'est-ce que je peux dire ? Ils parlaient anglais entre eux. Alors savoir s'ils s'injuriaient ou s'aimaient, moi je ne parle pas anglais, je ne comprenais pas un mot.

Elle s'interrompt, puis ajoute avec une amertume imperceptible :

– En tout cas, je n'ai jamais entendu M. Zissimopoulos élever la voix contre M. Bill.

Normal, me dis-je. Quand un plouc de ce pays s'offre un *butler*, lequel des deux se sent tout petit ? Le plouc de ce pays, pas le *butler*.

Ne voyant pas ce qu'elle pourrait me dire de plus, je décide d'aller questionner l'Africain. Selon Mme Maria, il doit être au premier étage.

Je le trouve dans une petite chambre toute simple, meublée d'un lit étroit, d'une armoire et d'une table de nuit. Bill l'Africain est assis sur son lit, la tête basse. Dès qu'il me voit, il se lève et me fait face, droit comme un *i*, l'air grave. Il porte un pantalon noir, une chemise blanche et un gilet noir. Un immense gaillard à la tête rasée.

Je me présente :

– *Charitos, from the police.*

– Bien, répond-il en grec avec un accent étranger.

– Tu connais le grec ? Tu es là depuis combien de temps ?

– Avant venir en Grèce, j'étais dans famille grecque à Johannesbourg. Là j'ai appris.

J'en déduis qu'il est sud-africain.

– Tu es arrivé quand ici ?

– Trois ans.

– Ton métier ?

– *Servant.* Domestique.

– *Butler.*

Maintenant que j'ai appris le mot, autant m'en servir.

– Non, non. *Not butler.* Domestique.

– C'était quoi, ton travail ?

– Préparer son breakfast. Nettoyer ses vêtements. *Take care of his medication.*

– *Medication ?* Il prenait des médicaments ?

– Oui. Pour son cœur.

– Viens me montrer sa chambre.

C'est la porte à côté. Une vaste chambre avec lit à deux places et placards. Près de la porte, une petite bibliothèque et une bergère à côté. Le lit est défait, ce qui veut dire qu'on a dû le tuer après la nuit.

– Tu n'es pas entré ce matin dans sa chambre à coucher ?

– *No. I always waited for his call.*

– Quand descendait-il au jardin ?

– Soir, matin, toute la journée au jardin. Quand la pluie, toujours énervé.

Ce qui confirme la déposition du jardinier. Je laisse à l'Identité judiciaire le soin de fouiller les tiroirs et vais voir les autres chambres de l'étage. Il y en a deux, inoccupées. Sûrement destinées à ses deux fils, quand ils venaient lui rendre visite.

Je retourne au jardin. Stavropoulos est encore penché sur le corps, tandis que les autres ratissent le jardin. J'allais jeter un œil dans la cabane à outils quand mon portable sonne. C'est Vlassopoulos.

– Monsieur le commissaire, apparemment Zissimopoulos

ne se montrait pas beaucoup à Koropi. Mais nous avons trouvé l'agence qui lui a vendu le terrain. Le type sait des choses. Vous voulez lui parler ?

– J'arrive.

La cabane est remplie d'outils de jardin, tous parfaitement rangés. Ne trouvant rien qui m'intéresse, je reviens à Stavropoulos.

– À première vue on a dû l'assassiner entre hier soir tard et ce matin. Je serai plus précis après l'autopsie.

– Pas la peine. Le lit était défait, donc on l'a tué ce matin.

– Voilà qui me simplifie la tâche. Comme je te l'ai dit, la mort est due à la décapitation. Son corps ne porte pas d'autres blessures. Il a sans doute reçu le coup par-derrière, mais je te le confirmerai à l'autopsie. L'assassin devait être expérimenté, car il a tué du premier coup. L'arme était sans doute une épée. Un couteau n'est pas aussi efficace.

– Un Grec expert en maniement de l'épée ? Un héros de la guerre d'Indépendance ressuscité ?

– Je peux me tromper. J'en saurai davantage demain.

Cette histoire d'épée me préoccupe autant que le D de la signature. L'une comme l'autre ne me disent rien de bon.

5

L'agence immobilière s'appelle « Koropi Terrains, *real estate* », et la vitrine est couverte d'annonces de terrains à vendre, qui tel un rideau empêchent de voir à l'intérieur. Le curieux ne perd pas grand-chose : la boutique se compose d'un grand bureau, derrière lequel est assis le patron, Yannis Mertikas, et d'un plus petit, en face, occupé par sa fille.

– Vous avez beaucoup d'offres de terrains, à ce que je vois, dis-je à Mertikas pour lancer la conversation.

– Un nouveau modèle de jeep Cherokee vient de sortir, dit-il en riant. À chaque nouveau modèle, surtout si c'est une jeep ou une land-rover, l'offre augmente.

– Pourquoi ?

– Parce qu'une fois sur deux on revend un terrain pour s'acheter la bagnole.

– C'est comme ça que Zissimopoulos a eu son terrain ? Par quelqu'un qui voulait se payer une jeep Cherokee ?

– Son terrain réunit deux parcelles. Il a acheté l'une à un type qui était pressé de prendre un appartement à Athènes. L'autre appartenait en indivision à un frère et une sœur. La sœur voulait vendre, le prix étant très avantageux. Mais le frère voulait garder la parcelle de ses ancêtres, qui était pour lui un souvenir sacré, comme un chandelier d'argent. La sœur insistait, il résistait. Pour finir, la sœur a confié à Zissimopoulos que son frère avait demandé un prêt à une banque pour construire une maison à Syros. Zissimopoulos a employé les grands moyens afin de ralentir le prêt. Le frère étant à sec a dû vendre la parcelle pour ne pas arrêter les travaux.

– C'était quel genre d'homme, ce Zissimopoulos ?

Mertikas hausse les épaules.

– Un banquier. Il pouvait te plumer, mais quand il promettait, il tenait. Et si toi, tu ne tenais pas ta promesse, il te traînait devant les tribunaux.

– À t'entendre, il n'attirait pas la sympathie.

– La plus grande partie de sa villa, le béton excepté, a été construite par des maçons d'Athènes. Il n'a pris aucun des nôtres.

Il s'interrompt et reprend, l'air dur :

– Quand tu vas chercher jusqu'à ton domestique en Angleterre, ne t'attends pas à être aimé des gens du coin.

– Il vient d'Afrique.

– Oui, mais ses fils le lui ont envoyé depuis Londres. Comme s'il ne pouvait trouver personne ici. Grecques, Russes, Bulgares, Ukrainiennes, tu n'as qu'à te baisser pour choisir. Mais lui voulait un Noir qui se conduise comme un lord. Nous, en tout cas, on l'appelait le Zoulou. Pas forcément par mépris, mais parce qu'il avait dit à Maria qu'il appartenait à la race des Zoulous. Et ces gens-là, autant que je sache, ont le meurtre comme pain quotidien.

Il me lance un regard entendu. Je ne relève pas, mais au fond de moi je me trouve à peu près sur la même longueur d'onde. Zissimopoulos et Bill n'élevaient sans doute jamais la voix en se parlant, m'a dit Mme Maria, mais cela ne veut pas dire grand-chose. Les Noirs sud-africains comme Bill ont appris à baisser la tête, après tant d'années d'oppression, et à frapper quand on ne l'attend pas – sournoisement et sans bruit. Bien sûr, ce sont là peut-être des racontars de Blancs. D'un autre côté, la décapitation suppose une proximité, un contact personnel. On ne décapite pas de loin, il faut être proche à se toucher. Sa relation avec Zissimopoulos lui offrait une occasion unique. Sans compter que ces gens ont une grande aptitude à manier l'épée ou le couteau. Évidemment, ce qui contredit mon hypothèse, c'est le D épinglé sur la poitrine de la victime, mais là encore cela ne veut sans doute rien dire. L'assassin a peut-être voulu nous égarer.

Je remue toutes ces pensées en regagnant Athènes avec Dermitzakis. J'ai laissé Vlassopoulos sur place pour frapper aux portes et s'informer.

J'ai à peine le temps de m'asseoir à mon bureau et de mordre dans le croissant qui m'attendait depuis le matin, lorsque j'entends au téléphone la voix de Koula.

– Vous êtes rentré, monsieur Charitos ? Le directeur vous attend.

Je replace le croissant sous cellophane et monte au cinquième. Koula m'accueille avec de l'ironie dans son sourire.

– Stathakos est là, me dit-elle d'un air complice, sachant que le directeur de la Brigade antiterroriste nous inspire la même sympathie.

Elle a bien fait de me le dire, pour m'éviter de tomber sur lui sans préparation. D'un autre côté, l'information me fait entrer de mauvaise humeur dans le bureau de Guikas.

Stathakos est confortablement assis à ma place. Il parlait à Guikas, mais à mon entrée, suivant sa technique favorite, il s'interrompt brutalement pour donner l'impression que leur conversation est top secret et ne doit pas tomber dans l'oreille de tiers.

– Alors ? demande Guikas, impatient. Fais vite, le ministre a demandé qu'on l'informe illico.

Je lui sers comme apéritif :

– Vous êtes sûr que les chaînes et les journalistes n'ont pas été informés ?

Un instant il reste sans voix, puis il répond, catégorique :

– Absolument. Nous n'avons rien dit aux médias, et la

police locale non plus. Le commissaire de Koropi me l'a assuré.

– Moi, en tout cas, j'ai trouvé devant la villa une horde de journalistes et d'équipes de tournage. Je ne serais pas du tout étonné s'ils se trouvaient maintenant dans l'antichambre du ministre en train d'attendre une déclaration.

Pris de panique, il se rue sur le téléphone.

– Koula, appelle le bureau du ministre et demande si les médias sont déjà là pour l'affaire Zissimopoulos. S'ils n'y sont pas, il faut prévenir tout de suite le poste de garde.

Stathakos tente de croiser mon regard, mais le mien se balade sur les murs et la grande carte d'Athènes. Guikas raccroche, l'air soulagé.

– Ils doivent être encore sur les lieux du crime.

Stathakos va allumer la télévision qui fait face au bureau de Guikas. Au-dessus de l'image apparaît la légende « Flash Info » avec au-dessous la présentatrice et trois fenêtres. Dans l'une d'entre elles, l'envoyée spéciale de la chaîne. Dans les deux autres, les endroits où l'on a trouvé le corps et la tête, encerclés tous deux d'un ruban rouge, les contours de la dépouille dessinés sur le sol.

– Éteins, ça me tape sur les nerfs, hurle Guikas, et Stathakos obtempère. Bon, raconte, me dit Guikas un peu calmé.

Je fais mon rapport, brièvement mais sans rien omettre. Guikas m'écoute avec attention. Stathakos, au contraire, affecte un ennui profond, comme si je lui faisais perdre son temps.

– Qu'est-ce que tu en penses ? me demande Guikas.

– Rien pour l'instant. Il faut que je voie d'abord les conclusions de Stavropoulos, celles de l'Identité judiciaire et que je parle aux collègues de la victime. Je veux aussi interroger ses fils dès leur arrivée.

– Fais-le, répond Stathakos à la place de Guikas. Mais je te le dis d'avance : il y a là une entreprise terroriste.

– Toi, tu vois des terroristes partout.

J'allais ajouter « Tu les vois, et ils t'échappent », mais je ravale.

– Une entreprise terroriste, tu verras, insiste l'autre.

– C'était un banquier retraité. Un grand nom, je ne dis pas, mais retraité. Ce n'était ni un politique ni un homme d'affaires, un haut fonctionnaire ou un dirigeant de parti. Que pouvait-on gagner en le tuant ? Les terroristes visent les feux de la rampe, or ce type-là était rentré dans l'ombre.

– Et si on attendait quelques jours ? propose Guikas. S'il y a déclaration à la presse, nous saurons qu'il s'agit de terroristes. Sinon, ce sera un simple assassinat.

– Il n'y aura pas d'autre déclaration, déclare Stathakos absolument sûr de lui. C'est déjà fait.

Je le regarde, interloqué.

– Comment ça ?

– Sous tes yeux et tu n'as rien vu, répond Stathakos.

Je commence à m'inquiéter. Ce que je veux éviter avant tout, c'est de me laisser surprendre par Stathakos.

– Nous n'avons trouvé de déclaration nulle part. L'Identité judiciaire non plus, autant que je sache.

– Et ce D sur sa poitrine, si ce n'est pas une déclaration, c'est quoi ?

– Tout ce qu'on veut. Fausse piste, signature d'un tueur fou, ou je ne sais quoi. L'Identité judiciaire est en train de plancher là-dessus.

Je me tourne vers Guikas.

– Jusqu'à présent, on appelait déclaration une longue tartine pleine de théories fumeuses. Et voilà que d'après Stathakos, un D suffit.

– Et le Noir ? demande Stathakos.

– Depuis quand les terroristes grecs font-ils appel à des Noirs d'Afrique du Sud ? S'il était albanais, bulgare ou roumain, je ne dis pas. Mais sud-africain ? Tu nous vois importer des organisations terroristes d'Afrique du Sud ?

– Pour être tranquilles, dit Stathakos à Guikas, vous devez nous confier l'affaire. La Brigade antiterroriste seule a le *know how* pour traiter ce genre de cas.

Il se lève et sort du bureau, sûr d'emporter l'affaire avec ses bribes d'anglais.

– Vous ne prenez pas au sérieux ces histoires de terrorisme, je suppose.

Guikas me regarde en silence. Je poursuis :

– Écoutez. Zissimopoulos était très connu des banquiers et des milieux d'affaires. Si on rate notre coup, les médias ne vont pas nous louper.

La meilleure façon de gagner Guikas, c'est de le convaincre que les médias vont lui tomber dessus.

– Toi, continue de faire ton boulot, dit-il sèchement.

Rien de pire que l'incertitude, me dis-je avant d'attaquer enfin mon croissant. Guikas m'a dit de poursuivre l'enquête, d'accord. Mais il n'a pas rejeté non plus la théorie de Stathakos. Ce qui, chez lui, signifie : on verra plus tard. Autrement dit, à tout moment il peut me retirer l'enquête pour la confier à Stathakos.

D'un autre côté, je dois reconnaître que le cas de Bill me préoccupe moi aussi, pour d'autres raisons que celles de Stathakos il est vrai.

Mais oublions l'avenir incertain. Il est temps d'aller voir à la Banque centrale si les anciens collègues de Zissimopoulos ont de quoi m'éclairer.

6

Les bureaux de la Banque centrale sont dans la rue Pireos. Je compte passer par l'avenue Alexandras et la place Omonia, l'itinéraire logique, oui mais la logique, dans ce pays, ça ne marche jamais. Après l'église Saint-Savvas je tombe dans une pagaille totale avec tout ce que cela comporte : cris, jurons, gestes, klaxons. Les conducteurs devant moi cherchent désespérément à fuir leur destin, comme les pickpockets affolés d'autrefois que nos hommes poursuivaient à pied dans les petites rues. À présent, les pickpockets sont armés, nous sommes en voiture et ils nous échappent toujours.

J'arrive à la hauteur de la rue Asklipiou au bout de trois quarts d'heure, et là le mystère de l'embouteillage s'éclaircit avec l'apparition de deux voitures de police barrant la rue adjacente à Alexandras. On entend au loin l'écho de cris et de slogans. L'équipage d'une des voitures, devant son véhicule, collecte un trésor d'injures venues des embouteillés, qui doivent tourner à droite. Les hommes ne réagissent pas, feignant d'admirer la vue sur les collines proches. Je me présente.

– Qu'est-ce qui se passe, les gars ?

– Les syndicats ont un rassemblement devant les bureaux de la Confédération du travail, pour protester contre les nouvelles mesures, m'explique le chef.

– Je fais quoi ? Je prends Ippokratous ?

– Impossible, répond le conducteur. La rue est fermée. Vous allez devoir passer par Syntagma.

Je tourne à droite et remonte par-derrière l'Aréopage. Pour arriver à la rue Panormou, il me faut trois autres quarts d'heure. Stavridis, le gouverneur de la Banque centrale, va me maudire pour l'avoir cloué à son bureau, mais je n'ai d'autre solution que de prendre l'avenue Vassilissis-Sofias. Elle est dégagée, heureusement. Mon bonheur ne dure pas, hélas. À partir du Hilton la situation s'aggrave peu à peu, jusqu'à l'arrêt total. Les forces anti-émeutes ont dressé un barrage, une anguille ne passerait pas.

Même question, après les présentations :

– Qu'est-ce qui se passe, les gars ?

– Les retraités défilent devant le Parlement, répond un jeune collègue.

– Et pour aller à Omonia ?

Ils se regardent, me prennent pour un fou, éclatent de rire.

– Il n'y a qu'une solution, me dit le chef : nous laisser votre voiture, on la gare au commissariat d'Ypsilantou et vous allez à pied, ou vous prenez le métro.

Ma première réaction est d'annuler le rendez-vous, mais je change d'avis : si Stathakos apprend que je ne suis pas foutu d'arriver à la Banque centrale, il va se payer ma tête.

– Une voiture de police ne peut pas m'y emmener ?

– S'ils nous l'abîment, on ne pourra pas la remplacer, vu les restrictions.

Je reconnais qu'il n'a pas tort et lui laisse les clés de la voiture.

Je rejoins Syntagma à pied. Jusqu'à l'entrée du Parlement la marche est facile, la circulation étant coupée, les piétons occupent toute la largeur de la chaussée. Le gros de la foule est rassemblé devant le bâtiment. On dirait qu'il y a là tous les retraités du pays.

Je descends les marches du métro quand un septuagénaire m'agrippe la manche et me secoue.

– Quatre cents euros de retraite, voilà ce que je touche ! me crie-t-il. Qu'est-ce qu'elle peut m'enlever, l'Europe ? Je te demande, quel Allemand, quel Français, quel Suédois peut vivre avec quatre cents euros par mois ? L'été, je vois les îles s'enfoncer sous le poids des retraités français, suédois et allemands. Moi, les îles, je ne les vois pas, même à la jumelle, avec mes euros de misère, pas question de s'offrir des jumelles.

– Pourquoi tu t'en prends aux Allemands et aux Suédois ? intervient son voisin. Demande ce que les députés touchent comme retraite après deux mandats, huit petites années.

– Et toi, tu touches combien ? me demande l'autre.

– Je travaille encore.

Son voisin me jette un coup d'œil soupçonneux.

– Laisse-le, dit-il à son voisin. Tu ne vois pas son petit costard-cravate ? C'est sûrement un employé du Parlement, de ceux qui empochent seize mois avec retraite à cinquante ans.

Est-ce dû à la galère pour venir jusque-là, ou au stress de faire attendre Stavridis ? J'en ai soudain ma claque.

– Je ne suis pas retraité, je suis flic, et moi aussi ils me piquent mon quatorzième mois et les primes.

– Toi, flic ? Tu rigoles, dit le premier. Enfin, merci quand même, tu nous rappelles qu'on est tous dans le même pétrin, et il me congédie d'une tape sur l'épaule.

Le quai du métro est bourré de retraités. La rame arrive, les uns descendent, les autres montent, sans doute fatigués d'être longtemps restés debout. Je me faufile dans l'une des dernières voitures, coincé entre deux petites vieilles minces comme des cure-dents.

À Omonia, changement de décor. Sur le devant de la scène, des jeunes avec drapeaux et slogans du genre « Les pauvres en ont assez de payer les pots cassés ».

Je sors du métro comme un chien battu et prends la rue Pireos.

Le siège de la banque se trouve dans un immeuble moderne en verre et béton. Le concierge m'informe que le bureau du gouverneur est au dernier étage. Je suis reçu par une secrétaire dans les cinquante ans, tirée à quatre épingles, glaciale, visiblement agacée.

– Vous êtes en retard, monsieur le commissaire.

– Je sais et je vous prie de m'excuser, mais toute la ville est bloquée par des manifestations.

– Ah bon, des manifestations aujourd'hui ? Je n'ai pas remarqué, répond-elle, et je comprends que je viens d'entrer dans un autre monde.

La secrétaire m'ouvre une porte à sa droite et m'introduit dans un bureau gigantesque, au fond duquel une verrière donne sur une terrasse pleine de verdure avec vue sur l'Acropole.

Stavridis est assis à son bureau, le dos tourné à la verrière. Dans l'un des coins face à lui, un petit salon avec deux fauteuils, une table basse, des fleurs dans un vase, et dans l'autre coin la table de réunion rituelle.

Stavridis, la cinquantaine bien avancée, est petit, plutôt enveloppé, les joues roses. Il ressemble plus à un homme d'affaires de moyenne grandeur qu'à un directeur de grande banque. Il se lève, me tend la main et me fait asseoir dans l'un des fauteuils face au bureau.

– Excusez mon retard, mais Athènes aujourd'hui est bloquée par les manifestations.

– Si les manifestations rapportaient de l'argent, nous serions tous dans la rue, remarque-t-il.

– Si les gens manifestent, c'est qu'ils ont moins d'argent, dis-je en pensant aux deux retraités.

– Alors, c'est le gouvernement qui devrait manifester d'abord, car il en a chaque jour un peu moins.

Je me dis que la discussion est mal engagée. Par bonheur, lui aussi l'a compris :

– Mais vous n'êtes pas venu pour discuter avec moi de la crise économique, dit-il avec un sourire.

– En effet, je viens vous demander de m'éclairer.

Son regard me jauge. Il doit faire le compte de ce qu'il sait et de ce qu'il veut me dire.

– Je ne connaissais pas bien Zissimopoulos personnellement, je vais vous dire pourquoi. On n'arrive pas au poste de gouverneur en grimpant dans la hiérarchie. On est nommé du dehors. Il l'a été, je lui ai succédé de même. Si bien que nous n'avons jamais travaillé ensemble.

– Vous le connaissiez professionnellement ?

– C'est là où je veux en venir. C'était un remarquable banquier. Il a hérité d'une banque poussiéreuse, à demi étatisée, il l'a ouverte au monde, a développé les échanges internationaux, augmenté ses gains et son prestige. Je vous le dis tout à fait sérieusement, j'ai beaucoup de chance de succéder à Zissimopoulos.

– Savez-vous s'il avait une vie sociale ?

Stavridis sourit.

– Si par vie sociale vous entendez les déjeuners de travail ou les cocktails organisés par les banques, je vous réponds que oui, comme nous tous. Quant à sa vie personnelle, je n'en sais absolument rien.

– Donc, vous ne savez pas s'il avait des amis ou des ennemis.

Cette fois il rit pour de bon.

– Monsieur le commissaire, on ne peut pas gagner de l'argent sans se faire des ennemis. Surtout en Grèce. Dans ce pays, celui qui a de l'argent est suspect, il l'a probablement volé. C'est ce que pense la majorité des Grecs.

En me levant, je me dis que je suis tombé dans des rassemblements, que j'ai traversé des manifs, et que pour finir j'ai galéré en vain. Stavridis doit lire ma déception sur ma figure, car il ajoute :

– Vous en apprendriez davantage en parlant avec Mme Kalaïtzi, ma secrétaire, qui était aussi celle de Zissimopoulos.

Il me raccompagne jusqu'à la porte et dit à l'intéressée :

– Madame Kalaïtzi, monsieur le commissaire cherche des renseignements sur Zissimopoulos. Peut-être pouvez-vous l'aider.

Elle me jette un regard sans expression. Stavridis prenant congé, elle me montre un fauteuil de dimensions plus réduites que celui de son patron.

– Que voulez-vous savoir au juste, monsieur le commissaire ?

– Je n'ai aucune question précise. J'essaie d'avoir une image de l'homme.

– C'était quelqu'un de difficile, dit-elle sans hésiter. Un remarquable banquier, mais un homme terriblement difficile.

– Qu'entendez-vous par là ?

– Froid, guindé, renfrogné. Il n'avait de mot gentil pour personne et vous humiliait à la moindre faute. Si à son arrivée le matin les fleurs du bureau n'étaient pas arrosées, il était capable de m'envoyer suivre des cours de jardinage.

Je repense à son amour pour son jardin et ne suis guère étonné.

– Il avait donc si mauvais caractère ?

– Je pense que c'était de l'arrogance. Il voyait en nous tous des employés sans envergure, sans ambition, sans horizon, incapables de réaliser ses grands projets.

Elle hésite un instant, puis reprend :

– Il n'avait sans doute pas tort, il était à des années-lumière devant nous.

– En d'autres termes, il n'attirait pas la sympathie.

– La sympathie ? dit-elle en s'accrochant à sa chaise. La sympathie ? Tout le monde le détestait, moi en tête, qui devais le supporter au quotidien. Évidemment, si vous demandez aux cadres supérieurs de la banque, qui étaient en contact avec lui, ils ne feront que des éloges. Et à juste titre, car pendant son mandat les gains de la banque ont triplé, et leurs salaires en ont fait autant. Ils vous cacheront à quel point ils le haïssaient.

Elle se tait un instant, songeuse, puis reprend :

– Il n'est pas exclu que cette arrogance-là soit inscrite dans les gènes de la famille.

– Pourquoi dites-vous ça ?

– Vous avez rencontré ses fils ?

– Non. Ils sont prévenus, mais ne sont pas encore arrivés en Grèce.

– Les deux fils, comme le papa, donnent l'impression qu'ils sont faits pour diriger la City de Londres, mais qu'on les en prive injustement.

Les cours de jardinage sont dans le style du père, me dis-je, et le *butler* dans celui des fils. Les premières impressions se confirment. Maintenant, si c'est l'un de ses subordonnés qui l'a tué, il va falloir chercher lequel a pris des cours d'escrime.

– Je vous remercie pour votre aide, lui dis-je.

– Et moi je vous remercie de m'avoir donné cette occasion de me défouler. Désormais, quand on me dira que la police joue le rôle du confesseur, j'approuverai.

Elle me sourit pour la première fois, avec sympathie, et me tend la main.

Quand j'arrive sur la place Omonia, je regarde l'avenue Stadiou : le calme est revenu. Je décide de marcher pour mettre un peu d'ordre dans mes pensées.

7

Katérina et Phanis habitent un deux-pièces de 65 mètres carrés, à côté du parc Eleftherias. Le séjour en occupe les deux tiers. Une telle disposition rend l'entrée impressionnante. Les fenêtres sans rideaux laissent voir le parc. Les meubles sont rares. Deux fauteuils assortis et un canapé face à la télévision, derrière laquelle une bibliothèque occupe le mur entier. Le reste, vide, a des allures de terrain vague.

Une telle décoration n'est pas affaire de goût, elle découle du manque d'argent. Le salaire de médecin d'hôpital a limité Phanis au strict nécessaire. Il aurait pu trouver moins cher dans un autre quartier, mais il voulait rester près de son travail, à l'Hôpital général d'État. D'ailleurs, le reste de l'appartement n'exige que peu de meubles. La chambre à coucher contient avec peine un lit à deux places et une table de nuit qu'utilise Katérina pour y déposer les livres qu'elle lit avant de s'endormir, tandis que Phanis, comme il le dit lui-même, « dort comme une bûche » sitôt couché.

Nous sommes invités chez eux pour une pendaison de crémaillère familiale en deux parties : hier, les parents de Phanis, et nous aujourd'hui.

– On ne pouvait pas recevoir tout le monde ensemble, nous dit Katérina. Avec mes beaux-parents nous aurions été six. Plus Margarita, la tante de Phanis, et son mari. D'abord, nous ne pouvons pas asseoir huit personnes. Ensuite, je ne peux pas cuisiner pour huit, faute de place, et enfin je ne me débrouille pas encore assez bien. Quatre personnes, ça va encore…

Je jette un coup d'œil à Adriani et la vois qui contemple la vue nocturne sur le parc, en se retenant d'attaquer sa fille sur le thème : « Si tu m'avais laissée t'apprendre les rudiments de la cuisine, tu n'aurais pas ce problème aujourd'hui. »

– Dans un sens, c'est mieux ainsi, commente Phanis.

– Pourquoi ? demande Katérina.

– Parce que mes parents, mon oncle et ma tante auraient pris la tête à ton père avec leurs questions sur la police, et pourquoi elle se plante à tous les coups.

Suit un silence approbateur, car nous savons tous qu'il a raison, et je bénis l'exiguïté des lieux.

Katérina va s'occuper du repas. Adriani se lève aussitôt pour l'aider, mais sa fille lui dit de rester avec nous. Elle veut tout préparer seule, non pour prouver quoi que ce soit, mais parce qu'elle en a pris l'habitude pendant toutes ses années de célibat. Adriani, suivant son instinct de maîtresse de maison, n'insiste pas.

Phanis nous emmène sur le balcon. Il est petit, mais assez large et plus généreusement décoré que l'intérieur. Au milieu, une table en marbre et fer forgé flanquée de deux chaises de jardin en toile, et plus loin une chaise longue en bois à l'ancienne. Le reste est occupé par des plantes, sans fleurs, et beaucoup d'arbustes.

– Qui arrose ? demande Adriani.

– Katérina et moi, à un contre trois, dit Phanis en riant.

– C'est-à-dire ?

– Katérina une fois, et moi trois. Elle s'occupe de la cuisine, et moi du café le matin seulement.

Rentrés dans le séjour, nous trouvons la table basse toute prête et Katérina apporte le premier plat.

– Soufflé aux artichauts, annonce-t-elle à la cantonade, avec un regard en biais vers sa mère. Ensuite, j'ai fait du veau sauce citron avec du riz.

Adriani laisse passer le menu sans commentaire et attend tranquillement qu'elle serve et que Phanis remplisse les verres de vin. Dès la première bouchée, Phanis et moi sommes pleins d'éloges. Même si elle a un peu forcé sur le sel, Katérina vient de faire un miracle, elle qui s'est longtemps nourrie de pâtes à la sauce en boîte.

– Bravo, ma chérie, dit Adriani. Tu as bien appris.

Elle n'a pas dit que c'était bon. Ce que cela signifie ? Soit que pour bien faire la cuisine il faut des années, soit qu'elle s'en tire bien, quand on pense qu'elle a appris seule.

– Où as-tu appris à faire un soufflé ?

La question confirme plutôt la seconde hypothèse.

Rire de Katérina.

– Enfin, maman, les journaux du week-end sont pleins de recettes.

– C'est ce que je pensais, alors je t'ai apporté un petit cadeau.

Elle ouvre son sac et sort un cahier d'écolier bleu.

– Ce sont les recettes des plats que tu aimais quand tu mangeais chez nous. Je te les ai recopiées.

Katérina ouvre le cahier et je jette un coup d'œil. L'écriture est ronde, calligraphiée, comme à l'époque où Adriani fréquentait l'école primaire de son village. Katérina voit la même chose. Elle saute au cou de sa mère.

– Merci, maman, dit-elle, au bord des larmes.

Elle se reprend et plaisante :

– Ça me sera utile maintenant que nous mangerons plus souvent à la maison.

– Vous avez décidé de suivre un régime ?

Je la taquine, sachant qu'ils mangent à l'extérieur un soir sur deux.

– Un régime, non. On jeûne. Nous vivons sur le salaire de Phanis, puisque pendant mon stage, comme tu le sais, je ne gagne rien. Mais avec les nouvelles mesures, le salaire de Phanis est amputé de vingt pour cent, et nous devons faire attention.

Adriani me jette un regard où la réprobation le dispute à l'inquiétude, et moi je voudrais me donner des baffes de l'avoir oublié : derrière les cérémonies de mariage et les fiestas, ma fille et mon gendre se serrent la ceinture.

– Vous n'êtes pas partis en voyage de noces, c'est pour ça ?

– Non, dit Katérina, nous l'avons reporté car nous sommes invités à passer quinze jours dans l'hôtel d'un patient de Phanis à Sifnos.

– Haris Tsolakis. Tu le connais, me dit Phanis.

– Moi ? Depuis quand ? Mon séjour à l'hôpital ?

– Non, tu l'as rencontré au mariage. Le type en fauteuil roulant. Il possède une chaîne d'hôtels dans toutes les îles, mais c'est sa sœur qui la dirige. Lui se contente de superviser, sa santé ne lui permet pas de s'en occuper à plein-temps.

Un silence. Nous savons que ces vacances-là sont une parenthèse. Autre chose nous préoccupe. Katérina surtout.

– Dans deux mois je termine mon stage, mais après, je fais quoi ? me demande-t-elle. Je n'ai pas d'espoir en dehors de cette candidature au ministère de la Justice. Car ouvrir un cabinet d'avocat, il ne faut pas y penser.

– Laisse-moi réfléchir à ce que je peux faire, dis-je.

Mais je suis dans le brouillard.

– Ne te fatigue pas, dans la situation où nous sommes il n'y aura pas de postes libres.

– Moi, dit Phanis, j'ai attendu trois ans après avoir fini ma spécialité, et c'était une meilleure époque. Ne t'en fais pas, Katérina, on saura vivre de peu. En fait, on n'a pas le choix. C'est marche arrière pleins gaz, direction les vaches maigres.

– Cela va peut-être nous faire du bien, mon cher Phanis, dit Adriani.

Et elle lance une de ses éternelles maximes :

– Le Phénix renaît de ses cendres.

– C'est ce qu'on disait sous la dictature, madame Adriani ! répond Phanis en riant. Je n'ai pas dit qu'on allait y retourner…

– La dictature aussi, c'était le temps des vaches maigres, remarque Adriani, qui n'a pas tort.

Nous montons en voiture sans un mot, pensant à Katérina et Phanis. La Seat est dotée d'un GPS, fourni gratuitement. J'aurais préféré un autre cadeau, moi qui connais par cœur la plupart des rues d'Athènes. Pourtant, comme tout bon Grec, je le branche chaque fois pour que le cadeau serve à quelque chose. Ce que je fais à présent. D'ailleurs, cela m'arrange, pour atténuer la gêne du silence.

Adriani le brise, les yeux fixés sur la route.

– Si elle avait pris un poste juste après son diplôme, elle n'aurait pas cette angoisse aujourd'hui. Mais voilà, elle voulait faire une thèse.

– Tu trouves qu'une jeune femme d'aujourd'hui a tort de vouloir poursuivre ses études jusqu'au bout ? dis-je avec un calme apparent, sachant que la moitié de son reproche m'est adressée.

– À deux cents mètres, tournez à droite, dit Mme GPS.

Cause toujours.

– Justement, il s'agit d'aujourd'hui, répond Adriani. On a désormais la preuve qu'elle aurait mieux fait de se trouver un poste quand on était en période de vaches grasses, même si les vaches étaient empruntées au voisin. Maintenant elle s'en mord les doigts.

– Nouveau calcul d'itinéraire. Dans cinquante mètres, tournez à gauche.

Et ta sœur.

– Tous les jeunes essaient de faire des études poussées, les diplômes et les thèses comptent beaucoup.

– Précisément, ils t'assurent un supplément de revenu que tu te fais sucrer ensuite, dit-elle avec une ironie caustique.

Et comprenant qu'elle m'a mouché, elle continue :

– Mets-toi ça dans la tête, enfin. Celui qui veut vivre normalement dans ce pays apprend le juste nécessaire, se trouve un boulot et s'y installe, soit dans le privé soit dans le public. C'est ce que ton père t'a fait faire. Les études, c'est des efforts inutiles et du temps perdu. Au bout du compte on se fait avoir.

– Nouveau calcul d'itinéraire. Dans cent mètres, tournez à gauche.

Va te faire voir.

– Mais dis-moi, pourquoi tu gardes allumé ce machin qui nous soûle, puisque tu ne l'écoutes pas ?

J'arrête la Seat et j'éteins le contact.

– Pour faire du bien à mon ego, dis-je.

– C'est-à-dire ?

– Toute la journée j'entends les uns et les autres raconter leurs salades. Quand ce n'est pas Guikas qui me dit ce que je dois faire, c'est le ministre. Cette fille-là est la seule qui me dit ce que je dois faire et que je peux envoyer paître. Ça me remonte le moral. Celui qui s'installe dans un boulot a besoin d'un GPS pour se défouler. Tu comprends, maintenant ?

Je remets le contact et redémarre. Le silence revient.

8

Nous sommes assis à la table de réunion octogonale de Guikas, lui-même présidant, comme d'habitude. À sa droite, Stathakos, puis moi. En face de nous, les deux fils de Zissimopoulos, Ioannis qui maintenant s'appelle John, et Nikolaos devenu Nick, puisque tous deux sont installés à Londres.

Le décor évoque moins une enquête qu'une discussion sur les réductions de salaires et de retraites ou sur une réforme du système d'assurances. Les deux frères, apparemment, partagent cette impression.

– Ils vous prennent tout, n'est-ce pas ? dit John. Salaires, retraites, ils taillent dans tout à la hache. Ils ne vous ont laissé que la nourriture, mais là vous allez tailler dedans vous-mêmes.

– Elle est passée, la période des vaches grasses, ajoute Nick. À cela près qu'en fait elles n'ont jamais été grasses. Vous les avez engraissées à coups d'emprunts.

– L'heure du réveil est venue, répète John. Sauf qu'il n'y a pas de réveille-matin, mais des coups de pied.

Leurs répliques se complètent si bien qu'on dirait celles de frères siamois, même si à première vue John semble plus âgé. Ce qu'ils ont de commun, au point qu'on dirait des jumeaux, ce sont leurs costumes noirs rayés, leurs silhouettes minces et leurs cravates noires de deuil. Même si la joie que notre détresse leur inspire n'a rien de funèbre.

Nous trois encaissons les coups sans un mot, gênés. Guikas les observe, impassible, tandis que je pense à l'antipathie de Mme Kalaïtzi, la secrétaire, à leur égard, et lui donne entièrement raison. Seul Stathakos ouvre la bouche et c'est l'une des rares fois où il ne m'énerve pas.

– Nous vous avons convoqués pour enquêter sur l'assassinat de votre père et non pour un exposé d'économie, dit-il sèchement sous le regard toujours inexpressif de Guikas.

Les deux frères se regardent comme s'ils comprenaient à l'instant pourquoi ils se trouvent là.

– Notre père, nous ne l'avons pas beaucoup vu, dit Nick. Il était fatigué des voyages depuis ses années à la banque. Aller de Koropi à Athènes lui semblait déjà une montagne, alors venir à Londres… On le voyait seulement ici, à l'occasion d'un voyage d'affaires, pour prendre un café – d'habitude nous restons une journée, deux au plus.

– Et les vacances ? dis-je, étonné.

John intervient :

– Écoutez, monsieur le commissaire. Nick et moi avons épousé des Anglaises. Nos enfants sont élevés en Angleterre à l'anglaise. La maison à Koropi, vous l'avez vue. Enfermer une famille anglaise au milieu de nulle part et loin de la mer, c'est impossible. Quand nous venons en Grèce l'été, nous allons toujours sur une île. Si nous passions par Athènes, nous restions chez lui pour la nuit, mais d'habitude nous prenions l'avion jusqu'à notre lieu de vacances.

Guikas nous lance un coup d'œil perplexe, qui pourrait signifier « qu'est-ce qu'ils nous racontent ? » ou bien « c'est quoi cette famille ? ».

– D'après les éléments que nous avons, dit Stathakos, nous ne pouvons pas exclure un acte terroriste.

S'il s'est lancé bille en tête pour voir la réaction d'en face, alors il s'est planté : les deux frères échangent des regards étonnés.

– Monsieur Stathakos, répond Nick d'un ton professoral, partout dans le monde les actes terroristes frappent à l'aveuglette. Je n'ai jamais entendu parler d'une attaque terroriste visant une personne précise, à plus forte raison avec une épée. Toutes les polices du monde vous diront que les terroristes tuent avec des bombes.

– Pourquoi ne demandez-vous pas de l'aide à Scotland Yard ? Ils ont de l'expérience, renchérit son frère.

Guikas met fin à son silence :

– Nous sommes en contact permanent avec Scotland Yard. En Grèce, le terrorisme vise des personnes précises. Votre père ayant été tué en Grèce, nous sommes obligés d'enquêter en tenant compte de la spécificité grecque.

Je vois les frères Zissimopoulos gagnés par la gêne. Ils se regardent, déconcertés, mais retrouvent aussitôt leur self-control.

– Vous pensez sincèrement qu'un groupe terroriste a envoyé son exécuteur chez un banquier à la retraite pour le tuer ? Qu'avaient-ils à gagner ? Si l'homme était en activité, je comprendrais, aujourd'hui surtout, puisqu'on met tout sur le dos des banquiers.

– D'ailleurs, jusqu'à présent aucune organisation n'a revendiqué l'acte.

– Cela peut prendre plusieurs jours, réplique Stathakos. Et parfois personne ne revendique. En attendant, nous devons chercher.

Soudain, Nick s'adresse à Stathakos, l'air triomphant :

– Si vous cherchez, pourquoi n'allez-vous pas voir du côté des dépôts d'immigrés musulmans à la Banque centrale ?

Nous le regardons tous trois interloqués, tandis que son frère, apparemment, l'a compris, qui lui sourit d'un air satisfait.

– Que voulez-vous dire ? demande Guikas, circonspect.

– Je m'explique. De nombreux immigrés, qui ont réussi à créer leur entreprise dans leur pays d'adoption, ouvrent un compte à la banque, comme tous les professionnels. Il y a sûrement ce genre de comptes à la Banque centrale. Il n'est pas exclu que l'un de ces gens-là soit entré en conflit avec mon père à propos d'une transaction au point de vouloir se venger. Si j'étais vous, j'irais chercher du côté de ces comptes-là, du temps de mon père.

Nous nous regardons tous trois, et je me donnerais des baffes de ne pas y avoir pensé plus tôt, mais Stathakos réagit le premier, dans son style habituel, genre taureau dans un magasin de porcelaine.

– Ce domestique de votre père, ce Bill, qu'en pensez-vous ? demande-t-il aux Zissimopoulos brothers. Pourquoi ne serait-ce pas lui qui aurait voulu se venger, après je ne sais quelle querelle entre eux ?

Je préfère ne pas me mêler à la discussion, car un autre plan commence à se former dans ma tête. Les frères se regardent et éclatent de rire. L'ambiance, décidément, n'a rien de funèbre.

– Bill ? Vous pensez que Bill pourrait l'avoir tué ? dit John en nous balayant du regard.

– Parce qu'il est sud-africain et qu'il sait manier une épée ? complète Nick.

Guikas et moi nous taisons, laissant Stathakos tirer les marrons du feu. Et il continue de plus belle.

– Parfaitement. Il est sud-africain, noir, originaire de Londres, et nous ne pouvons exclure qu'il appartienne à une organisation terroriste.

John s'efforce visiblement de garder son calme.

– Monsieur Stathakos, ma belle-famille connaît Bill depuis toujours. Son frère aîné dirige encore le personnel de leur maison. Quand notre mère est morte, nous avons pensé qu'il valait mieux envoyer Bill s'occuper de notre père au lieu d'embaucher une Russe ou une Bulgare. Nous avons en lui une confiance absolue.

Il se lève et son frère l'imite.

– Je crois que nous vous avons tout dit, lance-t-il à Guikas. Nous ne savons rien de plus, mais s'il vous vient une idée, vous avez nos adresses.

Stathakos et moi, gênés, regardons Guikas. Il se lève et nous l'imitons.

– Quand pouvons-nous disposer de la dépouille mortelle ? demande Nick.

– Dès aujourd'hui, répond Guikas. Nous avons terminé.

Les deux frères serrent la main de Guikas et Stathakos. Lorsque arrive mon tour, je leur dis avec un empressement presque obséquieux :

– Je vous raccompagne.

Guikas et Stathakos, pris de court, ne peuvent rien dire. Les frères sortent, je les suis. Et tandis que nous attendons l'ascenseur :

– Cela vous ennuierait si nous passions par mon bureau un instant ?

Ils ont l'air étonnés.

– Pourquoi ? Nous n'avons pas tout dit ? demande Tom.

– Je ne suis pas de la Brigade antiterroriste. Je m'occupe des crimes de droit commun. Je ne pense pas que votre père ait été tué par des terroristes.

– Nous non plus. C'est n'importe quoi, dit Nick, parfaitement sûr de lui.

– Voilà pourquoi je voudrais vous poser quelques questions sans rapport avec le terrorisme.

Sans un mot, ils sortent avec moi au troisième étage et me suivent dans mon bureau. Je n'ai ni table de réunion ni fauteuils, si bien qu'ils s'installent sur les deux chaises métalliques face à moi.

– Je vais vous parler sans détour, dis-je. Les recherches que j'ai menées jusqu'ici m'ont laissé l'impression que votre père était un homme difficile, qui n'attirait pas la sympathie.

Nick laisse échapper un rire amer, mais John répond sérieusement.

Difficile, monsieur le commissaire ? Non, notre père

était insupportable. Il torturait ma mère, nous-mêmes et ses collaborateurs. Rien ne le satisfaisait, à part ce qu'il faisait lui-même. Pour lui, nous étions tous des incapables. Quand il nous a envoyés en Angleterre pour nos études, nous savions, Nick et moi, que nous ne reviendrions jamais.

– Tant que notre mère était en vie, ajoute Nick, nous venions souvent la voir. À partir de sa mort, notre relation avec notre père a été purement formelle et distante.

– Pourquoi ne l'avez-vous pas dit là-haut ?

– Pourquoi ne l'avez-vous pas demandé ? répond Nick. Vous étiez obsédés par le terrorisme et par ce pauvre Bill.

– Le destin ne manquerait pas d'humour si celui qui terrorisait tout le monde était tombé sous les coups d'un terroriste, dit John en se levant. Mais il y a fort peu de chances. Le plus vraisemblable, c'est la vengeance. Cherchez parmi ceux qu'il a lésés, blessés, injustement traités, monsieur le commissaire. Malheureusement, nous autres vivons en Angleterre et ne pouvons pas vous dire qui ils sont, mais ils sont sûrement nombreux.

Voilà qui confirme la déposition de la secrétaire et explique l'absence de chagrin. J'ai à peine eu le temps de refermer la porte derrière eux quand mon portable sonne. C'est Phanis.

– Tu en as encore pour longtemps ?

– Je ne pense pas.

– Tu veux qu'on fasse un tour jusque chez Haris Tsolakis ? Il a des choses à te dire concernant ton enquête.

– Allons-y.

Je raccroche. Qu'a-t-il donc à me dire, ce Tsolakis ? D'un autre côté, je n'ai guère avancé. Je n'ai ni indices, ni mobile, ni même de suspects. Toute aide est donc bienvenue.

9

Je passe par chez nous pour prendre Adriani et la déposer chez Katérina. Ensuite, Phanis et moi poursuivrons jusque chez Tsolakis, qui habite à Politia. Il est huit heures, vingt-neuf degrés au thermomètre, mais la circulation évoque un dimanche soir de janvier après les fêtes.

– Les gens ne sortent plus de chez eux, remarque Adriani.

– D'abord, l'essence est plus chère, et ensuite ils n'ont plus d'argent pour sortir. Ou juste assez pour s'offrir un café, et encore, l'après-midi.

Dans les moments difficiles, Adriani prend les choses avec philosophie.

– Ce n'est pas un drame, il n'y a pas le feu chez eux. Ils peuvent rester un peu à la maison, sans se mettre des linges mouillés sur le front comme faisait ma mère. Nous avons tous l'air conditionné.

De Pagrati à chez Katérina, nous mettons un quart d'heure. Je monte avec Adriani faire la bise à ma fille, mais elle n'est pas là.

– Elle ne vous a rien dit ? s'étonne Phanis. Elle a trouvé du boulot, des cours de droit dans une école privée, deux fois deux heures par semaine. Elle ne va pas tarder.

Nous laissons Adriani et partons, Phanis et moi, vers Politia.

– Parle-moi un peu de ce Tsolakis, dis-je à Phanis. Je sais seulement qu'il a une chaîne d'hôtels.

– Son nom ne te dit rien ?

– Non. Pourquoi ?

Il ne répond pas directement.

– Tsolakis a beaucoup d'argent. Mais il ne l'a pas gagné dans l'hôtellerie. C'est au sport qu'il doit sa fortune, et sa santé bousillée.

Je réagis comme n'importe quel ignare :

– Qu'est-ce qu'il faisait ? Il tapait dans un ballon ?

– Il courait le 800 mètres. Il gagnait une course après l'autre, les Noirs américains, les Marocains et les Kenyans tous derrière. Après chaque victoire on entendait dire, chaque fois plus fort, que ce n'était pas naturel, qu'il se dopait. Nous seuls, tout fiers, faisions la sourde oreille en sifflotant.

– Et puis ?

– Tu vois ce qu'il est devenu ? C'est le naturel qui revient au galop.

– Comment ça ?

– Il s'est fait pincer en 2000, aux Jeux de Sydney. Il a été exclu de partout. Alors il a déclaré qu'il abandonnait l'athlétisme.

– Et l'argent ? Il l'a gagné en courant ?

– Oui, en faisant de la pub pour des articles de sport. Des sommes colossales. Mais il y a autre chose, que nous n'apprendrons jamais.

– Dis-moi.

– Tsolakis et son entraîneur n'ont jamais parlé. Ils n'ont jamais dit quel labo leur avait fourni les anabolisants. Les mauvaises langues disent que le labo a acheté très cher leur silence. En tout cas, sa dope était une sacrée dynamite, car son foie est en morceaux et on se demande comment son cœur tient encore. Les médecins font des paris sur le temps qui lui reste à vivre.

Nous arrivons. C'est une maison à étage avec un grand jardin et une terrasse devant. Haris Tsolakis, dans son fauteuil roulant, nous reçoit en haut des marches. Il nous serre la main, puis nous montre deux des quatre fauteuils en bambou, les plus proches de lui.

– Tu m'as dit que j'avais droit à un verre de whisky, dit-il à Phanis en montrant le verre sur la table.

– Oui, mais un seul. N'abuse pas, répond Phanis avec une sévérité teintée d'affection.

Tsolakis se tourne vers moi.

– Autrefois, quand je courais, je ne buvais pas une goutte d'alcool. Maintenant, j'ai besoin d'un verre, le soir seulement. Dans la journée, je reçois la visite de ma sœur ou de ses collaborateurs, pour des questions de boulot. Mais le soir, d'habitude, je suis seul et ça n'en finit pas.

Qu'est-ce que nous prenons ? Phanis demande un café, je me contenterai d'un verre d'eau. Tsolakis presse un bouton sur son fauteuil. Les deux bras du fauteuil sont pleins de boutons, un vrai poste de pilotage.

Un Noir tout en muscles apparaît, que j'avais vu au garde-à-vous derrière Tsolakis au repas de noces. Son regard est fixé sur son maître. Il nous ignore totalement. Il prend la commande en anglais et se retire. Tsolakis se tourne vers moi.

– Phanis m'a dit que vous enquêtiez sur l'assassinat de Nikitas Zissimopoulos, monsieur le commissaire. Je sais sur lui certaines choses qui pourraient vous intéresser. Vous le savez sûrement, c'était un banquier très habile.

– Très habile et très désagréable. On me l'a dit.

Tsolakis sourit.

– Désagréable, tout est relatif. Avec les meilleurs clients, il était tout sucre tout miel. Je le sais par expérience personnelle. Mais la question n'est pas là.

J'attends la suite. Je sens que je vais enfin apprendre autre chose que ce qui concerne le caractère du banquier.

– Le CV de cet homme est une suite de succès, monsieur le commissaire. Mais les succès ont aussi leur part d'ombre.

Il fait une pause, puis ajoute en regardant Phanis :

– De même que les ministres ont leurs caisses noires, les

banquiers ont leurs fonds secrets. Personne ne sait dans le premier cas où va l'argent, et dans le second d'où il vient.

– Et d'où venait l'argent du développement de la Banque centrale ?

Tout en questionnant Tsolakis, la panique me prend : je me vois mal comprendre ses explications, mes connaissances en économie se limitant à la gestion de mon salaire.

– Zissimopoulos a fondé une petite banque d'investissement, la Coordination and Investment Bank. Son siège est…

– Une société offshore.

Je l'interromps, sûr que même les flics tombent juste avec les sociétés offshore.

– Non, son siège est à Vaduz, au Liechtenstein. En Grèce elle n'apparaît nulle part, elle n'a même pas de succursale. Tous les grands investissements de la Banque centrale à l'étranger partaient de cette société.

Il prend un air professoral et poursuit la leçon.

– C'est là qu'entrent en jeu les sociétés offshore, monsieur le commissaire. Une grande partie du capital-investissement provient de sociétés offshore de Chypre. Et une autre partie des îles Caïmans.

Je commence à comprendre.

– Blanchiment d'argent.

Il fait oui de la tête.

– Précisément. Les sociétés offshore de Chypre gèrent surtout des capitaux russes. Celles des îles Caïmans, tout ce qu'on peut imaginer. Si je vous dis tout cela, c'est que derrière le blanchiment se cache toujours le crime organisé. Par conséquent, il n'est pas exclu qu'il se cache aussi derrière cet assassinat. Comme vous devez le savoir, le crime organisé s'est développé depuis 1989 dans le capital-investissement.

Je bois l'eau que m'apporte le Noir pour avaler l'info. Stathakos cherche côté terrorisme, tandis que Tsolakis m'oriente vers la Mafia.

– Où avez-vous appris tout cela ?

Cette question plutôt pour satisfaire ma curiosité.

– Au début de ma carrière d'athlète, j'étudiais en même temps l'économie. Puis mes obligations étaient si nombreuses que j'ai dû abandonner. Maintenant que je suis cloué dans mon fauteuil, j'ai repris. J'ai aussi perfectionné mes connaissances en informatique. Et quand on sait où chercher sur Internet, on apprend beaucoup, monsieur le commissaire.

– Et qu'est-ce qui vous a fait chercher ?

Il sourit.

– Un développement si foudroyant dans un temps si court, ce n'est pas naturel, ni pour les personnes, ni pour les entreprises, ni pour les banques. Quand cela se produit, cela cache quelque chose de pas clair.

– Je vous remercie de votre empressement à m'aider, lui dis-je en me levant. Vous m'avez éclairé là où je ne l'attendais pas.

– Je suis heureux de ne pas vous avoir fait perdre votre temps, répond-il poliment.

– Il n'était pas seulement bon en sport, il en a dans la cervelle, dis-je à Phanis en démarrant la Seat.

– Le bon sportif a aussi besoin de cervelle, répond Phanis. Gagner des courses n'est pas seulement une question de capacités. C'est une affaire de stratégie. Surtout en demi-fond.

Je me dis que Lazaridis de la Brigade financière pourra m'aider côté sociétés d'investissement et sociétés offshore.

– Tu as attendu Katérina longtemps ? dis-je à Adriani tandis que nous rentrons en voiture.

– Non, un petit quart d'heure.

Et elle ajoute :

– Ils ont de la chance, les jeunes au cours du soir.

Je la taquine :

– Encore heureux que tu croies aux talents de notre fille.

– Un enseignant qui a fait une thèse, dans un cours du soir, ça ne se voit pas tous les jours.

– À quelque chose, malheur est bon, conclus-je, pour qu'elle ne pense pas avoir le monopole des proverbes imbéciles.

10

J'arrive le matin, bien décidé à contacter Lazaridis de la Brigade financière, qui pourrait me renseigner sur la Coordination and Investment Bank, filiale de la Banque centrale.

J'entre dans mon bureau, le croissant à la main, lorsque j'entends des voix dans le bureau de mes deux adjoints. Je me penche et aperçois Apostolakis des Stups qui crie avec de grands gestes.

– Tu comprends ce qu'ils te racontent ? Tu dois te casser le cul pendant quarante ans pour toucher comme retraite cinq cents euros par mois ! Et quand tu leur dis « Comment je vais vivre avec cinq cents euros ? » ils te répondent « Tant que tu travailles, mets des sous de côté » ! Est-ce que c'est ma faute, si je commence à me sucrer sur les boîtes de nuit pour m'en sortir ? Mon salaire suffit tout juste pour vivre et payer les études de deux enfants. L'argent de côté, je vais aller le chercher où ?

– Toi, tu as les boîtes de nuit, dit Vlassopoulos. Et nous ? On va rançonner les cadavres et les assassins ?

– Vous préparez un plan d'action contre la politique d'austérité ?

Ils se tournent vers moi, pris de court. Une gêne s'installe.

– Tu déclares ouvertement que tu vas ponctionner les boîtes de nuit, Apostolakis ? « Secrètement » est toléré, c'est « ouvertement » qui choque.

Vous, vous avez de la chance, monsieur le commissaire. Votre fille a terminé ses études avant qu'on touche le fond. Moi, j'ai un enfant au collège et un autre à l'école primaire. Quand je pense au nombre d'années qui me restent à suer sang et eau jusqu'à ce qu'ils terminent la fac, j'ai le vertige. Et s'ils s'arrêtent à la licence, passe encore. Mais s'ils veulent continuer, je fais quoi ? La licence toute seule, aujourd'hui, c'est comme un rasage sans after-shave...

Quant à la thèse, n'en parlons pas, me dis-je. Je les laisse chercher de nouvelles sources de revenus et rejoins mon bureau pour appeler Lazaridis. Je commence par les comptes des immigrés à la Banque centrale et enchaîne sur la Coordination and Investment Bank.

Il écoute sans m'interrompre.

– Pour les comptes, je vais voir ce que je peux faire, dit-il pour finir. Mais la filiale est un gros poisson, et nous, on nous donne seulement la friture. Les requins vont se faire prendre ailleurs.

– Où ça ?

– À la Direction de l'antiblanchiment. Va leur demander.

– D'accord, mais peux-tu voir dans les archives ou dans tes bases de données, comme vous appelez ça maintenant, si tu peux pêcher quelque chose ?

Il me promet de le faire et j'essaie de me débrouiller avec l'Antiblanchiment. Il me faut dix minutes avant de trouver à l'autre bout du fil un procureur du nom de Mavromatis.

– Aujourd'hui, dit-il, les services publics sont fermés à cause de la grève des syndicats contre la réforme de la sécurité sociale. Mais j'en profite pour régler quelques affaires. Vous me trouverez à mon bureau rue Evelpidon.

Je décide de monter d'abord voir Guikas pour l'informer. L'important pour moi est moins de le faire vite que de prévenir un mouvement de Stathakos qui mettrait le feu aux poudres.

Je le trouve en train de signer des papiers. Il m'adresse la question classique :

– Quelles nouvelles ?

Je commence par le plus anodin : les Zissimopoulos brothers.

– J'ai proposé de les raccompagner pour aller les cuisiner un peu dans mon bureau.

– Et qu'as-tu appris ?

– Qu'ils haïssaient leur père, comme tout le monde. Et qu'on l'a probablement tué pour se venger.

Puis je lui rapporte que j'ai parlé à Lazaridis. Il approuve :

– C'est bien, on ne sait jamais.

– Si nous n'avions pas changé l'enquête en « réunion », nous aurions pu en apprendre davantage.

– Nous avons reçu d'en haut l'ordre de les ménager.

Je n'insiste pas, car j'ai dans la manche ce que j'ai appris hier soir de Tsolakis sur la filiale de Vaduz et le reste.

– Comme vous le voyez, ces histoires de terrorisme sont des vœux pieux. Il faut chercher ailleurs.

– Cherche, mais il y a les ordres d'en haut : ne pas exclure l'action terroriste.

Cette fois, je me mets en rogne.

– Ils n'ont qu'à mener l'enquête eux-mêmes, ceux d'en haut !

Il me regarde avant de répondre.

– Écoute, Kostas. Il y a dans ce pays deux sortes de fouteurs de merde : ceux qui cassent et ceux qui gouvernent. Toi, le flic, avec lesquels es-tu ?

– Avec ceux qui gouvernent, dis-je à contrecœur.

– Puisque l'autre jour, au mariage de ta fille, je t'ai dit que je t'aimais, je vais te dire autre chose encore. Ton seul espoir de partir à la retraite avec le grade de sous-directeur, c'est que je devienne chef de la police. Si c'est un autre, tu finiras simple commissaire. Et vu qu'ils taillent dans les retraites, tu l'auras dans l'os. Suis-je clair ?

Je ne trouve rien d'autre à dire qu'un simple « oui ».

– Alors file et démerde-toi.

Nous n'avons plus rien à nous dire et je sors de son bureau la queue basse. Heureusement qu'Adriani n'a pas entendu, je me ferais sonner les cloches à la maison.

Le défilé des syndicats en grève me laisse froid, mon itinéraire les évite. Rue Evelpidon, au tribunal, je montre ma carte de police et on me laisse me garer dans l'enceinte. Le bureau de Mavromatis est dans le bâtiment K, au deuxième étage. Je ne vois qu'une porte ouverte et un quinquagénaire chauve assis à son bureau croulant sous les papiers.

Quand je me présente, il se lève et me serre la main.

– En quoi puis-je vous aider, monsieur le commissaire ?

Je lui dis que j'enquête sur l'assassinat de Zissimopoulos et lui rapporte tout ce que j'ai appris par Tsolakis. Il m'écoute sans m'interrompre.

– Où avez-vous appris tout cela ? me demande-t-il, visiblement perplexe.

Je ne veux pas lui révéler mes sources, de peur qu'il n'aille embêter Tsolakis. Je passe.

– Nous en sommes encore au stade préliminaire. Nous n'avons même pas de suspect, nous avançons à l'aveuglette. Dès que le dossier sera complet, nous l'enverrons au parquet. Simplement, si vous confirmiez les informations que j'ai, nous pourrions chercher ailleurs.

– Le siège de la Coordination and Investment Bank est au Liechtenstein et nous ne sommes pas habilités pour enquêter sur les transactions à l'étranger.

Il ne rejette pas mes réflexions comme étant du pipeau, mais il passe lui aussi.

– Ce qui nous intéresse, ce n'est pas une banque à Vaduz. C'est de savoir si la Banque centrale a été mêlée à ses transactions et si cela a pu entraîner l'assassinat de Nikitas Zissimopoulos.

– On ne va pas enquêter sur l'une des grandes banques du pays sans une dénonciation ou du moins des éléments précis, monsieur le commissaire. Si vous le faites, vous pouvez causer de grands bouleversements, non seulement au sein de cette banque mais au niveau gouvernemental. Tout ce que je peux vous confirmer sérieusement, c'est qu'une telle dénonciation ne s'est jamais produite. Sinon, nous l'aurions étudiée, discrètement.

Il nie l'existence de la dénonciation, mais pas celle des transactions. Par conséquent, elles ont pu avoir lieu. Va savoir. Je me creuse la tête pour trouver d'autres questions, lorsque mon portable sonne. C'est Vlassopoulos.

– Nous avons une autre victime, monsieur le commissaire. Un étranger, cette fois.

– Un étranger ?

– Un Anglais. Richard Robinson. Directeur général de la First British Bank. Sa secrétaire l'a trouvé mort ce matin à son bureau. Décapité.

Ce dernier mot, il a dû se l'arracher.

– Où est le bureau de sa banque ?

– Dans la rue Mitropoleos. C'est un bâtiment néoclassique récemment rénové.

– J'arrive.

De toutes les nouvelles possibles, celle-ci est la pire. Une deuxième victime, étrangère en plus. Mavromatis a dû lire sur ma figure, car il me demande :

– Mauvaise nouvelle, monsieur le commissaire ?

– On vient d'assassiner le directeur général de la First British Bank.

– Robinson ?

Il se lève d'un bond.

– Lui-même. Vous comprenez ce que cela entraîne dans la situation où nous sommes.

En quittant son bureau, je m'arrête sur le seuil.

– Je vous suggère de chercher du côté de la filiale, monsieur le procureur. Discrètement, afin que nous soyons prêts pour le pire.

Je le laisse à son étonnement et sors.

11

Je cherche, tel un fauve en cage, un chemin qui évite le défilé des syndicats. Mon but est de garer la Seat à Monastiraki et de remonter Mitropoleos jusqu'à la banque anglaise.

Mon plan fonctionne jusqu'à Sokratous, et là ça se gâte. J'échappe au défilé, certes, mais je tombe sur une file interminable de voitures, tout le monde ayant eu la même idée. Surprise : pas un klaxon, pas une protestation. Apparemment, les manifs quotidiennes ont brisé les résistances et tout le monde s'abandonne à l'implacable destin. Les agents de la circulation aussi. Un type, quatre voitures devant moi, veut s'adresser à l'un d'eux en faction à l'angle de Sokratous et d'Ayiou Constantinou, mais l'autre fait un geste désabusé, l'air de dire « allez, laisse tomber ».

Arrivé à sa hauteur, je me présente.

– Il y a moyen d'arriver plus vite à Mitropoleos ?

Il me regarde, étonné.

– Vous n'avez pas trouvé de voiture à nous ? Elles sont toutes en service ?

– J'avais affaire au tribunal avec ma voiture et on m'a appelé d'urgence à Mitropoleos.

– Comment vous dire, monsieur le commissaire ? Tel que c'est parti aujourd'hui, moi, à votre place, je n'irais même pas m'acheter des cigarettes sans voiture de police.

Voilà qui conclut la discussion. Je redémarre pour avancer de deux mètres. Il me vient l'idée de faire le tour par Omonia, mais cela risque d'être pire.

Dans Pireos on dirait que ça s'arrange. D'Ermou à Monastiraki il n'y a pas plus de cinq cents mètres.

Je laisse la Seat dans Athinas, et je fais bien : dans Mitropoleos, la circulation est interdite. La banque est un bâtiment ancien à deux étages. Des voitures de police ferment la rue et deux agents gardent l'entrée. Le seul autre véhicule est l'ambulance. Les flics s'efforcent de tenir les curieux à distance.

Je me présente et entre dans la banque. La façade néoclassique sert de décor, tout l'intérieur n'étant que verre et acier. Je demande à un autre flic où se trouve la victime et monte au deuxième étage.

L'ascenseur me conduit à un hall où comme d'habitude se trouve le bureau de la secrétaire, et c'est là que je tombe sur Stathakos. J'aurais dû m'attendre à le trouver là, mais j'ai dû refouler cette pensée. Si bien que je ne suis pas prêt et qu'il prend l'avantage.

– Qu'est-ce que tu viens chercher ici ?

– Je ne cherche pas, dis-je tout aussi cordialement. J'ai appris qu'il y avait une autre victime. Et toi, tu cherches quoi ?

Il me lance un regard où l'arrogance le dispute à l'ennui.

– Écoute, Charitos. Je t'ai dit dès le début que c'était une affaire de terrorisme. Tu n'as pas voulu m'écouter. Tu n'as qu'à voir maintenant.

Je suis sur le point de répondre que celui qui a faim rêve de pain, et que son rêve à lui, c'est la gloire, mais je me retiens. Nous n'allons pas nous empoigner devant les autres flics et l'Identité judiciaire qui déjà nous regardent d'un drôle d'air.

– Pour l'instant, dis-je calmement, les deux versions, l'acte terroriste et le crime de droit commun, restent plausibles. Je suis donc obligé d'enquêter.

Il hausse les épaules.

– Tu aurais pu lire mon rapport. Enfin, c'est comme tu veux.

Je m'en tiens là, entre par la porte ouverte dans le bureau suivant, et freine au dernier moment pour ne pas emboutir le médecin légiste Stavropoulos. Il est agenouillé devant un corps sans tête vêtu d'un luxueux costume gris, d'une chemise blanche et d'une cravate bleu foncé rayée. À ses poignets, des boutons de manchettes et une montre en or. Je ne sais comment s'habillait Zissimopoulos, car je l'ai vu en jardinier, mais ce Robinson sans tête m'évoque les mannequins dans les vitrines. À gauche, sur sa chemise, est épinglée la feuille A4 avec l'énorme D dessus. L'assassin a laissé sa signature là aussi. Et ce n'est pas une bonne nouvelle.

Stavropoulos lève les yeux sur moi.

– L'assassin a dû se cacher derrière la porte et l'a décapité dès son entrée dans le bureau. Une chose est sûre : il manie l'épée comme un pro.

– Où est la tête ?

Stavropoulos me montre un paquet enveloppé de cellophane dans un coin. La tête a dû rouler jusque-là, vu la violence du coup. Je m'approche et aperçois le visage d'un homme dans les quarante-cinq ans à l'épaisse chevelure noire. Ses yeux ouverts fixent le plafond.

– Ça date de quand, à ton avis ?

Il consulte sa montre.

– Il est onze heures. On a dû le tuer entre cinq et sept heures.

– Ce matin ?

– Oui. À mon arrivée, il était encore chaud.

– Mais comment l'assassin est-il entré ? Personne ne l'a vu ?

Il hausse les épaules.

– Que veux-tu que je te dise ? Demande à l'Identité judiciaire s'ils ont des indices.

Je me rends compte soudain que mes deux adjoints ne sont pas là. C'est moi qu'on envoie, et eux restent au bureau à discuter de retraites. Furieux, j'appelle aussitôt Dermitzakis pour lui sonner les cloches, sachant qu'il est le plus tire-au-flanc des deux.

– Nous étions prêts à partir, se justifie-t-il, mais Stathakos nous a stoppés. Il a dit que c'était son affaire et qu'on n'avait pas besoin de nous.

– Venez tout de suite. Et la prochaine fois, quand Stathakos vous parle, attendez que je confirme.

Cette fois il faut mettre les points sur les *i*. Je trouve Stathakos en discussion avec son second, Sgouros, un type sérieux, qui en bave à ses côtés.

– Dis donc, Loukas, lui dis-je, depuis quand est-ce toi qui décides pour mes hommes ?

– Quels hommes ?

– Vlassopoulos et Dermitzakis. Tu leur as dit qu'on n'avait pas besoin d'eux.

– Normalement on n'a pas besoin de toi non plus, répond-il avec aplomb, tandis que Sgouros s'éloigne discrètement.

– Besoin ou pas, c'est Guikas qui décide. Et ceux dont j'ai besoin pour mon enquête à moi, c'est moi qui décide. Compris ?

Je le laisse pour aller voir Dimitriou de l'Identité judiciaire. Je le trouve à l'étage du dessous en train de fouiller des armoires.

– Tu sais comment l'assassin est entré ?

– Il a dû passer par la porte de derrière, nous avons trouvé l'alarme désactivée.

– Il n'y a pas de vigiles ?

– Non. Rien qu'une alarme. Il n'y a même pas de caméras pour photographier les entrants. L'avarice des Anglais. Nous, au moins, on a plongé pour cause de gaspillage.

Mais eux, avares comme ils sont, pourquoi ils plongent aussi, vous pouvez me le dire ?

– Allons jeter un œil.

Nous descendons au rez-de-chaussée et traversons la grande salle des marchés. Dimitriou me fait passer par une porte derrière les deux comptoirs. Nous voilà dans une sorte de remise pleine de rayonnages. Çela ressemble aux archives de la banque. Dimitriou ouvre une autre porte au fond et nous sortons dans une rue étroite.

– C'est la rue Petraki, dit-il. Vous vous doutez bien que le soir il n'y a pas un chat. L'assassin a désactivé l'alarme tranquillement, et il a attendu le matin caché dans la remise.

C'est évident, pas besoin d'épiloguer.

– Où se trouve le personnel de la banque ?

– Stathakos les a enfermés dans la cafétéria, au sous-sol, pour les interroger.

Nous retournons dans la grande salle et descendons par un escalier en colimaçon dans la cafétéria. L'interdiction de fumer en vigueur dans les lieux publics a été levée vu les circonstances exceptionnelles. Tous fument avec fureur et discutent à qui criera le plus fort. À mon entrée, discussions et disputes s'arrêtent d'un coup.

– Je sais que vous êtes bouleversés et je ne vais pas vous fatiguer par de nombreuses questions, dis-je à la cantonade. Nous pouvons enregistrer vos dépositions plus tard. Mais je veux d'abord parler à la secrétaire de Richard Robinson.

– C'est moi. Phedra Daskalaki, dit une femme dans les cinquante-cinq ans, sans maquillage, grisonnante.

– À quelle heure votre patron arrivait-il au bureau ?

– D'habitude à sept heures, mais souvent à six heures et demie. Il aimait arriver le premier, jeter un coup d'œil aux affaires en cours et consulter les cours de la Bourse. C'était une heure sans rendez-vous ni téléphone où il pouvait se concentrer sans être interrompu.

– Et cela tous les jours ?

– Sauf en cas de voyage.

Donc, son horaire devait être connu des employés de la banque, et peut-être de certains clients. Ce qui n'exclut pas qu'un tiers l'ait surveillé pour connaître ses horaires.

– À quelle heure partait-il le soir ?

– Vers six heures. D'habitude nous partions ensemble, car il voulait que je sois toujours là pendant qu'il travaillait.

– Qui activait l'alarme ?

– C'était automatique, à cinq heures.

– Qui connaissait le code ?

– M. Robinson et moi, c'est tout. Et la société de sécurité, bien sûr.

Malgré son émotion, ses réponses sont brèves et précises.

– Pouvez-vous me donner l'adresse personnelle de M. Robinson ?

– Il habitait à Psyhiko, 5, rue Malakassi. Près du parc.

– Qui est le responsable des comptes clients ?

Un quadra aux cheveux ras, tiré à quatre épingles, se lève d'une table du fond. Il me regarde sans se présenter, me forçant à lui demander son nom.

– Manos Kastanas.

– Monsieur Kastanas, je veux que vous donniez à mes adjoints la liste de vos clients.

Il me jette un coup d'œil ironique.

– Ce que vous me demandez là est une violation du secret bancaire, monsieur le commissaire.

– Je ne vous demande pas de donner des chiffres ou de nous laisser examiner des comptes. Je ne veux que les noms. Il se peut que nous ayons à interroger certaines personnes. Si nous devons examiner des comptes, je viendrai avec un mandat du juge. Mes adjoints arrivent dans un instant.

N'aimant pas les interrogatoires collectifs, je mets un terme aux questions. Remonté au rez-de-chaussée, je vois mes deux hommes entrer dans la banque. J'envoie Vlassopoulos poursuivre l'enquête à la cafétéria, car il a le don de repérer ceux qui parlent plus facilement.

– Et moi, je fais quoi ? demande Dermitzakis, qui me soupçonne toujours de donner la viande à son collègue et l'os à lui.

– Toi, tu vas faire la tournée des boutiques dans la rue Petraki et demander si on a vu quelqu'un observer la banque ces derniers jours.

Je sais qu'il ne trouvera rien, puisqu'à l'heure où Robinson arrivait les boutiques sont toutes fermées, mais on ne sait jamais. Ne laissons rien au hasard.

Dès que j'en ai fini avec Dermitzakis, je vois Stathakos sortir de l'ascenseur avec son second. Je lui transmets ce que j'ai appris concernant les horaires de Robinson.

– Ce qui veut dire, conclut-il, qu'un tas de gens savaient qu'il arrivait tôt le matin.

– Exact. Le personnel, et peut-être certains clients.

Puis je l'informe quant à la liste des clients et reçois ses commentaires favorables. Je garde pour moi l'adresse de Robinson, car je veux y aller le premier. Non que je tienne à être le premier, mais je suis quasiment sûr que si l'assassin surveillait la victime, il a commencé par sa maison. Et de plus, je n'ai aucune raison d'aider Stathakos plus que nécessaire.

12

J'ai à peine pressé le bouton marqué Richard Robinson à l'entrée de l'immeuble de la rue Malakassi quand une voix me répond « *Yes ?* ». Je lance un « Police » autoritaire, en anglais, et la porte s'ouvre aussitôt.

L'étage n'est pas mentionné, mais je suppose qu'un cadre supérieur d'une banque étrangère ne peut qu'habiter près du ciel. Je monte au cinquième et dernier étage. Bingo. Sur le seuil m'attend déjà une Asiatique de taille moyenne et d'âge indistinct.

– Commissaire Charitos, dis-je en grec.

– *Sorry, I don't speak Greek.*

Décidément, me dis-je, les étrangers qui s'installent en Grèce apportent leurs immigrés avec leur mobilier. Les nôtres ne leur suffisent pas.

– *I want to see the house and ask some questions.*

Elle m'introduit dans une salle de séjour immense, décorée en style moderne, autrement dit meubles dans les coins et le reste désert. Mis à part une chaîne hi-fi et une télévision de taille moyenne, le lieu est totalement neutre. Ni bureau ni bibliothèque à fouiller. J'ouvre la porte-fenêtre et sors sur la terrasse. Elle est vaste comme un jardin, noyée dans la verdure avec un banc métallique, une balancelle et une table au milieu entourée de quatre chaises. La terrasse donne sur le parc et sa végétation touffue semble en être le prolongement.

Je fais signe à l'Asiatique de poursuivre et elle m'emmène dans la chambre à coucher. Spacieuse elle aussi, elle contient un grand lit double, fait avec soin, et deux tables de nuit. Le mur de gauche est occupé par des placards. Sur celui de droite, une grande fenêtre donne sur l'immeuble d'en face, qui est loin.

J'ouvre un à un les placards. Dans deux d'entre eux, des costumes suspendus, et en dessous, dans les tiroirs, chemises, chaussettes et sous-vêtements masculins. Les trois autres placards sont vides.

Je me demande pourquoi un célibataire avait besoin d'un aussi grand appartement, même s'il était directeur de la First British Bank. La réponse arrive aussitôt, lorsque nous entrons dans une chambre d'enfant. Donc, il ne vivait pas seul.

– *Where is the family?*

– *She left him. She took Nancy and went back to London.*

Le couple se disputait tous les jours, m'explique l'Asiatique, car la femme de Robinson n'aimait pas Athènes. Elle ne connaissait personne et s'ennuyait seule avec l'enfant. Mais le banquier ne voulait pas demander sa mutation, considérant que son poste d'Athènes était une occasion unique de monter dans la hiérarchie. Jusqu'au jour où l'épouse a fait ses bagages et emmené la petite avec elle.

Elle est partie il y a un mois. L'Asiatique ajoute qu'elle aurait peut-être dû partir elle aussi. Pourquoi ? J'espère en apprendre davantage sur le caractère de Robinson.

– *Because now he is dead and I have no job.*

La compassion déborde en moi. Ce Robinson plaqué par sa femme un mois plus tôt, et mort aujourd'hui.

Je demande à l'Asiatique si elle a remarqué des mouvements suspects certains matins, quand son patron partait, ou le soir à son retour.

Elle hausse les épaules.

– *No, but you have to ask Vassilis.*

– Qui est Vassilis ?

– *The security man.*

Tiens, tiens. Il n'avait pas de vigiles à la banque et s'en offrait un chez lui. Après tout, il avait peut-être senti quelque chose de suspect.

En sortant de l'ascenseur, je vois Vassilis assis sur une chaise dans le hall. À ma vue il se lève.

– Quand je suis arrivé tu n'étais pas là, lui dis-je en préambule.

– J'ai l'ordre de faire le tour de l'immeuble et du parc toutes les heures.

– Tous les jours ou aujourd'hui seulement ?

– Tous les jours. La routine.

– As-tu remarqué quelque chose de suspect ces derniers jours, des allées et venues, des gens surveillant l'immeuble ?

– Les jours où j'étais de garde, je n'ai rien vu. Mais je n'y suis pas tout le temps. On envoie parfois quelqu'un d'autre. J'assure en gros cinq jours par semaine. Mais le coin est tranquille comme un cimetière. Depuis qu'ils ont changé la circulation à Psyhiko, il passe une voiture toutes les heures et on n'entend personne. Ces derniers jours, une mendiante ne décollait pas d'ici, croyant qu'elle arracherait du fric aux bourges du quartier. On la chassait, elle revenait. Elle n'a rien ramassé et pour finir a laissé tomber.

– Tu travailles pour quelle société ?

– La Galapanos Security Systems.

– C'est Robinson qui t'a engagé ici ?

– Qui ça ? Le mort ? Non, c'est le règlement de l'immeuble.

Je note de demander à l'un de mes hommes d'interroger les autres vigiles, par acquit de conscience. Du moment que Robinson lui-même n'a pas contacté la société, je ne vois là rien de suspect. L'assassin a dû surveiller la banque, les arrivées et les départs de Robinson, c'est tout, c'est logique.

De Psyhiko à l'avenue Alexandras, je roule sans problème. À mon bureau je ne trouve pas mes deux adjoints, mais Sotiropoulos m'attend dans le couloir.

Sotiropoulos est le porte-drapeau des journalistes affectés aux affaires policières. Ancien homme de gauche, aujourd'hui paumé, il conserve cependant son style révolutionnaire qui vise à vous mettre sur la sellette, à vous culpabiliser, parce que vous êtes au service du pouvoir.

Entre nous, au fil des années, s'est développée une étrange relation. Il m'agresse à la première occasion, et moi, qui l'appelle intérieurement « Robespierre de chez Armani », je l'envoie balader quand il me les casse, mais dans le fond nous sommes liés par une estime réciproque. Lui, car il sait que je peux éviter ses questions, mais que je ne lui mens jamais. Moi, parce qu'il est futé, que souvent il m'ouvre les yeux, même s'il cherche toujours, d'une façon ou d'une autre, à tirer avantage du service rendu.

– Je viens pour cette histoire de double meurtre, dit-il.

– Qui vous a informés ? dis-je tandis que nous entrons dans mon bureau.

– Guikas.

Heureusement que ce n'est pas Stathakos. Ce serait mauvais signe.

– Mais dis-moi, poursuit-il, vous croyez sérieusement qu'il s'agit d'un acte terroriste ?

– Et toi, tu le crois ou non ?

Je suis curieux de sa réaction.

– Allez. Moi, je tuerais volontiers un banquier, or tu sais que je ne suis pas un terroriste. Parler de terrorisme est un bon truc pour jeter de la poudre aux yeux, maintenant que vous avez fait sombrer le pays corps et biens.

Ses commentaires sur notre naufrage tragique ne me concernent pas. De toute façon, chacun accusant l'autre des malheurs du pays, Sotiropoulos a bien le droit de les coller sur le dos de tous sans exception. D'un autre côté, ce sont là des instants où il m'est sympathique, car il confirme mes pensées toutes simples. Cependant, pour des raisons professionnelles, je suis obligé d'éluder.

– Nous n'avons pas dit qu'il s'agissait d'un acte terroriste, mais que nous ne pouvons pas exclure l'hypothèse, pas plus celle-là que les autres. Pour l'instant nous avons deux cadavres sur les bras, sans aucun autre indice. Comme tu vois, on joue à colin-maillard.

– Soit. Mais tu as déjà vu des terroristes tuer à l'épée ? Depuis les Tchétchènes jusqu'à al-Qaida, ils tuent tous à la bombe et frappent à l'aveuglette.

Comme je continue de jouer les imbéciles, je suis forcé de faire appel aux arguments de Guikas :

– N'oublie pas qu'en Grèce nous n'avons pas eu d'attentats aveugles. Nos terroristes ont toujours frappé des personnes précises. On est là plus près de l'assassinat politique.

– Oui, mais ils tuent au pistolet, et toujours avec le même, en plus. Le pistolet est une signature, l'épée n'est rien. On pourrait aussi bien tuer un poulet.

Apparemment, Guikas n'a pas mentionné le D trouvé sur les cadavres, et je préfère me taire moi aussi.

Je suis tout à fait du même avis que Sotiropoulos, mais je ne peux pas lui dire que l'ordre d'enquêter sur le terrorisme vient d'en haut.

– Nous ne perdons rien à chercher. Et n'oublie pas que nous avons une victime étrangère. Or la seule façon d'être tranquille avec les étrangers, c'est de leur parler de terrorisme.

Il hausse les épaules.

– Tu as peut-être raison en théorie. Mais moi je préfère te suivre.

– Comment ça ? dis-je, étonné.

– Je te connais. Toi, tu ne vas pas chercher des terroristes. Tu vas chercher ailleurs.

13

Je quitte mon bureau totalement lessivé, impatient de me retrouver sur mon lit avec mon cher dictionnaire, le Dimitrakos. Oui, mais l'homme propose et Dieu dispose, c'est ce que répète Adriani.

Je ne mentionne pas celle-ci au hasard. À peine entré chez moi, je vois Katérina et Phanis assis dans le séjour. Instinctivement, je me dis que c'est mauvais signe : ma fille et mon gendre ne viennent pas souvent nous rendre visite, et encore moins à une heure pareille. Et si je n'y voyais pas un mauvais signe, la mine des visiteurs suffirait à m'inquiéter.

– Mauvaise nouvelle ?

– Rien de grave, répond Phanis avec cet air apaisant qu'ont les médecins et qui d'habitude vous inquiète plus encore.

– Qu'est-ce qui n'est pas grave et qui pourtant vous amène jusqu'ici, je peux savoir ?

– Papa, du calme, ce n'est pas un problème de santé, intervient Katérina.

– Dites-moi, je vais devoir vous emmener au poste pour vous interroger ?

– Adriani a vu quelqu'un sauter par la fenêtre et ça l'a secouée, dit Phanis.

– Un accident ?

– Non, un suicide.

Il s'empresse de me rassurer :

– Elle va mieux. Je lui ai donné un calmant et ça l'a détendue.

Comme il va de soi qu'on se détend au lit, je me dirige vers la chambre à coucher, suivi de Katérina et Phanis. Adriani, allongée, fixe le plafond. Elle nous entend et se tourne vers nous.

Je lui prends la main.

– Pourquoi tu ne m'as pas téléphoné ?

– J'ai appelé Katérina, pour ne pas t'inquiéter.

Sa voix a baissé de trois octaves.

– Comment te sens-tu ?

– Mieux. Phanis m'a donné un cachet et ça m'a calmée.

– Ça ira bientôt encore mieux, dit Phanis.

Les yeux d'Adriani sont fixés sur moi. Elle voudrait me raconter, mais n'y arrive pas.

– Il a sauté par la fenêtre, dit-elle enfin de la même voix éteinte. Sous mes yeux. Pendant que je faisais le ménage.

– Attends. Tu me diras ça plus tard.

– Laisse-la parler, intervient Phanis. Ça la soulage.

– Il a craqué, dit-elle. Il avait une boutique de vêtements féminins à Pagrati. Avec la crise, ses affaires sont tombées à zéro. Il avait un tas de chèques sans provision, et les souris dansaient dans son tiroir-caisse. Il a demandé un prêt à une banque, elle a refusé : il avait trop de dettes et désormais on accorde les prêts au compte-gouttes. Sa femme travaillait au ministère de l'Agriculture, on a réduit son salaire de vingt-cinq pour cent. Ils ont une fille qui étudie à l'étranger. Tout lui est tombé dessus en même temps, il a perdu la tête et sauté par la fenêtre.

– Comment as-tu appris tout ça ?

Je suis intrigué. Le plus futé des flics, en pleine crise de nerfs, n'aurait pu rassembler toutes ces données.

– Dès que c'est arrivé, Mme Lykomitrou du troisième étage est montée me raconter.

Tout s'explique. Même en ce moment où notre vie devient chaque jour plus inexplicable. Mme Lykomitrou est montée voir Adriani pour se réconforter mutuellement, elles se sont remontées l'une l'autre pour finir effondrées ensemble.

– Essaie de dormir, lui dis-je. Demain tu te sentiras mieux.

– En tout cas, je vais laisser le store baissé, je ne veux pas voir l'appartement d'en face. Qu'est-ce qui va nous arriver encore ?

– Rien. Qu'est-ce que tu crois ? Tu en as vu beaucoup, jusqu'à présent, sauter par la fenêtre ?

Nous la laissons dormir et rejoignons le séjour.

– Elle n'a pas tort, me dit Katérina quand nous sommes assis.

– Allons, Katérina, s'écrie Phanis indigné. Tu as plongé dans ce bain de boue et tu ne veux plus ressortir la tête. On dirait que tu y prends plaisir.

– Pourquoi, toi, tu n'entends que le gazouillis des oiseaux autour de toi ?

– Non, mais enfin, les coupes dans les salaires, le treizième mois, les retraites, la sécu, d'accord, mais je ne veux pas qu'on se prive de souvlaki pour ne manger que le gâteau des morts ! Ce sont deux nourritures populaires, je ne dis pas, mais chaque chose en son temps !

Et il ajoute plus tendrement :

– Allez, tu vois bien, on s'en tire même si ce n'est pas facile…

Je me sens soudain épuisé.

– Mes enfants, si on allait se coucher ? Après une bonne nuit nous verrons moins les choses en noir.

Katérina et Phanis se retirent. Je jette un coup d'œil à Adriani, qui s'est endormie. Je retourne dans le séjour et allume la télévision, en baissant le son, car c'est l'heure des infos et j'espère qu'entre les autres nouvelles se glissera une déclaration de Guikas sur les deux meurtres.

Le voici, encerclé par la meute habituelle de journalistes,

qui s'efforce de cacher l'absence d'indices derrière des généralités du genre « nous n'en sommes qu'au début, nous ne savons rien, nous cherchons ». Ce « nous cherchons » inclut la piste terroriste. En tout cas il n'a pas Stathakos avec lui, soit qu'il veuille préserver l'équilibre entre nous, soit qu'il ne souhaite pas encourager l'hypothèse du terrorisme.

Si Guikas ne le souhaite pas, les journalistes, eux, sautent sur l'occasion, le terrorisme étant pour eux pain bénit. Ils bombardent mon chef de questions auxquelles il est bien en peine de répondre.

– Quelles sont les chances pour que l'assassin vienne de l'étranger ? demande une blonde à queue-de-cheval, en débardeur au décolleté profond et minijupe.

– Nous ne savons pas encore s'il s'agit d'un acte terroriste, répond Guikas.

– Je pose la question parce que l'arme du crime est une épée, insiste la blonde. Les épées ne sont plus en usage ici. Nous n'avons plus de bandits ni de chefs de guerre.

Et elle rit toute seule de sa plaisanterie

Sotiropoulos lui jette un regard acide. Assis à l'écart, il suit la discussion sans commentaire. Son peu de sympathie pour la blonde crève l'écran et il intervient.

– Vous croyez vraiment que ces décapitations sont dues à des terroristes ? La police et les politiques s'en gargarisent, du terrorisme. Bientôt les meurtres à la mort-aux-rats passeront pour du terrorisme !

– Je le répète, monsieur Sotiropoulos. Nous ne disons pas qu'il s'agit d'un acte terroriste. Nous disons simplement que ce n'est pas exclu.

Sotiropoulos se lève théâtralement et quitte la pièce. Visiblement, il a repris son souffle devant mon bureau et attendu mon arrivée pour exploser.

Revenu dans la chambre à coucher, j'entends le souffle régulier d'Adriani, ce qui me rassure. Ce que je comptais faire en rentrant chez moi, je le fais enfin, avant de m'endormir. Je me couche et cherche dans le Dimitrakos le mot *banquier*.

> **Banquier** n. m. Personne détentrice au marché, ou plus généralement dans un lieu public à l'abri d'une galerie, d'un espace où son activité principale consiste dans le commerce de l'argent, à savoir de l'échange, du prêt, de la réception de dépôts et généralement du prêt d'argent au taux habituel. Syn. prêteur, bailleur, changeur. Matth. 25,27 : « il te fallait donc remettre mon argent aux banquiers ».

Il faut que j'arrive à la fin de l'article pour trouver la définition actuelle : « Personne dirigeant un établissement bancaire, un organisme de crédit. » Je vérifie la date de publication : 1958. Cinquante ans plus tard, j'essaie d'imaginer Zissimopoulos ou Robinson dans le rôle du banquier décrit par Dimitrakos, derrière sa petite table sous une galerie, prêtant ou vendant ses pièces d'or. Impossible. Zissimopoulos serait plus proche de l'image, parce que je l'ai vu en jardinier. Mais Robinson, rien à faire. En cinquante ans, la définition brève est devenue la principale, l'autre a disparu et le pays sombre lui aussi.

Je consulte l'article *usurier*, qui va peut-être m'inspirer davantage.

> **Usurier** n. m. Personne prêtant de l'argent à des taux supérieurs au chiffre fixé par la loi, en calculant jusqu'au dernier sou. Syn. tokoglyphe, qui grave *(glyphein)* les sommes prêtées à un certain taux *(tokos)* sur les planches de sa table.

D'accord, les usuriers qui prêtent « à des taux supérieurs au chiffre fixé par la loi », il en existe toujours, même s'ils ne gravent plus rien sur leur table. Et que sont ces entailles à côté du blanchiment d'argent du type Coordination and Investment Bank ?

C'est là sans doute que je m'endors, car au matin je trouve le dictionnaire tombé au pied du lit.

14

J'ouvre les yeux, seul dans le lit, comme toujours : Adriani se lève avant moi. Je la trouve dans le séjour, prise par sa première activité du jour : le ménage. Suivent les courses. Elle va au supermarché une fois tous les dix jours, mais seulement « la grosse épicerie », comme elle dit. Elle achète la viande, le poisson et les légumes dans le quartier, au jour le jour, pour ne rien laisser longtemps au frigo. La troisième activité étant la cuisine.

Je m'apprête à me réjouir, voyant Adriani remise du choc de la veille, mais je vois que le store donnant sur la terrasse et l'immeuble d'en face est baissé aux deux tiers. Adriani voit mon regard fixé sur le store et interrompt son époussetage.

– Je ne peux pas supporter de voir ça. J'ai l'impression que je vais le voir tomber.

– En tout cas, tu vas mieux aujourd'hui, lui dis-je, dans le but évident de lui arracher un « oui ».

– Comment ça, mieux ? Je n'ai pas attrapé un virus qui pourrait passer comme ça.

Je tâche de plaisanter :

– Si Katérina était encore à Thessalonique, je t'aurais envoyée auprès d'elle.

– J'y serais allée volontiers, répond-elle sèchement.

Elle soupire et ajoute :

– Si seulement elle n'avait pas terminé sa thèse, au lieu de faire la queue maintenant pour trouver du travail…

Elle pense aux difficultés de sa fille sans se demander ce que j'aurais fait pour payer ses études aujourd'hui, avec nos revenus raccourcis à la hache.

Nous buvons vite fait notre café du matin, elle plongée dans ses pensées, moi dans mon silence. Je monte dans la Seat avec le moral plutôt bas, et encore, j'avais compté sans mon portable, qui sonne dès que je prends la rue Mihalakopoùlou.

– Où es-tu ?

La voix de Guikas.

– En chemin.

– Viens directement à mon bureau.

Je n'aime ni le ton de sa voix ni le fait qu'il soit si tôt à son poste. Je me console en me disant que nous ne devons pas avoir de nouveau cadavre, car il m'aurait envoyé illico sur les lieux du crime. Si l'on exclut le crime, reste une hypothèse : une rencontre avec le ministre. Non que je l'attende avec impatience, mais mieux vaut cela qu'un nouveau cadavre sans tête.

À ma grande surprise, je trouve Guikas seul dans son bureau.

– On attend du beau linge, me dit-il dès mon entrée.

Avant de poursuivre, il dit à Koula d'appeler Stathakos. Puis, se tournant vers moi :

– Deux gros poissons venus de Londres. Le sous-directeur de leur brigade antiterroriste et un agent du MI5, l'un de leurs services secrets.

– Qui les a fait venir ?

– Le patron directement, mais je suis sûr que c'était sur ordre du ministre.

– Quelle idée ! On est donc sûr qu'il s'agit d'une attaque terroriste ?

Il rit.

– Je me demande parfois comment tu es devenu flic,

mon vieux. Et même un bon flic, précise-t-il pour éviter tout malentendu.

– Pourquoi ?

– Tu ne comprends donc pas ? Depuis que l'Union européenne et le FMI nous ont donné cent dix milliards, nous nous décarcassons pour montrer quels enfants sages nous sommes. Nous courons après toutes les occasions de gagner un bon point. Le ministre, c'est pareil. Il veut que les Anglais nous donnent un bon point parce qu'il a fait ce qu'il fallait. Maintenant, que les deux meurtres soient un acte terroriste ou non, c'est secondaire. Si oui, il aura visé juste. Sinon, il aura visé juste encore, ayant encaissé d'avance les commentaires élogieux. Tu sais ce que ça signifie être payé d'avance, à notre époque.

Je n'ai pas le temps de lui dire que je comprends quand Stathakos fait son entrée, interrompant le conciliabule. Il a deux lourds dossiers sous le bras.

– Qu'est-ce que c'est ? demande Guikas.

– Les dossiers des deux meurtres. Le chef de la police m'a téléphoné pour que je les prenne avec moi.

Il n'en dit pas plus, mais son commentaire est inscrit sur son visage.

Nous montons dans la voiture de Guikas et mettons le cap sur le ministère. Nous sommes tous muets, pour diverses raisons. Guikas est vexé, le patron l'a court-circuité en réclamant les dossiers à Stathakos directement. Stathakos se doute qu'il sera le personnage central de la rencontre. Quant à moi, le proverbe se vérifie : beau temps le matin, jour entier serein. J'ai démarré dans le noir total et c'est bien parti pour continuer.

– Entrez vite. Ils vous attendent, nous dit la secrétaire du ministre avec une impatience qui reflète à coup sûr la nervosité de son chef.

Nous trouvons le ministre, le chef de la police et les deux Anglais assis à la table de réunion, détendus et riant aux éclats. Dès qu'ils nous voient ils se lèvent tous et le ministre fait les présentations. Les Anglais, à première vue, semblent sympathiques. L'agent du MI5 est un grand brun dans les trente-cinq ans. Le sous-directeur de la section antiterroriste, qui doit avoir quinze ans de plus, est moins affable que son collègue, lequel nous accueille tout sourires dehors, comme s'il était fou de joie de nous rencontrer.

Nous prenons place à la table et le chef de la police charge Stathakos de résumer l'affaire. Ce qui annonce la direction que prendra la discussion et justifie entièrement les prévisions de Guikas.

Je n'apprécie pas Stathakos en tant que flic, mais je reconnais sans réticences qu'il parle admirablement les langues étrangères – alors que dans ce domaine je suis un amateur. Si le patron l'a mis en avant pour impressionner les Anglais par les talents linguistiques de la police grecque, le succès est total.

Lorsque Stathakos a fini son rapport, nous gardons le silence, attendant les commentaires des Anglais. Ils se regardent et l'agent secret Cyril Benson laisse la parole au sous-directeur Charles Conolly, lequel commence avec retenue, en choisissant ses mots :

– Si ces meurtres avaient été commis à Londres, j'aurais exclu l'hypothèse terroriste. Mais il y a des différences entre la Grèce et le Royaume-Uni.

Puis, souriant, il se tourne vers le ministre :

– Vous avez bien fait de nous appeler à l'aide.

– Nous sommes toujours prêts à collaborer, répond le ministre, flatté comme l'avait prévu Guikas.

À partir de là notre discussion n'a d'intérêt que si l'on regarde Stathakos qui gonfle à vue d'œil, tandis que Conolly reprend ses arguments mot pour mot. Le groupe du 17 novembre s'attaquait à des personnes précises, c'est donc là le moyen d'action de tout le terrorisme grec.

Personne ne fait d'objection. L'agent secret lui a laissé

l'initiative, et nous autres sommes résignés à subir un sermon. Le seul à exprimer des doutes, c'est Guikas :

– Oui, mais la nouvelle génération préfère les frappes aveugles, dit-il dans un anglais qui rejoint le mien dans la catégorie amateurs.

Puis il se tourne vers Stathakos.

– *Isn't it ?*

– *Yes, it's true*, marmonne Stathakos.

Conolly soutient cependant qu'un nouveau groupe a pu apparaître, qui reprendrait les méthodes du 17 novembre. Son argument principal : du moment qu'il n'y a pas de revendication, il doit s'agir d'un groupe débutant.

– La revendication, avance Stathakos, c'est peut-être ce D que nous avons trouvé sur les deux victimes.

– Possible, répond Conolly.

– Et que pourrait-il signifier, ce D ? dis-je dans mon anglais poussif.

– N'importe quoi… *Death… Destruction… Delete…* N'importe quoi…

– Mais pas Délinquance financière, dit Stathakos, ironique, en se tournant vers moi.

Je l'ignore et continue à l'intention des deux Anglais :

– Si ce D se trouvait en tête d'une déclaration, je comprendrais. Mais là, cette lettre épinglée sur un cadavre, ce pourrait être aussi la signature d'un assassin psychopathe.

Conolly dédaigne de répondre. Benson du MI5 intervient pour la première fois :

– Vous n'imaginez pas ce dont les terroristes sont capables aujourd'hui.

Autre coup d'œil ironique de Stathakos, tandis que le ministre et le patron me jettent les regards agacés destinés au type qui interrompt une conversation sérieuse. Je me recroqueville.

Le second argument de Conolly, c'est que l'assassin vient sûrement de l'étranger. C'est un étranger, aucun doute. Les

Grecs ne savent pas manier l'épée. Alors que dans les pays du Tiers-Monde on sait encore. Et ils envoient beaucoup d'immigrants en Grèce, comme dans toute l'Europe.

Le seul à même d'interrompre le catéchisme de Conolly, c'est Guikas.

– Jusqu'à présent nous n'avons eu que des terroristes grecs.

– *There is only international terrorism*, décrète Benson. *Local terrorism is dead.*

Peut-être, mais les terroristes internationaux tuent à la bombe, à la kalachnikov, au Magnum, ou du moins au Beretta. Et un terroriste international maniant le cimeterre, cela, même la journaliste blonde ne peut pas le gober.

– Ce qui veut dire que nous abandonnons l'hypothèse du simple meurtre pour nous concentrer sur la piste terroriste ? demande Guikas directement au ministre, en grec.

– On n'exclut rien, répond l'autre, catégorique. Mais le terrorisme tient la corde.

Sur ces instructions du ministre, qui font de Stathakos la vedette et de moi un comparse, la réunion s'achève. Nous laissons Stathakos informer les deux Anglais et regagnons l'avenue Alexandras dans la voiture de Guikas.

– Vous y croyez vraiment, à cette hypothèse terroriste ? lui dis-je tandis que nous remontons la rue Katehaki.

– Non, mais quand tu cries au terrorisme, tu es tranquille. C'est ce que fait le ministre. D'ailleurs, l'Anglais te l'a dit. Le terrorisme aujourd'hui est international, les produits locaux, c'est fini. Nous sommes devenus un genre d'OTAN. Nous travaillons tous en harmonie et les Américains décident.

– Et moi, en attendant qu'ils décident, je fais quoi ?

– Tu continues de chercher. Voilà ce dont je voulais m'assurer, pour qu'on ne s'engage pas sur une seule piste. Et prends soin d'éviter les conflits avec Stathakos, conclut-il, comme pour me rappeler qui est l'enfant chéri.

L'assurance que je peux poursuivre l'enquête, même en

tant que second rôle, me donne des ailes et je décide de passer à l'action.

Quand on n'a pas le moindre indice, on commence par chercher au hasard. J'appelle mes deux adjoints.

– Allez ratisser les lieux de rencontre des immigrés d'Asie ou d'Afrique et amenez-moi ceux qui pourraient avoir des compatriotes sachant manier l'épée.

Ils échangent un regard gêné.

– Comme ça ? Au hasard ? commente Vlassopoulos.

– Tu connais une meilleure solution ?

Il hausse les épaules.

– Non, lâche-t-il à contrecœur.

– Allez, filez, je veux les voir dans mon bureau demain matin.

Ensuite, je fais comme tous les malades que remèdes et médecins ne peuvent guérir : j'ai recours aux charlatans et aux potions magiques. J'appelle Phanis et lui demande le téléphone de Tsolakis.

– Je veux bien, mais tu ne le trouveras pas chez lui. Il est ici, à l'hôpital.

– C'est grave ?

Ce Tsolakis m'est sympathique et je ne veux pas perdre celui qui a été jusqu'ici mon unique source d'informations précises.

– C'est toujours grave, mais sa vie n'est pas en danger. Pas encore.

– Je peux lui parler ?

– Bien sûr. Il sera même content, il s'ennuie chez nous.

Je raccroche et pars illico, direction l'Hôpital général.

15

L'Hôpital général et moi, c'est une longue histoire et de nombreux souvenirs. C'est là qu'on m'a transporté quand j'ai eu ma crise cardiaque. C'est là que j'ai connu mon gendre, Phanis, quand ma fille s'est dépêchée de fricoter dans mon dos avec mon médecin traitant. Quand je l'ai appris, j'ai été furieux, ce qui a refroidi quelque temps mes relations avec Phanis. Nous n'en avons jamais reparlé : entre-temps, Phanis est entré dans la famille.

Je me gare sur le parking de l'hôpital et monte au quatrième étage, dans le bureau de mon médecin. Il est vide.

– Bonjour, monsieur le commissaire, me dit aimablement l'infirmière-chef. Le docteur est dans la chambre de M. Tsolakis. Il vous y attend.

Suivant ses indications, je me retrouve devant une porte gardée par une infirmière particulière.

– Où allez-vous ? me dit-elle.

– Je suis attendu par le docteur Ouzounidis et M. Tsolakis.

Elle me laisse entrer. La chambre est petite, individuelle. Tsolakis est assis dans son lit, adossé aux oreillers, un ordinateur portable sur les genoux. Une perfusion est plantée dans son bras droit, mais la longueur du tuyau lui permet de bouger librement. Je le trouve maigre et affaibli, le visage plus pâle, mais il garde l'œil vif, et m'accueille d'un large sourire. Phanis lui parle, penché vers lui.

– Je vous laisse, dit-il. Ne le fatigue pas trop.

Il le dit en souriant, mais quand il passe devant moi je lis dans ses yeux que c'est grave. Je m'assois sur l'unique chaise près du lit.

– Comment va ?

– Je gagne du temps, répond-il, sans perdre le sourire. C'est ce que j'ai toujours su faire. Sauf que l'athlète s'efforçait de le raccourcir, tandis que le malade cherche à le rallonger.

Voyant que je suis gêné pour répondre, il ajoute :

– En tout cas, merci pour la visite.

– Je suis venu aussi demander votre aide.

– J'ai compris. Vous voulez savoir si je connais Richard Robinson, c'est ça ?

– Tout juste.

– Les *hedge funds*, vous connaissez, monsieur le commissaire ?

– J'en ai entendu parler, comme tous les Grecs ces derniers temps, mais je ne sais pas ce que c'est.

– Imaginez des gens qui jettent de l'argent dans une jarre. D'autres gens se chargent de gérer la somme contenue dans la jarre. Les gestionnaires appellent ça un investissement, mais c'est faux.

– Alors c'est quoi ?

– Un jeu, monsieur le commissaire. Un jeu réservé aux plus riches. Pour jouer aux *hedge funds* il faut pouvoir investir au moins trente millions de dollars. Les *hedge funds* fonctionnent comme les fonds mutuels, mais avec un risque très réduit, car on peut investir dans les produits dérivés, ce qui dans le cas des fonds mutuels est interdit.

Je laisse parler Tsolakis, bien que les fonds mutuels soient pour moi du chinois, autant que les *hedge funds*. Il poursuit sa leçon :

– L'ensemble des capitaux gérés par les *hedge funds* en 2008 atteignait deux mille milliards et demi de dollars. Ce qui a mis en appétit tout le monde. Comme chez nous, à la Bourse, après 2000, vous vous souvenez ? Il y avait des gens qui contractaient un prêt à la consommation et le jouaient en Bourse. Même chose avec les *hedge funds*. Les petits investisseurs s'y sont mis, même avec cinq mille dollars, et les banques, et les sociétés d'assurances, et même les caisses d'assurances. Et c'est là que le jeu commence. Le système s'est mis à investir dans les produits dérivés, qui au début étaient une soupape de sécurité, pour que les investisseurs ne perdent pas leur argent. On a ainsi créé des *hedge funds* de *hedge funds*. Les *hedge funds managers* se sont mis à utiliser des capitaux empruntés pour augmenter le profit. Et naturellement, les *hedge funds* ont perdu leurs soupapes de sécurité, on s'est mis à jouer à la roulette et un beau jour tout s'est effondré.

Il respire profondément pour se donner des forces et ajoute :

– C'est comme le dopage en sport. Quand on commence à prendre des anabolisants, on n'arrête plus. On bat un record, mais ensuite on a besoin d'anabolisants plus efficaces pour le battre encore et encore. À chaque fois le risque augmente, non seulement celui de se faire prendre, mais celui de s'effondrer. Mais on espère toujours que les autres vont s'effondrer avant nous. C'est à peu près ce qu'espéraient les investisseurs et les managers des *hedge funds*.

Il fait une pause, puis reprend sur le même ton :

– Celui qui vous le dit est passé par le dopage et s'est effondré, monsieur le commissaire.

– Enfin, ceux qui donnent leur argent n'ont donc pas peur de le perdre ? Ceux qui en ont beaucoup, je comprends. Mais les petits investisseurs ?

Tsolakis hoche la tête, fataliste.

– Quand je demandais à mon entraîneur ce qu'il y avait dans ses pilules, il répondait : « T'inquiète pas, c'est des vitamines. » Moi, je savais que non, mais je les prenais.

Les managers des *hedge funds*, c'est pareil. Quand on les interroge, ils disent que les investissements sont absolument sûrs. Nous, on sait que non, mais on les croit. Parce que le fric, c'est bon, comme les médailles, monsieur le commissaire. La différence, c'est qu'avec le dopage on ne détruit que soi-même. Avec les *hedge funds* on détruit beaucoup d'autres gens, qui n'avaient rien fait de mal, et qui n'ont rien gagné.

– Et Robinson, quel rapport a-t-il avec tout ça ?

– Robinson n'était pas un banquier, mais un *hedge fund manager*. Ces gens-là gagnaient beaucoup d'argent, monsieur le commissaire. Ils touchaient en moyenne vingt pour cent sur toutes les transactions plus leurs salaires. Quand le système s'est effondré, Robinson est devenu tricard en Angleterre et en Amérique. Pourtant la First British Bank a voulu de lui, ayant confiance en ses aptitudes, et lui a proposé le poste de directeur à Athènes. Robinson a vu là l'occasion d'une seconde carrière. D'ailleurs, il savait qu'il n'allait pas rester. Athènes était le tremplin pour rebondir plus haut.

– Voilà pourquoi il a préféré son poste à sa femme et son enfant.

Tsolakis me jette un regard étonné, et je me réjouis d'avoir trouvé quelque chose qu'il ne sache pas encore.

– Qu'est-ce que sa femme vient faire là ? demande-t-il, intrigué.

– Sa femme lui demandait de rentrer à Londres avec elle. Lui ne voulait pas, alors elle est partie avec l'enfant.

Tsolakis sourit.

– Ça, vous ne pouvez pas le comprendre, n'est-ce pas ?

– On a du mal à comprendre ce qui ne peut pas nous arriver.

Si tu rates une deuxième occasion de réussir, il n'y aura pas de troisième. Alors que les occasions de fonder un foyer sont plus fréquentes. Robinson le savait bien, comme tous ceux qui font ce métier-là.

– Comment savez-vous tout cela, deux jours seulement après sa mort ?

Quelque chose me dit qu'il suivait déjà l'affaire auparavant.

Il sourit.

– Les astrophysiciens connaissent l'univers. Moi, je connais l'univers du Web, monsieur le commissaire. Je suis une sorte d'astrophysicien du Web. Quand j'ai appris l'assassinat de Robinson, il ne m'a fallu que trois heures pour avoir sa bio complète. À ma mort, je souhaite m'installer non pas dans l'univers céleste, mais dans celui du Web, conclut-il avec une ironie amère.

Nous pourrions continuer ainsi, mais Phanis entre en coup de vent.

– Fini la discussion, dit-il. On ne doit pas fatiguer Haris.

– Ça ne me fatigue pas, ça me distrait, dit Tsolakis.

– Ton humeur et ton organisme, ça fait deux.

Moi aussi j'aimerais rester un peu, mais le ton de Phanis me rappelle, des années après, mon propre séjour à l'hôpital, quand il excluait le moindre de mes écarts sans discussion. Je me lève donc et salue Tsolakis.

– Revenez quand vous voulez, me dit-il en me tendant la main, la perfusion suivant le mouvement. J'aime bien discuter avec vous.

Une fois dans le couloir, je demande :

– Qu'est-ce qu'il a au juste ?

Phanis hausse les épaules.

– Demande-moi plutôt ce qu'il n'a pas. D'abord, son foie est en compote. Ensuite, son système immunitaire s'est effondré, d'où des infections continuelles qui dégénèrent en péricardites. On peut soigner tout cela. Difficilement, mais on peut. Mais il y a plus grave.

– C'est-à-dire ?

– L'excès d'anabolisants a touché non seulement le foie, mais le système musculaire. Ses muscles se sont nécrosés peu à peu. La nécrose va finir par atteindre le cœur et là, fini pour lui.

– Il n'y a pas de thérapie ?

– On ne peut que ralentir les choses. On se bat pour qu'il vive le plus longtemps possible.

Nous arrivons à la porte de son bureau.

– Tu veux un café ?

– Non, il faut que je rentre, nous sommes au bord de la folie.

Il reste songeur un instant. Puis il poursuit :

– Par moments, je me dis, bien fait pour lui. C'est le prix à payer pour les médailles et le fric amassé en se dopant. D'un autre côté, il est tellement sympathique… J'ai mal pour lui.

Je monte dans la Seat, et tout en conduisant je tâche de mettre en ordre ce que je viens d'apprendre. Zissimopoulos et Robinson ont tous deux trempé dans la merde, l'un à la Coordination and Investment Bank de Vaduz, l'autre avec ses *hedge funds*. Même si je n'ai pas tout à fait compris ce que sont les *hedge funds*, je sais qu'ils ont fait beaucoup de mal à beaucoup de gens et voilà qui me suffit.

Mais qui a tué les deux banquiers ? Si l'on suppose que l'assassin a tué pour se venger, il ne peut s'agir de la même personne. Se faire arnaquer à Vaduz et à New York, c'est tiré par les cheveux. Donc il doit y avoir deux coupables. Oui, mais cela est contredit par le scénario identique des deux meurtres.

C'est là-dessus que je bute, et je ne peux rejeter l'hypothèse terroriste, même si je n'y crois pas un instant. La clé du mystère n'est pas chez un assassin venu de l'étranger. La clé se trouve en Grèce, mais pour l'instant, j'ai beau chercher, partout je me heurte à un mur.

16

Le lendemain matin, dans le couloir de mon bureau, je me trouve devant une foule où se mêlent toutes les couleurs sombres, du brun au noir le plus pur. Je regarde ces gens et pense aux problèmes linguistiques qui m'attendent. Pour tout arranger, je me suis réveillé diminué, ayant eu la veille au soir une conversation épuisante avec ma fille et mon gendre à propos d'Adriani. Elle continue de baisser les stores. Celui du séjour et son store mental. Phanis garde son sang-froid :

– Sois tranquille, ça va s'arranger. Elle n'a pas digéré le choc, c'est normal, il faut lui laisser le temps.

Oui, mais moi j'ai appris à vivre avec les critiques et les piques d'Adriani. Son éclipse est une expérience inconnue qui me bouleverse.

– Tu penses que baisser le store est une bonne thérapie ? ai-je demandé à Phanis.

– C'est un moyen de défense, car l'image est toute fraîche encore. Si dans une semaine elle en est encore là, il faudra penser à l'emmener voir un psy.

Je ne sais si cela est dû à sa science ou à son caractère, mais Phanis est un monstre de sang-froid. Katérina, qui suivait la discussion sans mot dire, l'a partiellement approuvé, tout en réduisant le délai de sept à trois jours.

– Mais il faudra la porter jusque chez le psy, a-t-elle ajouté, sachant que la meilleure des thérapies, aux yeux d'Adriani, c'est toujours le martyre muet.

Tandis que je remue mes pensées, Dermitzakis sort de son bureau et s'approche avec un sourire de triomphe.

– Vous ne pourrez pas vous plaindre, on a fait un sacré boulot. En volume et en rapidité.

– Mais dis-moi, Dermitzakis ? Je leur parle quelle langue, moi, à ces gars-là ?

– Ils parlent tous grec, plus ou moins, monsieur le commissaire.

– Plus ou moins, ça veut dire qu'il nous faut un interprète ?

– Non, ils se font comprendre. Bon, il faudra peut-être, ici ou là, faire appel à votre anglais.

– Bien. Fais-les entrer dans dix minutes.

J'ai demandé ce bref délai pour manger mon croissant et boire mon café. J'en suis à la dernière gorgée quand la première fournée déboule. Ils sont cinq. Mon bureau dispose de deux chaises libres, mais ils les dédaignent et s'appuient au mur en me jetant des regards apeurés. Ils me rappellent les chômeurs des années cinquante, qui attendaient des heures adossés à un mur que quelqu'un leur donne du travail ou une course à faire.

– Vous n'êtes pas coupables, vous n'avez rien à craindre, dis-je pour les rassurer. Et je ne veux pas savoir qui parmi vous est régulier ou clandestin. Ce n'est pas mon travail à moi. Je vous demande seulement de m'aider. Quand ce sera fini, vous repartirez librement.

Tel est mon discours habituel avec les immigrés. Cela serait plus facile de l'imprimer et de le distribuer, mais il agit toujours comme un calmant. Il les détend.

– Demande, boss, dit un type tout noir.

– Je veux que vous me disiez si vous connaissez des immigrés comme vous qui savent se servir d'une épée.

Ils ne s'y attendaient pas. Ils se regardent, sans frayeur, pour décider de celui qui répondra. Pour finir, la parole est à un grand d'allure sportive :

– Drôle question ! Tout le monde en Afrique sait servir épée. Maroc, Djazaïr…

– Qu'est-ce que c'est ?

– Algérie, explique un autre.

– Algérie, Soudan, Éthiopie, Côte d'Ivoire… énumère le premier. Et aussi Saudi Arabia, Mauritania…

– Au Soudan, ajoute un autre, Janjawids tuent tout un village avec épée seulement.

– Les Janjawids ?

– Ils tuent villages qui sont contre gouvernement.

Va donc trouver un Janjawid à Athènes. C'est comme si on cherchait nos terroristes au pôle Sud.

Je les renvoie et demande à Dermitzakis de faire entrer la deuxième fournée. Ils sont six et ne s'appuient pas au mur, mais s'éparpillent dans le bureau. Je pose les mêmes questions, reçois les mêmes réponses, comme s'ils avaient appris leur leçon par cœur. Lorsque j'insiste, un Noir en tunique blanche et sandales me remet à ma place dans un grec presque correct :

– Nous on parle seulement de pain, patron, pas d'épée.

Cette bonne leçon apparemment m'a stimulé, car je trouve enfin la bonne question :

– Connaissez-vous ici des immigrés qui vendent des épées ?

Ils se consultent du regard et laissent répondre celui qui parle bien grec :

– On connaît, monsieur commissaire. Mais celles qu'on vend, c'est seulement pour…

Il cherche le mot en grec, me le dit en anglais, comme pris de honte.

– … pour *decoration*. Ces épées coupent même pas *marmelade*.

Oui, mais une fois aiguisées elles peuvent trancher têtes et boyaux.

– On les vend où, ces épées ?

Le type hausse les épaules.

– Rue Evripidou, Athinas, Sokratous, place Theatrou – partout.

– Merci, les gars. Vous m'avez bien aidé.

Ils quittent le bureau soulagés.

Je dis à Dermitzakis d'appeler une voiture de police pour aller là où les immigrés ont leurs commerces. Je le prends avec moi, pour le récompenser d'avoir si vite rassemblé ces types, mais aussi pour garder l'équilibre entre Vlassopoulos et lui. J'évite ainsi les jalousies et les conflits entre eux.

Je prie pour que nous échappions aux rassemblements et autres manifs. Le Seigneur m'écoute, et d'Alexandras jusqu'à Patission nous ne rencontrons aucun obstacle, une circulation intense mise à part. Nous laissons la voiture dans Athinas, face au marché, et descendons Sofokleous à pied. Au coin de Sokratous, des Noirs ont étalé leurs draps. Le premier vend des sacs, le deuxième des chaussures de sport bas de gamme et le troisième des T-shirts. Plus bas, nous tombons sur une boutique d'aliments d'Extrême-Orient mêlés à ceux des pays arabes. Nous n'avons pas encore vu d'articles de décoration, mais je place mes espoirs dans la partie de Menandrou avant la place Theatrou.

Mes prévisions se vérifient dès le coin de la rue. Les étals débordent des trottoirs étroits sur la chaussée, ne laissant qu'un mince passage aux piétons et aux voitures. Je suis frappé par le nombre de sacs. Si chacun de nous trimbalait un sac à la main, un autre sur l'épaule et un troisième sur le dos, il en resterait encore à vendre.

Il y a aussi des T-shirts, des articles de cuisine, vaisselle, détergents, et des montres. Montres-bracelets, réveils, pendules. Il y a là de tout, sauf de la décoration. Dermitzakis, qui sait ce que nous cherchons, me regarde l'air déçu, mais je continue sans me décourager.

Le bruit de la rue vous casse les oreilles, entre les cris des marchands et leurs discussions en diverses langues, tandis que les conducteurs hurlent et klaxonnent comme des possédés.

Je trouve un premier étalage avec sculptures et bibelots vers la place Theatrou, mais pas d'épées.

– Tu n'as pas d'épées ?

L'Asiatique derrière son drap me regarde comme un Grec à qui l'on parlerait chinois.

– *Swords ?* lui dis-je.

– *Swords ? Come !*

Et il m'emmène, après avoir chargé son voisin de surveiller sa marchandise.

– *Here*, dit-il en arrivant à la rue Evripidou.

Là, sur la droite, un type a étalé sur un drap tout ce qu'on peut imaginer en provenance du Tiers-Monde. Masques, gravures sur bois, chandeliers de bois ouvragé, coffrets orientaux décorés, nappes, couvertures aux couleurs aveuglantes. Alignées sur le trottoir, une série de petites tables de bois incrusté de faux ivoire. Je ne sais pas à qui la Grèce a vendu tout ce qu'elle a vendu, mais son marché aux puces est allé aux immigrés. Je cherche les épées dans ce capharnaüm, mais ne trouve que trois poignards aux poignées ouvragées dans leur étui de cuir.

– Chou blanc, commente Dermitzakis.

Je m'obstine.

– *You have swords ?*

– Non, pas *swords*. Seulement *carved knives*.

Je lui demande où je peux trouver des épées.

– *There is a* boutique *up in* rue Evripidou.

Nous remontons la rue et trouvons la boutique. Il n'y a pas d'enseigne et la vitrine regorge d'un bric-à-brac semblable à celui de l'Asiatique, la classe juste au-dessus. Je repère dans le tas une épée nue, large, avec une poignée de métal.

– L'obstiné finit par gagner, dis-je à Dermitzakis.

À la caisse, un brun à fine moustache à la pakistanaise,

l'air misérable. Il nous voit entrer, mais ne fait pas l'effort de se lever.

– *Do you sell swords ?*

– Vous pouvez le dire en grec. Je suis grec.

Je me présente.

– Je veux simplement des renseignements. Vous n'avez pas à vous inquiéter.

– Du moment que vous n'êtes pas la Brigade financière, je ne m'en fais pas.

– Vous avez beaucoup d'acheteurs pour vos épées ?

– J'en ai trop peu pour avoir beaucoup d'acheteurs. J'en trouve de temps en temps, je les prends plutôt quand le reste m'intéresse.

– D'habitude, qui les achète ?

Il hausse les épaules.

– Des barjos d'ici, qui les accrochent au mur chez eux. Autrefois ils y mettaient des sacs et des tapis traditionnels, maintenant on s'internationalise. Tenez, l'autre jour un couple est entré, juste pour regarder. La femme a vu l'épée en vitrine et a dit au mari : « Manolis, mon chéri, si on l'achetait ? Elle me rappelle celle de mon arrière-grand-père. » Je lui ai demandé d'où elle venait. De Nauplie. Allez lui expliquer que cette épée de Somalie et le yatagan de l'ancêtre n'ont rien à voir... Pour finir, son mari n'était pas chaud et je suis resté avec mon épée.

– Il y a des immigrés qui en achètent ?

À voir son regard, on dirait que je viens de Somalie comme l'épée.

– Elle servirait à quoi, l'épée, monsieur le commissaire ? À décorer les murs des chambres où ils dorment à dix par terre ? Sans compter que si vos collègues déboulent et voient l'épée, vous imaginez ce qui les attend.

– D'autres étrangers ? Des touristes ?

– Depuis quinze ans que j'ai cette boutique, je n'y ai pas vu un seul touriste. Ces gens-là achètent des parthénons et des caryatides en plâtre, pas des objets exotiques. Ils en ont chez eux.

– Bon, peux-tu me dire où je peux trouver celui qui te fournit ces épées ?

– Vous voulez une facture, avec leur adresse ?

Et il éclate de rire.

– Pourquoi ris-tu ? dis-je, froissé.

– Des factures, des fournisseurs, monsieur le commissaire ? De temps à autre un type se pointe avec un baluchon et l'ouvre devant moi. Je prends ce qui m'intéresse, je paie en liquide et terminé. Plusieurs jours après un autre passe, avec le même genre d'objets ou non, et ainsi de suite. Il n'y a pas de stocks. Tout ce que vous voyez là, c'est des pièces uniques.

Je lui donne ma carte.

– Tu pourras m'appeler quand quelqu'un viendra te vendre des épées ?

– Je veux bien, mais je ne pense pas que la boutique existera d'ici là.

– Pourquoi ?

– Écoutez. Le triangle des rues Athinas, Evripidou et Sofokleous est le seul coin d'Orient qui subsiste dans Athènes. C'est là qu'on achète la marchandise, d'où qu'elle vienne, le plus souvent sans facture, et les autorités ferment les yeux. Les clients sont pauvres, on vend à bas prix et on gagne son pain quotidien. Mais avec les nouvelles mesures, ils veulent faire de nous des Européens, *Greek type*.

Je suis curieux de savoir ce que cela veut dire.

– Eh bien, dans toute l'Europe on fait la chasse à la contrebande. Ici, c'est le bordel, on passe tout ce qu'on veut. Et voilà l'État qui réclame des factures et veut que je paie la TVA. Quelle facture et quelle TVA je vais demander pour de la contrebande ? Les seuls qui importent légalement dans le secteur, c'est les Chinois. Vous allez voir, bientôt on achètera nos slips aux Chinois. Voilà pourquoi je pense fermer la boutique et créer une unité mobile.

– C'est-à-dire ? Une voiture qui passera dans les quartiers ?

– Non. Un baluchon, monsieur le commissaire. Je pose mon baluchon rue Menandrou ou rue Sarri, parmi les immigrés. Je donne quelques sous au guetteur, et quand les flics s'amènent je ramasse mes affaires et je cours. Vous me direz que j'ai quarante-cinq ans, combien de temps je vais pouvoir courir ? Encore dix ans ? Je ne sais pas. Quinze peut-être, si j'arrête de fumer et me mets au jogging, comme les Européens que nous sommes en train de devenir.

Pas le temps de lui répondre, mon portable sonne. C'est Vlassopoulos.

– Laissez tomber l'enquête. On a mis la main dessus.

– À qui ?

– L'assassin à l'épée.

– Qui est-ce ?

Je suis sidéré.

– Le domestique noir de Zissimopoulos. Venez, la déclaration à la presse est pour bientôt.

Je me demande ce qu'on a pu trouver qui permette d'arrêter Bill. C'est peut-être une grosse gaffe de Stathakos, mais avec les flics anglais qui contrôlent, cela me paraît peu probable. Je me creuse la tête pour trouver ce qui m'a échappé à moi, mais pas à Stathakos. En vain.

Tout en marchant j'informe Dermitzakis. Perplexité partagée.

– Mets la sirène, lui dis-je tandis que nous montons en voiture.

17

Sitôt entré dans mon bureau, j'appelle Stathakos.

– Il vient de sortir, monsieur le commissaire, me dit l'un de ses adjoints. Il est allé au QG pour les déclarations. Vous savez, cette arrestation, ajoute-t-il avec une inflexion de voix empruntée sûrement à son chef.

Je raccroche, indécis. Je ne sais où mettre les pieds. Appeler Guikas ne sert à rien, il doit être à la conférence de presse lui aussi. Je risque à tout moment la gaffe, ignorant tout des éléments qui ont conduit à l'arrestation du *butler*.

Je me résous à serrer les dents et attendre la suite des événements. J'allume la télévision, car ce qui m'importe avant tout, c'est d'apprendre les détails. Je tombe sur des pubs qui par bonheur ne durent pas. Bientôt le bandeau « Flash Info » et la tête du présentateur apparaissent.

À ma grande surprise, je ne vois que le chef de la police et Stathakos. Guikas n'est pas avec eux, donc il est dans son bureau, écumant de rage de ne pas être sur scène. La déclaration, le chef de la police s'en charge. Stathakos est muet à côté de lui, bravache, râlant de ce qu'on lui vole la vedette.

Ce n'est pas une conférence de presse, mais une simple info. Le chef de la police n'annonce pas officiellement l'arrestation, il se contente de faire savoir que quelqu'un est en garde à vue et qu'on l'interroge, en raison des charges qui pèsent contre lui.

– Pouvons-nous dans ce cas parler d'arrestation ? demande Haritopoulou, une quadra, journaliste expérimentée, qui s'efforce d'accoucher le patron.

– Non, car l'interrogatoire préliminaire n'est pas encore achevé.

– Mais les charges sont accablantes, s'écrie Stathakos, incapable de se retenir.

Le chef de la police lui jette un regard en biais, mais en évitant tout commentaire, afin de ne pas montrer leur désaccord. J'aperçois Sotiropoulos debout dans un coin, arborant son air blasé habituel. Il ne se mêle pas à la discussion, mais on sent qu'il attend le moment propice pour passer à l'offensive.

– Pouvez-vous nous dire quelles sont ces charges ? demande la journaliste, habituellement vêtue de rose, aujourd'hui tout en jaune.

– Dès la fin de l'interrogatoire préliminaire, vous serez informés en détail, s'obstine le chef de la police.

Et Sotiropoulos passe à l'attaque.

– Autrement dit, monsieur, il y a un suspect, mais pas d'arrestation. Il y a des charges, très lourdes qui plus est, selon le directeur de la Brigade antiterroriste, mais vous ne pouvez pas les divulguer. D'autre part, aucun groupe n'a revendiqué les deux actes supposément terroristes.

Sa voix souligne le mot « supposément ».

– Il est vrai, répond le chef de la police, que d'habitude les actes terroristes sont revendiqués. Mais ce n'est pas une règle absolue. Il n'y a parfois aucune déclaration, ou elle arrive bien plus tard.

– Cependant, dit Stathakos, l'assassin a laissé sa signature sur les victimes.

Voilà un nouvel élément. Murmures parmi les journalistes.

– Quel genre de signature ? demande Haritopoulou.

– Un D sur une feuille qu'il accroche à leurs vêtements.

– Ce qui signifie ? demande la femme en jaune.

Le chef de la police reprend la main.

– Nous ne le savons pas encore. Nous espérons être éclairés par l'interrogatoire.

Mais Sotiropoulos est prêt pour sa deuxième salve.

– En attendant de résoudre l'énigme du D, pouvez-vous nous confirmer que deux policiers anglais sont associés à l'enquête ?

– Nous avons sollicité la collaboration de la police anglaise car la seconde victime est anglaise.

– Je pose la question car les Anglais d'habitude préfèrent les arrestations rapides. D'abord on condamne, ensuite on juge, telle est leur théorie. C'est ce qu'ils ont fait avec l'IRA, et leurs erreurs sont apparues des années plus tard.

Le chef de la police juge bon de ne pas relever.

– Eh bien, chers amis, c'est tout pour l'instant, dit-il aux autres journalistes. Vous serez tenus au courant.

Sotiropoulos hésite, il semble vouloir poser une autre question, puis il quitte la salle, en dernier comme d'habitude.

J'éteins la télévision et appelle Koula, la secrétaire de Guikas.

– Koula, je peux monter ?

– Bien sûr. Il est là. Tout seul.

Ce qui veut dire qu'il doit bouillonner de rage.

Lorsque j'entre dans son bureau, Guikas lève les yeux et dit sèchement :

– Tu vois, je ne suis pas invité à la noce.

– Comment se fait-il ?

– C'est sûrement un ordre du ministre, le chef de la police fait la déclaration en personne pour lui donner plus de poids.

– Vous connaissez les charges ?

– On a découvert cinq dépôts de dix mille euros chacun en une semaine sur le compte de ce Bill Okamba, à la Banque centrale.

– De différentes provenances ?

– Non, d'une seule personne. Le déposant s'est limité à dix mille euros car les sommes supérieures doivent être déclarées à la Direction de l'antiblanchiment.

– Et qui est le déposant ?

– Nous ne le savons pas encore.

– Et le *butler*, il dit quoi ?

Guikas hausse les épaules.

– Ce que dirait n'importe qui à sa place : qu'il ne sait pas d'où vient l'argent.

– Il y a d'autres charges ?

– Un cheveu qu'on a trouvé sur les vêtements de Zissimopoulos. Le test ADN a révélé qu'il appartient au *butler*.

– Allez… Il s'occupait de son maître, brossait ses vêtements, les repassait, les rangeait. Qu'un cheveu de lui tombe dessus, c'est tellement extraordinaire ?

– On estime qu'il est tombé pendant le meurtre, car on l'a trouvé sur le dos de la chemise que portait Zissimopoulos.

Je m'efforce de garder mon sang-froid, sachant que Guikas, pour la première fois peut-être, est mon allié.

– Il a été décapité à l'épée. L'assassin était donc à une certaine distance. Avec un couteau, il aurait dû se coller à lui. Comment le cheveu s'est-il trouvé là ?

– Je te le dis, selon eux il est tombé au moment du crime.

– Ils ont trouvé l'arme ?

– Pas pour l'instant.

Conclusion : un seul élément tangible, les dépôts. Le reste, c'est du vent. Tant qu'ils ne trouvent pas l'arme, leur affaire ne tient qu'à un cheveu. À supposer que le *butler* soit l'assassin, et à supposer qu'il ait prévu un nouveau meurtre, il a caché l'épée quelque part. Et s'il pensait s'en tenir là, alors il l'a sans doute fait disparaître à jamais.

– Que font-ils du second meurtre ?

– Rien. Pour l'instant ils ne s'occupent que du premier. Ils considèrent qu'après avoir avoué celui-ci, Okamba sera forcé d'avouer l'autre.

Je crois, pour ma part, qu'il n'avouera même pas le premier, car selon moi il n'est pas l'auteur des deux meurtres.

– Je peux l'interroger ?

C'est là que notre alliance prend fin.

– Laisse tomber, répond Guikas furieux. Ils l'ont confié à Stathakos, et peut-être aux deux Anglais. Personne d'autre n'y touche.

Il s'interrompt, puis reprend plus posément.

– Pour l'instant, tout le monde est content. Le ministre et le chef de la police qui ont réussi un coup, à un moment où les coups se font rares. Stathakos qui rêve d'avancement. Et les deux Anglais qui pourront dire à leurs supérieurs, « et voilà, grâce à nous ces bras cassés de policiers grecs ont arrêté quelqu'un ». Dans ces moments-là, ce que tu as de mieux à faire, c'est de la boucler en attendant que le vent tourne.

– Autrement dit, je ne dois pas continuer l'enquête ?

– Si, mais discrètement. Sans te fourrer dans les pattes des Antiterroristes. En cas d'embrouille, c'est toi qui paieras.

Ce qui veut dire, dans le dialecte de Guikas, qu'il me laissera à découvert. Qu'en cas de malheur il dira que j'ai continué de ma propre initiative, et va alors prouver le contraire.

Très bien, je ne peux pas interroger Bill, mais je peux me rancarder auprès de Mavromatis, le procureur de la Direction de l'antiblanchiment, sur les dépôts et leur auteur.

Sitôt rentré dans mon bureau, je l'appelle. J'ai décidé de suivre le conseil de Guikas : ne pas me jeter dans les pattes des Antiterroristes et laisser croire à Stathakos que je cherche à le doubler – ce qui, en fait, est la pure vérité.

– Je vous appelle pour vous féliciter de votre succès, monsieur le procureur.

– Et pour toucher votre part, répond-il en riant. Pourquoi ?

– C'est vous qui m'avez donné l'idée, le jour de la grève.

Sans vous, je n'aurais jamais pensé à examiner les comptes des étrangers dans les banques grecques.

– Je me réjouis de ma contribution, dis-je.

Je le pense vraiment, car elle m'ouvre une porte.

– Quelqu'un d'autre a contribué, précise Mavromatis. Il a vu ces dépôts répétés, a trouvé cela bizarre et nous a prévenus. La bureaucratie n'a pas noyé tous ses employés.

– Qui était le déposant ?

Je pose ma question le plus innocemment possible, mais je n'ai rien à craindre : Mavromatis est dans de bonnes dispositions.

– Une société fantôme des îles Caïmans. De celles qui ont un bureau, du papier à lettres et un tampon. Nous cherchons leur représentant par Europol et les Américains, mais entre nous je n'ai pas grand espoir. Nous avons toutes les chances de tomber sur un fantôme, là aussi.

– La banque ne sait pas qui a donné l'ordre ?

– Si, bien sûr. La société fantôme des îles Caïmans.

– S'il se passe quelque chose, vous me préviendrez ?

– Pourquoi, vous attendez autre chose ? demande-t-il, étonné.

Je ne veux pas lui dire que si les exécuteurs sont deux, alors un deuxième dépôt devrait suivre.

– Je n'attends rien de spécial. C'est une simple éventualité.

– En tout cas, s'il y a autre chose, cela viendra d'un autre déposant. Ceux qui brassent l'argent sale aux îles Caïmans, d'habitude, fondent une nouvelle société pour chaque dépôt, et la suppriment juste après.

Je raccroche sur une dernière politesse. En fait, Stathakos et les Anglais n'ont pas entièrement tort. Quand on repère cinq dépôts venant des îles Caïmans, on imagine soit du blanchiment, soit du terrorisme. Le tout est de savoir s'il y aura un deuxième versement. Alors on saura au moins si l'on a affaire à deux exécuteurs. Et dans ce cas, reste à savoir si Mavromatis va le repérer ou si le déposant inconnu usera d'autres canaux.

Je suis plongé dans mes pensées quand je vois entrer Sotiropoulos. Pas besoin d'être devin pour comprendre qu'il vient à la pêche aux nouvelles à propos des charges contre Bill. La meilleure tactique, dans ces cas-là, c'est « rien vu, rien entendu, je ne sais rien ».

– Tu sais pourquoi tu es le plus intelligent ici ? lance-t-il en guise de bonjour.

– Celle-là, je l'entends pour la première fois. Je t'écoute.

– Parce que tous les autres sont des crétins. Tu es le plus intelligent par élimination.

– C'est déjà ça.

– Tu peux me dire quelles sont les charges écrasantes qui vous font vous acharner sur ce pauvre Noir ?

– Tu es donc bloqué dans tes obsessions de gauche, Sotiropoulos ? Tu en es encore à « Vous autres, pourquoi vous martyrisez les Noirs ? ». Mais personne dans ce pays ne martyrise les Noirs. Tu sais pourquoi ? Depuis les dernières mesures, les Noirs, c'est nous.

– Dis-moi quelles sont les charges contre lui que vous gardez ultra-secrètes et je réviserai mon opinion.

– Aucune idée.

– Tu vois ? Motus et bouche cousue, toi aussi, comme tous les autres.

– Écoute, l'affaire est aux mains des Antiterroristes. Moi, je ne suis pas dans le coup. Si tu veux des tuyaux, va voir Stathakos.

– Avec lui, rien à faire. Mais je vais te donner mon opinion. Toutes ces histoires de terrorisme, c'est du pipeau. Les terroristes sont des idéologues. Quand ils posent des bombes ou assassinent, ce n'est pas pour de l'argent, surtout cinquante mille euros.

– Si ce n'est pas du terrorisme, alors c'est quoi ?

– Du blanchiment. Et les banques sont mouillées jusqu'au

cou, parce que ça fait beaucoup d'argent. Tu verras bientôt que j'ai raison.

Il repart en claquant la porte, car il n'a pas obtenu ce qu'il voulait. Au fond, je devrais le remercier, car ce qu'il m'a dit sur les terroristes idéologues m'a ouvert les yeux. Mais nous n'en sommes plus depuis longtemps à ce genre de délicatesses.

18

Chez moi, deux bonnes nouvelles m'attendent. Adriani est assise devant la télévision et le store du séjour est relevé. C'est le signe évident d'un retour à la normale, mais je ne fais pas de commentaire, Phanis m'ayant conseillé d'y aller en douceur.

C'est Adriani qui ressent le besoin de s'expliquer.

– Je me suis dit que je pouvais le remonter, maintenant qu'il fait nuit.

– Comment te sens-tu ?

Et je m'assois près d'elle sur le canapé.

– On verra comment ça va demain matin.

Elle ponctue ces mots d'un profond soupir, ce qui confirme la théorie de Katérina : pour Adriani, la meilleure thérapie, c'est le martyre silencieux.

Nous tombons sur la conférence de presse du chef de la police. En temps normal je n'aime pas voir deux fois le même film, mais je reste pour ne pas laisser Adriani seule. Mes bonnes intentions sont récompensées : je découvre deux éléments nouveaux qui ne manquent pas d'intérêt. D'abord, la discussion entre le reporter et la présentatrice.

– Il nous a parlé sans arrêt de charges contre cet homme, mais sans préciser lesquelles, commente le reporter. Comme tu peux le comprendre, Anna, cela soulève des interrogations.

– S'il n'a pas révélé ces charges, réplique la présentatrice, c'est sûrement qu'il attend la fin de l'enquête.

– D'accord, mais par ailleurs le chef de la police a été plutôt vague et réservé. Contrairement à M. Stathakos, le chef de la Brigade antiterroriste.

– M. Stathakos a été plus précis ?

– D'abord, il n'a laissé aucun doute quant à la culpabilité du suspect. Ensuite, c'est lui qui a dévoilé l'existence de la signature.

C'est comme si je voyais la fureur du chef de la police quand il entendra le commentaire du reporter, et je n'aimerais pas être à la place de Stathakos. La deuxième surprise vient du ministre. Il n'apparaît pas à l'écran, mais parle au téléphone et se montre encore plus flou que le chef de la police.

– Nous voulons tous que l'auteur du crime soit arrêté, déclare-t-il à la présentatrice. Mais évitons les conclusions hâtives. L'enquête préliminaire est en cours et nous ne savons pas ce qui va en sortir. Ne créons pas des attentes qui pourraient être déçues demain.

– Quelle est ton opinion personnelle, Renos ? demande la présentatrice au commentateur.

– Il est clair que la police a en main quelques éléments, mais qui semblent insuffisants pour envoyer Bill Okamba devant le juge d'instruction. Par conséquent, je pense que le ministre et la police font bien de rester prudents. Mais il y a le revers de la médaille…

– C'est-à-dire ?

– Le danger de susciter un courant de sympathie envers le suspect. N'oublions pas que ces temps-ci, en raison de la crise, les banques sont un chiffon rouge pour la population.

– Très juste, commente Adriani. Bientôt, vous lâcherez les forces anti-émeutes dans les rues pour disperser les défenseurs de votre suspect.

Je ne réponds pas, mais fête en silence la première vacherie d'Adriani depuis plusieurs jours.

L'interview et les commentaires des journalistes ne sont

que des hors-d'œuvre. Comme plat de résistance il y a la crise économique et les discussions sans fin avec les dirigeants des partis, les syndicalistes et divers autres spécialistes. Resservi chaque soir, le plat de résistance est devenu soupe populaire. Cependant, le fricot de ce soir évoque plutôt la haute gastronomie.

– Et maintenant, chers téléspectateurs, voici un entretien riche en révélations avec M. Henrik De Mor. M. De Mor est l'un des dirigeants de l'agence de notation Wallace et Cheney et se trouve ces jours-ci dans notre pays pour rassembler des données concernant l'économie grecque. Rappelons que l'agence de notation Wallace et Cheney a été l'une des premières à rétrograder les obligations grecques dans la catégorie « junk », ce qui en fait des chiffons de papier.

La caméra cadre, assis en face du commentateur et de la présentatrice, un homme dans les quarante-cinq ans, à cheveux noirs et barbiche noire. Il porte un costume gris simple, un peu grand à en juger par la veste, une chemise bleu foncé et une cravate rayée.

– Monsieur De Mor, attaque la présentatrice, votre agence a été l'une des premières à dégrader les valeurs grecques. Nous avons l'occasion ce soir d'en avoir l'explication de première main.

De Mor lui fait un sourire gentil, puis démarre en anglais. Je le suis en lisant les sous-titres.

– D'abord, contrairement à ce qui est dit partout dans le monde aujourd'hui, madame Berketi, ce n'est pas mal d'emprunter. Celui qui emprunte peut financer son commerce, son entreprise ou son pays avec de l'argent étranger. Et les prêteurs retirent un gain en échange de l'argent prêté. C'est là une transaction saine. Le problème commence lorsque l'emprunteur ne peut pas rembourser. C'est là que nous intervenons. Nous disons aux prêteurs : « Attention, si vous prêtez à cet entrepreneur ou à ce pays, le risque est grand de ne pas revoir votre argent. » Or c'est précisément dans cette situation que se trouve la Grèce aujourd'hui, d'après les éléments que nous avons, et nous le disons.

– Pourtant, dit le commentateur, la Grèce a pris une série de mesures très sévères, sous la pression du FMI et de la Communauté européenne il est vrai. Des mesures très douloureuses pour la société grecque.

De Mor lui lance un regard ironique.

– La société ? reprend-il en souriant. Quelle société ? L'Europe a découvert la société après la Seconde Guerre mondiale, et sous la pression des pays communistes. Ceux-ci n'avaient que le mot « société » à la bouche, et l'Europe de l'Ouest l'a adopté pour limiter l'expansion du communisme. Les sociétés se sont effondrées en 1989, monsieur Galanopoulos, et, croyez-moi, nous n'avons rien perdu.

Il change de ton et poursuit plus sérieusement :

– Il n'y a pas de sociétés, monsieur. Il n'y a que des groupes. Des entrepreneurs qui défendent leurs intérêts, des travailleurs qui défendent les leurs à travers les syndicats et d'autres organisations, il n'y a que des groupes qui défendent leurs intérêts. La société est une création de l'esprit.

– Cela ne change rien au fait que les plus faibles économiquement supportent le plus grand poids.

– Excusez-moi, mais je trouve naturel que ceux qui investissent le plus, qui créent des entreprises et des emplois aient aussi les plus grands profits et privilèges. Que cela nous plaise ou non, les forts donnent l'élan et les faibles suivent. Si l'élan fait défaut, les faibles s'effondreront les premiers. En revanche, il est tout aussi naturel que ceux qui gagnent le plus paient également le plus d'impôts. Seulement voilà, vous n'êtes pas à même de collecter les impôts. D'un côté, vous voulez que ceux qui produisent et gagnent dépensent leurs gains en faveur des pauvres, ce qui est injuste. De l'autre, vous ne pouvez pas collecter les impôts des riches, ce qui serait juste. L'une des causes de l'effondrement de votre pays, c'est qu'il n'a pas pu organiser des relations justes entre les groupes.

– On va couler, c'est sûr, me dit Adriani.

– Pourquoi ?

– Parce que nous, on s'interroge du matin au soir, alors que lui a une réponse pour tout. Quand toi tu t'interroges et que l'autre a une réponse pour tout, tu es fichu. Donc, on va couler.

– Changeons de sujet, dit la présentatrice. Comment voyez-vous la Grèce après les mesures qu'elle a prises ?

– Pour être franc, je doutais fortement que votre gouvernement ose prendre des mesures si dures. Mais il l'a fait et se trouve en bonne voie.

– Pensez-vous que nous en réchapperons ? demande le commentateur.

De Mor sourit.

– Difficile de répondre. La Grèce, voyez-vous, c'est la pierre qui va toucher le fond. En coulant, elle produit des cercles. Le premier, ce sont les pays du Sud. S'ils ne touchent pas le fond, la Grèce aura plus de chances de s'en tirer. Le deuxième, le plus grand, c'est l'Europe, avec sa monnaie commune, mais sans politique économique commune, et dont les diverses politiques sont en conflit. Voilà pourquoi je vous ai dit, monsieur, qu'il n'y a pas de sociétés. S'il y en avait, la plus grande serait la Communauté européenne. Mais en Europe aussi, il n'y a que des groupes et des conflits d'intérêts qui partagent la même monnaie. Nous sommes donc en danger d'être tous payés avec la même monnaie : l'effondrement.

– Il a sauvé les autres et ne peut se sauver lui-même, lance Adriani.

Encore une de ses citations antiques, preuve définitive de son rétablissement.

L'interview s'achève sur les sourires et les remerciements des deux intervieweurs. Je m'apprête à aller me coucher quand mon portable sonne et je reconnais le numéro de Zissis, l'ami de Katérina.

– Tu as vu l'heure ? dis-je, inquiet, car d'habitude il appelle au bureau le matin ou tôt dans l'après-midi.

– Je veux que tu me dises quand je peux rencontrer celui qui a tué les deux banquiers.

Pas moyen de savoir s'il plaisante ou s'il a perdu la boule. Je réplique en douceur.

– Pour quoi faire ?

– Embrasser celui qui les a liquidés.

– On n'est pas encore sûrs que ce soit lui.

– Bon, alors j'attendrai patiemment qu'il tue aussi celui qui vient de parler à la télé, pour l'embrasser une fois pour toutes.

– Pourquoi crois-tu qu'il va le tuer ?

– Il le mérite, après ce qu'il a dit.

– Lambros, qu'est-ce qui t'arrive ?

Je commence à m'inquiéter : à peine rassuré côté Adriani, vais-je être frappé ailleurs ?

– Ils ont réduit de quinze pour cent ma pension de résistant. Je touchais quatre cent cinquante euros qui sont devenus trois cent quatre-vingt-trois euros. Quand tu penses que je suis l'un de ceux que les Allemands insultent parce qu'ils ont pris leur retraite à quarante-cinq ans, à taux plein ? Ma retraite, je l'ai eue à cinquante-quatre ans. Jusqu'alors j'ai vécu dans la clandestinité ou déporté à Makronissos ou Aï-Stratis, je me suis fait tabasser dans les geôles de la Sûreté, là où nous nous sommes connus.

Il respire un coup, puis repart :

– C'est pas pour le fric, se justifie-t-il. Je peux vivre avec deux cents euros par mois. C'est pour le coup de pied au cul. C'est comme s'ils te disaient, écoute, ce que tu as fait ça ne vaut pas cher, avec trois cent quatre-vingt-trois euros nous sommes quittes, largement.

Il raccroche sans me laisser le temps de lui dire qu'à moi

aussi on a taillé dans mon salaire et mes primes et que ma retraite sera réduite.

Après la chute des Colonels, je me souviens qu'on nous faisait descendre dans la rue à chaque anniversaire du soulèvement de l'École polytechnique. Les manifestants venaient coller leurs museaux contre les nôtres en criant : « Peuple uni, jamais asservi ! » Et voilà que trente-cinq ans après, le communiste et le flic nagent, unis, dans la merde.

19

Vlassopoulos m'attend à l'entrée de son bureau. Un tel honneur étant inhabituel, j'en déduis qu'il y a du nouveau.

– Vous avez de la visite, me dit-il en guise de bonjour.

– Qui ?

– Le fils de Zissimopoulos. Je l'ai fait attendre dans votre bureau.

Je suis tellement surpris que j'oublie de demander s'il s'agit de l'aîné ou du cadet. En entrant je découvre Nick, le plus jeune. Il n'est pas vêtu avec le raffinement anglais de sa première visite, mais comme un Européen soudain assailli par la chaleur grecque : pantalon sombre, chemise blanche aux manches longues roulées jusqu'au coude.

Me voyant, il se lève d'un bond.

– Alors, vous avez arrêté ce pauvre Bill ? me lance-t-il, en oubliant lui aussi de me dire bonjour.

– D'abord, ce n'est pas moi qui l'ai arrêté, mais la Brigade antiterroriste. Ensuite, nous ne l'avons pas arrêté, pour l'instant nous l'interrogeons. Ce qui veut dire, bien sûr, qu'il existe des charges contre lui. De quel ordre, je l'ignore. Mais je suis certain que les droits de Bill Okamba ont été absolument respectés.

Si tu ne vantes pas ta boutique, il va te tomber dessus, et tant pis si une partie de la boutique est gérée par Stathakos.

Eh bien pourquoi personne ne veut me dire quelles sont ces charges ?

– Vous avez parlé avec la Brigade antiterroriste ?

– Avec M. Stathakos en personne. J'ai dit que je voulais voir Bill.

– Et il a répondu ?

– D'abord, que c'est impossible du moment que je ne suis pas un proche parent. Ensuite, que même si je l'étais, je ne peux pas le voir pour l'instant. Jusqu'à la fin de l'enquête préliminaire, son avocat lui-même ne peut pas. Voilà pourquoi je viens à vous, termine-t-il sur un ton presque suppliant.

– Désolé, monsieur Zissimopoulos, ce n'est pas moi qui m'occupe des interrogatoires. Donc je ne sais rien.

Jusqu'à présent il a gardé son sang-froid et ses bonnes manières, mais voilà qu'il explose.

– Enfin, monsieur le commissaire ! Bill est un garçon paisible ! Il n'a jamais été soupçonné de quoi que ce soit ! Quant aux charges terribles que la police grecque vient de découvrir, quelque chose me dit que vos collègues sont tombés sur cet homme seul, étranger, noir en plus, et que maintenant ils lui mettent la pression, à tout hasard.

– Ne mettez pas tout sur le dos de la police grecque, dis-je, retrouvant là sa tendance à rabaisser les Grecs. N'oubliez pas que deux policiers anglais participent à l'enquête, un de l'antiterrorisme et un du MI5. Tout s'est passé avec leur accord. Pourquoi n'allez-vous pas les voir ?

– John est allé à Scotland Yard. Ils lui ont dit qu'ils avaient un rôle de conseiller et que la responsabilité des interrogatoires incombe aux Grecs. Donc ils ne peuvent rien dire.

– Ce que je peux faire pour vous, c'est vous mener au directeur de la Sûreté de l'Attique, M. Guikas. Il pourra peut-être vous en dire plus.

– Je vous en suis reconnaissant, me dit-il, ravi. Vous, au moins, vous êtes prêt à m'entendre.

J'appelle Koula. La voie est libre, je peux monter.

Guikas se lève, serre la main de Zissimopoulos et nous fait asseoir. Je lui résume la situation. Il m'écoute sans m'interrompre, puis se tourne vers Nick.

– Monsieur Zissimopoulos, pourquoi ne patientez-vous pas un peu jusqu'à la fin de l'enquête préliminaire ? Si nous avons suffisamment d'éléments pour inculper Bill Okamba nous l'annoncerons aussitôt. Sinon, dans quelques jours il sera libre.

– S'il y a la moindre charge contre Bill, ce que j'exclus, je confierai l'affaire à l'avocat le plus connu de Grèce. Peu importe le prix. Vous devez comprendre que Bill n'était pas seulement la personne qui veillait sur notre père. Nous avons avec sa famille une relation qui dure depuis vingt ans. Par conséquent, nous n'allons pas l'abandonner à son sort.

Ses grandes envolées ne nous impressionnent pas, Guikas et moi. Nous en avons entendu d'autres.

– Êtes-vous sûr, demande Guikas, que Bill Okamba n'a jamais eu affaire à la police anglaise, que son casier judiciaire est vierge ? Vous savez, quand quelqu'un a des ennuis avec la police de son pays, il préfère quelquefois s'exiler. C'est peut-être ce qui a poussé Bill Okamba à quitter l'Afrique du Sud pour Londres.

– Bill n'a jamais eu affaire à la police. D'ailleurs, la police anglaise a enquêté sur sa famille en Angleterre et n'a rien trouvé. J'en réponds, car nous avons mis un avocat en relation avec Scotland Yard.

Nous nous regardons, Guikas et moi, et visiblement nous pensons la même chose. Pour nous deux, aucun doute : Stathakos était au courant de l'enquête sur la famille d'Okamba à Londres. S'il a négligé d'en informer Guikas, c'est probablement qu'il se trouve en contact direct avec le chef de la police.

Guikas perd soudain patience.

– Monsieur Zissimopoulos, le commissaire Charitos va garder un contact informel avec vous. S'il estime que les développements de l'enquête vous concernent, il vous préviendra.

– Je vous remercie infiniment, dit Nick, enthousiaste.

Il sort son portefeuille et me tend sa carte.

– Vous me joindrez toujours sur mon portable.

Il serre d'abord la main de Guikas, puis la mienne, et se retire.

Il n'a pas eu le temps de refermer la porte que Guikas décroche le téléphone.

– J'apprends par hasard que Scotland Yard a interrogé la famille de Bill Okamba.

Il est clair, d'après le ton, que son discours s'adresse à Stathakos. Il écoute la réponse, puis, sévèrement :

– Et moi, on ne m'informe pas ? Pourquoi ? Je veux le dossier complet. Pas demain, tout de suite.

J'ai beau jubiler secrètement de voir Stathakos se planter, je n'ai pas non plus envie de jouer les saint-bernards avec Guikas. Pour m'en ôter l'envie, je n'ai qu'à me rappeler ce qu'il m'a fait subir par moments.

– S'il sort quelque chose de mes contacts avec Zissimopoulos, je vous préviens tout de suite, dis-je, et je quitte son bureau.

Koula est penchée sur ses papiers.

– Les nouvelles sont bonnes, Koula ? lui dis-je, du ton amical que j'ai toujours avec elle.

Elle relève la tête, l'air sombre.

– Les nouvelles, monsieur Charitos ? Vous n'avez pas vu le projet de loi ?

– J'ai vu ça. Ils taillent dans nos retraites.

Elle hoche la tête.

– On voit bien que vous êtes un homme, monsieur Charitos. Ils ne touchent pas seulement aux retraites. Ils nous font travailler quarante ans, nous les femmes, avant d'arriver à la retraite retaillée. Après quarante ans de boulot, je vais me marier, avoir des enfants, les nourrir, les élever ?

Vous savez quelle montagne j'ai devant moi ? J'aimerais mieux escalader les Alpes ou l'Himalaya.

Je réponds, embarrassé :

– Qu'est-ce que je peux dire ? Tu as raison.

– Et tout ça au nom de l'égalité des hommes et des femmes ! Quelle égalité ? Que les hommes tombent enceints et on parlera d'égalité. Vous avez déjà vu un homme enceint ? Moi, une seule fois, Schwarzenegger dans un film. Vous voulez que je vous dise ? Il y avait plus d'égalité autrefois. Les hommes portaient le poids de la famille et les femmes le poids des enfants et de la maison. Maintenant, soi-disant, l'homme et la femme portent tout ensemble, et les femmes ont la grossesse, la maternité et l'allaitement en prime.

Je ne réponds pas, craignant de la remonter davantage, mais elle est lancée sans la moindre intention de freiner.

– Et le pompon, vous savez ce que c'est ? Quand mon mari meurt, sa retraite est supprimée au lieu de m'être reversée. Ce qui veut dire que je vais me coltiner un connard pendant mes quarante années de boulot, me crever la paillasse, lui faire des mômes, il va me gonfler pendant toute ma vie et à sa mort je ne pourrai pas toucher sa retraite comme préjudice moral. C'est ça l'égalité, la justice ?

Guikas a entendu ses cris et sort de son bureau.

– Que se passe-t-il ? demande-t-il, inquiet.

Puis il voit le visage de Koula.

– Oui, j'ai compris, marmonne-t-il.

Puis, se tournant vers moi :

– Tu viens une minute ?

Une fois assis à son bureau, il me dit :

– Je ne sais pas quoi faire. J'ai pensé à la muter dans un autre service, où elle aura au moins l'occasion de monter en grade. Elle en a les moyens. Elle est drôlement futée, mais à mon départ j'ai peur que le suivant ne l'envoie classer des dossiers. Évidemment, si je l'envoie ailleurs, je l'ai dans l'os : pour trouver une autre Koula, je peux toujours courir.

Je reste muet. Il doit l'avoir drôlement à la bonne pour être prêt à se sacrifier.

– Et si je te l'envoyais, tu la prendrais aux Homicides ?

Pris de court, je tâche de dissimuler mon bonheur.

– Avec grand plaisir, dis-je d'un ton neutre.

– Bon, mais ne laisse rien filtrer, ne risquons pas de lui donner une fausse joie. Pour la muter, il faut d'abord trouver un prétexte.

20

Adriani est totalement rétablie. Ce n'est pas là un diagnostic psychiatrique, ou ne serait-ce que médical, mais un réflexe gustatif. Sur la table de la cuisine je découvre un plateau entier de légumes farcis.

– Bravo, Adriani, lui dis-je, enthousiaste. Je ne m'attendais pas à une telle surprise.

– On n'en a pas mangé depuis longtemps, et je sais que Phanis aime ça. Ils viennent dîner ce soir.

Je m'efforce de refréner ma gourmandise et de ne pas grignoter sur le plateau : cela met toujours Adriani hors d'elle.

Katérina et Phanis arrivent à neuf heures et nous passons à table aussitôt. Chez nous, traditionnellement, les légumes farcis sont accompagnés de feta, et Adriani en place tout un bloc à côté du plateau. Elle a acheté de l'ouzo de Mitilini, exprès pour Phanis. Quant à moi, je bois du blanc sans résine, car depuis qu'on met la retsina en bouteille, on croirait boire du pétrole.

Nous discutons de choses et d'autres, en évitant soigneusement toute allusion à la crise, de peur d'éveiller des souvenirs pénibles chez Adriani. Nous avons fini de manger lorsque Phanis dit à Katérina :

– Allez, dis-le. On n'en peut plus.

– J'ai à vous annoncer une agréable nouvelle, enchaîne Katérina, comme si elle attendait le signal. Seïmenis m'a dit aujourd'hui qu'il me garderait après le stage.

– Quelle chance, ma chérie ! s'exclame Adriani, aux anges.

– Comment se fait-il ? dis-je en riant. Il a plein de boulot ces temps-ci, avec la crise et tous ces gens qu'on envoie devant les tribunaux ?

– Il y a de ça, mais surtout, avec la nouvelle loi sur les immigrés, les requêtes en légalisation se multiplient.

– J'espère ne pas pincer un immigré et te trouver devant moi.

– Impossible. Vu notre parenté, tu devrais abandonner l'affaire, à moins que je ne laisse tomber mon client.

C'est là selon moi un excellent principe et je le dis à Katérina, tandis qu'Adriani débarrasse. Je sens que quelque chose lui a déplu mais je patiente jusqu'au départ des enfants.

– Qu'est-ce qui t'arrive ? Tu n'as pas l'air contente, dis-je avant que nous allions nous coucher.

– Mais enfin, Kostas, ces malheureux n'ont pas de quoi se nourrir, et ils vont nourrir Katérina ?

– Même dans ces conditions, c'est un bon début. Aujourd'hui elle s'occupe des immigrés, demain Seïmenis lui fera faire autre chose.

– Et ses autres collaborateurs lui laisseront confier des affaires à la débutante, alors que les temps sont durs ?

– Les temps ne sont pas durs pour les avocats.

– J'espère, mais j'ai des doutes.

À présent il est huit heures et demie du matin et je traverse l'avenue Vassilissis Sofias vers Ambelokipi et le bureau. Au feu de la rue Ilission, je m'arrête au rouge. Le conducteur d'une Porsche Cayenne à ma gauche me crie quelque chose.

– Qu'est-ce que tu dis ?

– Il a raison. Faut pas les payer ! crie-t-il.

Ceux qui conduisent des Porsche ou des Mercedes, de toute façon, ne paient pas, mais je me demande ce que nous autres ne devons pas payer. Je lui fais signe que je ne comprends pas et il me montre une affiche collée à une colonne.

– Tu ne sais pas lire ? lance-t-il.

Pas le temps de lire, le feu passe au vert et aussitôt ça klaxonne derrière. Toutes les colonnes et les pans de mur libres sont couverts de la même affiche. Je me gare et descends de voiture.

L'affiche, encadrée de rouge, dit en grosses lettres noires : NE PAYEZ PAS VOS DETTES AUX BANQUES !

Le journaliste et Adriani avaient raison, me dis-je. Bientôt nous aurons des manifs en faveur de l'assassin et nous enverrons les forces anti-émeutes rétablir l'ordre. Je ne reste pas pour lire la suite, le début me suffit.

Si je pouvais, je prendrais la Seat sur mon dos pour arriver plus vite. Au tournant vers Ambelokipi je ronge mon frein au rouge. Je laisse la Seat au garage, me précipite vers mon bureau, appelle Vlassopoulos et Dermitzakis et leur demande s'ils ont lu l'affiche.

– On ne peut pas la manquer, monsieur le commissaire ! dit Vlassopoulos. Il y en a dans toute la ville. Un collage d'affiches pareil, même les cocos ne font pas mieux.

Je m'apprête à appeler Guikas, mais Stathakos ne m'en laisse pas le temps.

– Tu as vu l'affiche ?

– Oui.

– C'est pour toi.

– Qu'est-ce que tu racontes ?

– Cette affiche ne concerne pas l'Antiterrorisme et n'a aucun rapport avec les meurtres. C'est sans doute un fou qui s'attaque aux banques. Tu peux t'en charger, ça t'occupera.

Et il raccroche.

Je m'efforce de contrôler ma fureur et appelle Guikas. Sèche réponse :

– Monte vite.

Je le trouve en train de feuilleter les journaux étalés sur son bureau.

– Vous avez vu les affiches ?

– Si seulement il n'y avait que les affiches, et il me tend un journal.

Je découvre une annonce en pleine page, qui reproduit l'affiche. Je peux maintenant la lire tranquillement tout entière.

NE PAYEZ PAS !

NE PAYEZ PAS VOS DETTES AUX BANQUES. NE PAYEZ PAS VOS CARTES DE CRÉDIT, LES VERSEMENTS DE VOS PRÊTS LOCATIFS, DE VOS PRÊTS À LA CONSOMMATION ET DE VOS PRÊTS VACANCES. NE PAYEZ PAS CEUX QUI VOUS ONT FAIT SOMBRER.

NE PAYEZ PAS !

VOUS NE DEVEZ RIEN AUX BANQUES QUI VOUS ONT CORROMPUS ET PLONGÉS DANS LES DETTES. LAISSEZ-LES VOUS TRAÎNER EN JUSTICE ET RÉCLAMER UNE SAISIE. LE VERDICT TOMBERA DANS CINQ ANS, ET SI ELLES N'ONT PAS FAIT FAILLITE ENTRE-TEMPS ELLES PROPOSERONT UN ARRANGEMENT QUI SERA EN VOTRE FAVEUR. LA DETTE SERA RÉDUITE ET LES VERSEMENTS PLUS NOMBREUX.

NE PAYEZ PAS !

IL Y A DEUX ANS, LE GOUVERNEMENT A DISTRIBUÉ 28 MILLIARDS AUX BANQUES, QUI N'EN AVAIENT PAS DU TOUT BESOIN. ILS N'ONT QU'À EFFACER VOS DETTES AVEC CES 28 MILLIARDS, PUISQU'ILS VIENNENT DE VOS IMPÔTS, C'EST-À-DIRE DE VOTRE POCHE. PAS BESOIN D'ÊTRE UN EXPERT POUR CONSTATER, EN VOYANT LES BILANS DES BANQUES, LEURS GAINS ÉNORMES CES DIX DERNIÈRES ANNÉES.

NE PAYEZ PAS !

ILS NE PEUVENT RIEN CONTRE VOUS !

L'annonce n'est pas signée.

– Tu comprends ce qui nous tombe dessus ?

– En effet.

– Il faut qu'on fasse le tour des imprimeries d'Athènes pour savoir où l'affiche a été imprimée. En fait, ils ont pu le faire n'importe où en Grèce avant de l'apporter ici.

Pour moi quelque chose ne colle pas dans cette histoire d'imprimerie. L'auteur de l'affiche savait que nous chercherions d'abord dans les imprimeries. Prendre un risque pareil, pas si fou. Soudain, j'ai une idée. Je vais à la porte et appelle Koula.

– Tu as vu l'affiche sur les banques ?

– Oui. M. Stathakos l'a apportée et j'ai jeté un œil.

– Où a-t-elle été imprimée, à ton avis ?

– N'importe quel ordinateur suffit, monsieur Charitos. Avec un bon programme de mise en pages et une bonne imprimante, aujourd'hui, on peut imprimer n'importe quoi.

Je jette un regard à Guikas qui m'observe, l'air songeur. Me voilà satisfait pour deux raisons. J'ai éclairé la lanterne de Guikas et Koula a marqué des points.

– À première vue, ajoute Koula, je dirais que ça vient d'un Mac, mais je peux me tromper.

Guikas est toujours songeur. Je l'ai privé de sa solution toute prête et il s'interroge.

– Par conséquent, les imprimeries ne nous apprendront rien, admet-il. Notre seul espoir est de retrouver les colleurs d'affiches. Une aiguille dans une botte de foin.

– Pas tant que ça. Pour moi, il est sûr qu'on a embauché des immigrés.

– Des immigrés, pourquoi ? D'accord, ces petits boulots sont faits par eux d'habitude, mais pourquoi spécialement dans ce cas-là ?

– On aura choisi des gens qui ne parlent pas grec, pour qu'ils ne sachent pas ce que dit l'affiche.

– Très juste. Ce boulot est taillé sur mesure pour des immigrés.

– Une autre piste : les directeurs des deux journaux qui ont publié la chose.

– Je les ai appelés aussitôt, mais ils n'étaient pas encore au bureau. Je vais les faire venir et nous les interrogerons ensemble. Tu sais, ils sont du genre délicat, si c'est toi qui vas les voir au journal, ils pourraient se vexer.

– Je vais d'abord aller à la pêche dans les lieux de rencontre des immigrés. Ah, Stathakos m'a appelé.

Je gardais la nouvelle pour le dessert. Il écoute mon récit de la conversation. Puis :

– Stathakos croit qu'il a pris le taureau par les cornes. Espérons que c'est vraiment le cas, sinon les cornes vont nous rentrer dedans.

– Si vous voulez mon avis, les meurtres et l'affiche sont liés. Nous n'avons pas affaire à un acte terroriste, mais à un fou qui s'est fait gravement avoir par une banque et qui se venge. C'est là qu'il faudrait chercher au lieu de se raccrocher aux cinquante mille euros de Bill Okamba. L'assassin est quelqu'un qui a fait faillite. Et ceux qui ont fait faillite n'ont pas des sociétés aux îles Caïmans.

– Et les cinquante mille euros, comment les expliques-tu ?

Là il touche un point sensible : c'est cela précisément que je ne peux expliquer.

21

En ce début de chasse aux colleurs d'affiches, mes deux adjoints ne sont pas d'accord, d'abord entre eux, puis avec moi. Vlassopoulos soutient que nous devons chercher du côté de Mesoyia et Koropi. Dans ces coins-là, selon lui, les immigrés ont beaucoup moins d'offres de boulot et saisissent donc la moindre occasion.

– Et pour les amener au centre d'Athènes ? dis-je. Ne me dis pas qu'on a loué une camionnette exprès.

Dermitzakis penche pour la zone entre la place Victorias, Ayos Nikolaos et l'avenue Aharnon. Il y a là-bas de nombreux cafés pour immigrés.

Quant à moi, je préfère commencer par des coins plus familiers comme les rues Sofokleous, Evripidou, Sokratous et Menandrou.

– On connaît le quartier, d'accord, monsieur le commissaire, insiste Dermitzakis, mais il a deux inconvénients. Un, les immigrés de là-bas sont des entrepreneurs.

– Depuis quand de la camelote dans un drap s'appelle une entreprise ?

– Pour eux, c'en est une. Et, deux, le coin se transforme chaque soir en supermarché des toxicos. Ces gars-là ne vont pas lâcher la came pour aller coller des affiches.

Il n'a pas tort, mais mon choix l'emporte. Nous laissons la voiture dans Athinas et partons chacun de notre côté. Vlassopoulos cherche dans Sofokleous et Evripidou,

Dermitzakis dans Sokratous et moi dans Menandrou où je connais du monde.

Le décor n'a pas changé depuis ma dernière visite. Mêmes draps, mêmes objets. Si l'on me reconnaît de mon premier passage, on ne le montre en rien. Les réponses, toutes négatives. On n'a proposé de collage d'affiches à personne. Cette fois, je pousse une pointe dans la rue Sarri, pour ne dédaigner aucune piste, mais là aussi je ne reçois que des « no » marmonnés et des haussements d'épaules.

Le bide est général. Lorsque nous nous retrouvons à la voiture, deux heures plus tard, nous constatons notre triple échec.

– Qu'est-ce qu'on fait ? demande Vlassopoulos.

– On suit l'itinéraire de Dermitzakis. Et si on ne trouve rien, on essaie Kato Kifissia et Koropi.

Nous sommes à la place Victorias en dix minutes. Même décor que dans Menandrou.

– Oubliez la place, dis-je aux deux autres. On prend Aristotèlous direction place Amerikis et on cherche dans les rues adjacentes. Si ça ne donne rien, on ratisse les rues parallèles.

Chacun a son secteur. Il fait chaud et lourd, on étouffe. Je me réfugie sur le trottoir à l'ombre, mais le temps d'arriver à la rue Ayiou Meletiou, mes vêtements me collent au corps. Je descends vers l'avenue Aharnon mais sans trouver de cafés pour immigrés, ni même pour autochtones. Pourtant il me faut d'urgence une petite pause et une orangeade glacée.

J'en trouve enfin un peu après la rue Ierosolymon, et par chance il s'agit d'un café pour immigrés. Café, façon de parler. Un réduit où cinq tables tiennent à peine. Cinq immigrés sont assis chacun à la sienne. Deux d'entre eux boivent du thé, un autre de l'orangeade et les deux derniers du Coca. Le patron est debout derrière le bar. D'après son teint et sa moustache, je déduis qu'il est des nôtres.

Je me présente et lui dis que je veux poser quelques questions à ses clients.

Sèche réponse :

– Tu vas les faire fuir.

– Attends, je ne vais arrêter personne. Je veux juste m'informer.

– Ces types-là, dès qu'ils voient la police, ils se taillent et ne reviennent plus. Je ne sais pas pourquoi les flics et les riverains jouent à qui va chasser le premier ma clientèle. Tu sais qu'ils viennent me menacer ? « Ne les laisse pas entrer, sinon il t'arrivera des bricoles. » Qu'est-ce qu'ils veulent, que je ferme ? Ils disent que les étrangers font chuter la valeur de l'immobilier. Quelle valeur ? Les immigrés sont venus parce que les prix avaient dégringolé et qu'on leur offrait un appart' pour une bouchée de pain. Comme s'ils avaient le choix entre une villa de Kifissia et un taudis d'Aharnon. Et maintenant les flics viennent frapper à ma porte. C'est le bouquet.

– Écoute, on ne va pas en faire un drame. Trois questions et je m'en vais.

– Tu me laisses les préparer ?

– Tout ce que tu veux.

Il se tourne vers eux.

– Écoutez, les gars. Ici, c'est comme chez vous, dans la police il y a les bons et les méchants. Ce monsieur veut vous poser quelques questions, mais c'est un bon. Je vous le garantis.

Je commence très en douceur, non que je craigne que le cafetier ne me retire son appui, mais pour ne pas effrayer les futurs clients de Katérina.

– Je vous pose une question et je m'en vais. L'un d'entre vous a-t-il collé des affiches la nuit passée ?

– Affiches ? demande l'un d'eux qui n'a pas compris le mot.

Je cherche le mot anglais, mais un autre immigré me

devance, dont le grec est visiblement meilleur que mon anglais.

– *Posters*, précise-t-il.

– *Posters ? No... no...* disent les autres d'une seule voix.

– Quelqu'un vous a-t-il proposé d'en coller ?

– *No*.

Encore une réponse en chœur.

– Monsieur commissaire, dit le crack en anglais, nous on fait tout. Vendre fleurs, laver pare-brise voiture, nettoyer merde... Mais *posters*, non. Ni hier ni avant.

La conversation est interrompue par mon portable.

– Monsieur le commissaire, dit Dermitzakis, vous pouvez venir dans un café, près du coin des rues Mihaïl-Voda et Pafou ? Je crois qu'on tient une piste.

– Merci beaucoup, dis-je aux immigrés. On a trouvé ailleurs ce qu'on cherchait.

– Bonne route, me dit le cafetier au nom de tous, en gardant pour lui « ... et ne reviens pas ».

Il est près de midi et la chaleur est devenue intenable. Je nous maudis tous trois d'avoir eu l'idée lumineuse de garer la voiture si loin. Je téléphone à Vlassopoulos de la rapprocher tout en me dirigeant vers la rue Mihaïl-Voda.

Ce café-là est bien plus grand et rempli d'immigrés. Tous parlent et s'interpellent d'un bout à l'autre de la salle dans un vacarme assourdissant. Dermitzakis, assis seul à une table, se lève en me voyant.

– C'est une sorte de bureau d'embauche, me dit-il en riant.

Cela ne me plaît guère, car si tous ceux-là sont sans travail, alors cela justifiera les propos d'Adriani sur le boulot de Katérina.

– Quels sont ceux qui ont collé les affiches ? dis-je à Dermitzakis.

Il fait signe à trois hommes bruns qui à première vue semblent pakistanais. Je dis au cafetier, immigré lui aussi, d'envoyer les autres faire un tour pendant une demi-heure. Le cafetier ne paraît guère enthousiaste, mais il n'a pas le choix. Il leur parle dans leur langue et ils se retirent en bon ordre.

– Vous parlez grec ? dis-je aux trois restants.

– Un peu grec, dit l'un.

– Qui vous a emmenés hier coller des affiches ?

– Hamed.

– Qui est Hamed ? demande Dermitzakis.

– Hamed trouve boulots. Nous dit aujourd'hui boulot et nous on va. Donne cinq euros, sept euros. Hier dix euros.

– Dix euros beaucoup d'argent, dit le deuxième du groupe.

– Hamed, il vous a dit quoi ?

– Va coller affiches. Mais attention, coller sur colonnes et ça *forbidden*.

– Pour ça dix euros, dit le deuxième. Boulot *risky*.

– Coller-partir, coller-partir, et Hamed surveille flics, dit le troisième.

– Et le matériel, vous l'avez trouvé où ?

– Matériel ?

Ils se regardent.

– Les brosses et la colle, explique Dermitzakis.

– Ah, nous amène là-bas. Là brosses et colle.

– Là-bas, c'est quoi ? Un hangar ?

– Non, dehors. Pas loin.

– Allons voir.

Ils nous emmènent. Nous dépassons la station du métro, tournons plusieurs fois et nous retrouvons dans la rue Zymbaraki devant un terrain vague, qui est en fait le jardin d'une maison abandonnée.

– Là trouve matériel, dit l'un d'eux en montrant un coin près de la porte, au pied du mur, invisible depuis la rue.

Donc l'homme est venu d'abord déposer le matériel, a contacté Hamed, et dès lors tout était facile. Ce qui veut dire que l'homme connaissait bien les lieux de rencontre des immigrés et l'endroit où Hamed recruterait ses troupes.

– Où pouvons-nous trouver Hamed ?

Ils rient.

– Hamed bouge toute la journée. Vient café-repart, vient-repart. Tout le temps.

– Vous savez où il habite ? demande Dermitzakis.

Ils se regardent et haussent les épaules.

– Nous le voit seulement café, dit le deuxième.

Je cherche une autre question lorsque mon portable sonne.

– Les directeurs de journaux seront dans mon bureau dans une demi-heure. Je t'attends.

– Tu ne pars pas d'ici sans avoir déniché ce Hamed, dis-je à Dermitzakis. Moi, je dois rentrer. Guikas m'attend.

J'appelle Vlassopoulos et lui dis de passer me prendre avec la voiture.

22

Je dis à Vlassopoulos de passer par les rues Kypselis et Hydras, mais elles sont étroites, et craignant de rester bloqué il préfère la rue de Rigny.

– Le GPS de la Seat choisirait mon itinéraire, me dit-il en riant.

Auquel cas le GPS de la Seat est nul : embouteillage dans la rue de Rigny.

– La Seat n'a pas de sirène, lui dis-je. Celle-ci en a une. Vas-y.

Il l'enclenche sans un mot, mais que faire d'une sirène dans une rue où les voitures sont garées des deux côtés, ne laissant qu'un passage minimal au milieu ? Vlassopoulos cherche désespérément une issue, tandis que je pense à Guikas, obligé de jouer les maîtres de maison avec les directeurs de journaux. Il va me sonner les cloches.

Nous nous dégageons enfin et Vlassopoulos rejoint mon itinéraire. La rue Kypselis est un peu difficile, mais dans la rue Evelpidon la voie est libre et en un rien de temps nous sommes rendus.

Je reprends mon souffle au cinquième étage, lorsque j'entends Koula me dire :

– Entrez, il est sur le point d'exploser.

Je m'attendais à deux directeurs, j'en trouve trois installés à la table de réunion. L'un s'appelle Sfyroeras, le deuxième Peranthitis et le troisième Lykouropoulos. Guikas préside.

– Cette campagne anti-banques nous inquiète, dit-il. Si cela continue, elle pourrait avoir des conséquences très désagréables. Nous voulons votre aide pour éviter le pire.

– Le pire ? Qu'entendcz-vous par là ? demande Lykouropoulos.

– Des citoyens indignés qui s'attaquent aux banques et retirent leur argent.

Rire de Peranthitis.

– Allons, monsieur le directeur. Ces choses-là se passent dans des pays où la relation entre le public et les banques est saine. Chez nous, le citoyen moyen vit de ses emprunts, qu'il considère d'ailleurs comme une partie de son revenu. Par conséquent, personne ne veut tuer la vache à lait.

– Vous avez sans doute raison, dis-je, mais n'oubliez pas que deux directeurs de banque ont été assassinés, l'un retraité, l'autre en activité.

– Vous avez déjà, sauf erreur, un suspect que vous êtes en train d'interroger, objecte Sfyroeras.

– Nous avons démantelé le groupe du 17 novembre et Lutte révolutionnaire, intervient Guikas, mais à tout moment de nouvelles organisations terroristes apparaissent. Rien ne nous garantit que dans le cas présent le travail entrepris par certains ne sera pas poursuivi par d'autres.

L'argument reste sans réponse.

– Reprenons du début, dit Guikas. Comment l'annonce est-elle arrivée chez vous ? Quelqu'un l'a-t-il apportée ? Est-elle passée par une agence de publicité ?

– Chez nous elle est venue par la poste, explique Peranthitis. Dans l'enveloppe il y avait le texte et un chèque correspondant au prix d'une pleine page. Et même un peu plus. Pour plus de sûreté, je suppose.

– Même chose en ce qui nous concerne, confirme Sfyroeras.

– Vous vous souvenez de la banque émettrice ? dis-je.

– Je ne sais pas, mais je peux vous le dire tout de suite, et il sort son portable.

Peranthitis l'imite. En éteignant l'objet, tous deux semblent perplexes.

– C'est bien la première fois, dit Peranthitis.

– C'est-à-dire ? demande Guikas.

– Ce n'était pas un chèque normal, mais un chèque de banque.

– Pareil pour nous, dit Sfyroeras.

Lykouropoulos ouvre sa serviette, en sort un chèque et le pose devant Guikas.

– Vous avez sans doute reçu le même.

C'est un chèque de banque en bonne et due forme, venant d'une banque anglaise, sans autre précision.

– Vous les avez encaissés sans problème ? dis-je.

– Oui, tout de suite, dit Peranthitis.

– Nous attendons l'encaissement, mais je n'ai pas d'inquiétude, répond tranquillement Sfyroeras. La New Commonwealth Bank est une grosse banque.

Le système bancaire international n'aura bientôt plus de secrets pour moi, me dis-je.

Guikas prend son téléphone et demande à Lazaridis de la Brigade financière de nous rejoindre.

– Nous avons même gardé l'enveloppe de l'envoi, dit Peranthitis. Nous la conservons toujours, à cause du cachet de la poste, au cas où un client se plaindrait de ce que nous avons publié l'annonce avec retard.

Il sort de sa serviette l'enveloppe et le texte de l'annonce. Tous deux sortis d'une imprimante. L'annonce est en format A4, en capitales, comme les affiches. L'enveloppe mentionne le nom de l'expéditeur.

– On va contrôler l'adresse, me dit Guikas.

– Oui, mais elle a toutes les chances d'être fausse.

Guikas se tourne vers les trois directeurs.

– Éclairez-moi. Comment avez-vous pu décider de publier

une annonce anonyme, reçue par la poste, et qui peut avoir des conséquences très désagréables pour les banques ?

Peranthitis hausse les épaules.

– Du moment que l'annonce est payée, elle n'exprime pas l'opinion du journal. Nous ne publions pas les annonces quand elles sont à caractère injurieux ou quand elles incitent à des actes illégaux.

– Et ce n'est pas le cas de cette annonce ?

– Non, monsieur le directeur. Tout le monde peut dire : ne payez pas les banques, la suite relève du jugement de chaque débiteur. S'il ne paie pas, les banques ont les moyens légaux de récupérer leur argent.

– Le nom Richard Severin Fuld vous dit quelque chose, monsieur le directeur ? demande Sfyroeras.

– Non.

– Richard Severin Fuld était le président de la banque Lehman Brothers quand elle a fait faillite. Fuld a dit à la commission d'enquête du Sénat américain que même si un orang-outang avait demandé un prêt à sa banque, elle le lui aurait accordé. Je peux donc vous assurer moi aussi que si un orang-outang m'envoyait une publicité je la publierais, car il n'y a pas un seul journal aujourd'hui qui ne soit sur la corde raide et ne cherche pas désespérément des revenus. Ici, les chaînes de télévision ont perdu deux cents millions d'euros de recettes publicitaires. Vous pouvez imaginer la situation des journaux.

– Nous, en tout cas, nous n'avons pas publié l'annonce, dit Lykouropoulos avec suffisance.

Peranthitis lui jette un regard ironique.

– Forcément, Stathis, vous appartenez à un groupe qui a sa propre banque. Nous autres ne sommes pas associés à des banques et ne pouvons donc pas obtenir des prêts sans plafond, comme vous.

La discussion est interrompue par l'entrée de Lazaridis.

Guikas lui tend le chèque et lui demande son avis. Lazaridis le regarde et hausse les épaules.

– C'est un chèque de banque banal, de ceux qu'émettent toutes les banques dans le monde.

– Tu penses qu'on peut repérer l'émetteur ?

– Impossible, monsieur le directeur.

– Pourquoi ?

– Parce que tout le monde peut émettre un chèque de banque et payer le montant en espèces. Et même à supposer que la banque ait gardé les coordonnées de l'émetteur, il y a toutes les chances pour qu'elles soient fausses. La somme n'est pas assez importante pour tomber sous le coup des contrôles antiblanchiment.

L'enquête est dans l'impasse et la discussion avec elle. Les trois directeurs le sentent et se lèvent sans y être invités.

– Si vous recevez une autre annonce, dit Guikas, je vous prie de me prévenir avant parution.

Ils promettent et se retirent. Derrière eux, Lazaridis, qui n'a plus rien à faire.

– Je t'écoute, me dit Guikas dès que nous sommes seuls.

– Quelqu'un ou quelques-uns ont décidé de salir les banques, et ça ne va pas s'arrêter là. Ils feront une deuxième tentative. Donc, nous sommes mal barrés.

– En attendant, Bill Okamba sera présenté demain au juge d'instruction.

– Ils ont trouvé d'autres charges contre lui ?

– Non, nous en sommes toujours aux cinquante mille euros et au cheveu sur la chemise de la victime. Ajoute à cela qu'Okamba ne peut pas donner de réponses satisfaisantes.

– Les charges sont suffisantes pour l'inculper ?

– Ils pensent que oui.

– Ils ont trouvé l'arme du crime ?

– Non, mais je parie que le juge d'instruction va le coffrer avec l'accord du procureur, pour qu'ils aient tous les deux l'esprit tranquille.

Je redescends à mon bureau, pestant contre cette enquête où j'ai un pied dehors et un pied dedans, ce qui me désorganise, m'empêche de prendre les bonnes décisions. Je sens que quelque chose m'échappe, sans pouvoir préciser quoi.

À l'entrée du couloir, je vois Dermitzakis qui se dirige vers son bureau, un verre d'eau à la main. Je lui crie :

– Tu es rentré ?

Il s'arrête et m'adresse un large sourire :

– Je l'ai trouvé ! Je vous l'amène ?

– Quelle question !

L'homme que Dermitzakis introduit dans mon bureau est brun, d'âge indéfinissable. Son visage est mangé par une barbe, il porte un sarouel blanc, une tunique blanche et un gilet couleur crème par-dessus. Il est coiffé d'un bonnet blanc brodé, de ceux que portent les musulmans pieux, et chaussé de sandales. Il me regarde droit dans les yeux, sans trace de peur ou d'inquiétude.

– Assieds-toi, lui dis-je en lui montrant la chaise devant mon bureau.

– Pas la peine.

Chose étonnante, sa prononciation est bonne.

– La nuit dernière tu es allé coller des affiches avec une équipe.

– C'est vrai.

– Je veux que tu me dises qui t'a passé la commande et les affiches.

– Un Noir.

– Un Noir ?

– Oui. Très noir. D'Afrique.

– Le jardin où était le matériel, tu l'as découvert tout seul ou il te l'a montré ?

– Il m'a montré matériel et donné affiches.

Il répond vite et calmement, sans laisser l'impression qu'il a quelque chose à cacher.

– Enfin, un Noir te dit de coller des affiches, et tu ne lui demandes pas qui il est, et pourquoi ces affiches ? Ça t'arrive souvent, des Noirs qui te font coller des affiches ?

– Il a donné argent d'avance et nous on a collé affiches. Demander quoi ?

– Tu les as lues, ces affiches ?

– Non. Je sais parler grec, mais je sais pas lire.

– C'est bon. Tu peux t'en aller.

Il me salue d'un signe de tête et sort du bureau. Dermitzakis veut le suivre, mais je l'arrête.

– Trouve quelqu'un pour le filer. Il nous cache peut-être quelque chose.

Bill Okamba est noir, comme celui qui a commandité le collage d'affiches, donc les deux sont peut-être liés, sans que Stathakos s'en rende compte. Mais le plus probable, c'est que quelqu'un d'autre se cache derrière ce Noir.

Je décroche mon téléphone et mets Guikas au parfum. Mais je reste tourmenté par la même impression que quelque chose m'échappe.

23

Je regarde à la télévision, avec Vlassopoulos et Dermitzakis, le transfert de Bill Okamba qui va être présenté au juge d'instruction. Ils lui ont mis un gilet pare-balles et il marche, costaud, droit comme un *i*, entre deux hommes de la Brigade antiterroriste. La tête haute, il regarde droit devant lui, l'air fier et presque provocateur. Comment imaginer un tel homme en terroriste, sinon comme chef de tribu, terrifiant son peuple comme le font tous les chefs de tribu.

Mais le plus intéressant, ce sont les flics de l'escorte. Portant cagoule et tenue d'intervention, ils sont deux pour tenir Bill par les bras, bien serré, tandis que les trois autres, armés, forment l'arrière-garde. Ils n'en feraient pas davantage pour Ben Laden.

On a fait venir toutes les chaînes de télévision pour enregistrer le spectacle. Demain, sûrement, la presse européenne et américaine racontera les succès de la police grecque, et le ministre ainsi que le chef de la police cueilleront les lauriers.

– Je parie que Stathakos a passé la nuit à étudier des photos du FBI pour organiser ça, commente Vlassopoulos.

Je suis tellement absorbé par le show que je n'entends mon portable sonner qu'au cinquième coup.

– Dis donc, papa, quelles charges avez-vous donc contre ce malheureux Sud-Africain pour l'emmener devant le juge d'instruction ?

La voix de Katérina trahit son indignation.

Allons bon, me dis-je, j'avais déjà les commentaires désobligeants d'Adriani sur la police, et voilà ma fille qui conteste nos méthodes…

– Dis donc, tu as signé un contrat avec tout le Tiers-Monde ?

– Qui suis-je pour le représenter ? Tu sais qui est l'avocat du Sud-Africain ?

– Dis-moi.

– Leonidis. Tu en as entendu parler ?

– Oui, je l'ai même connu personnellement.

Leonidis est le pape des avocats pénalistes grecs. Soixante ans, tiré à quatre épingles, il est craint de tous lors de l'audition des témoins. Il commente sarcastiquement leurs propos, cloue le bec aux procureurs, mouche le président et personne n'ose répliquer. Bravo à Zissimopoulos junior. Aussitôt dit, aussitôt fait. Il a choisi le meilleur.

– Papa, tu peux me rendre un service ?

Cette fois, la voix de Katérina se fait plus douce.

– Lequel ?

– Peux-tu trouver un moyen de dire à maman de ne pas faire les courses à ma place ? Si c'est moi qui le lui dis, elle va se vexer, tu la connais.

Je sors dans le couloir pour que mes aides n'entendent pas la suite.

– Quel genre de courses ?

– Des légumes au marché. De la viande chez le boucher. Du riz, des pâtes et des détergents au supermarché, enfin tout. Je rentre le soir et je trouve le frigo et la maison pleins.

– Bon, je vais essayer d'aborder la question en douceur.

– Merci. Tu me rends bien service. Phanis pourrait se vexer, il serait furieux, j'en ai peur.

Je raccroche et regagne mon bureau. Adriani ne m'avait pas dit qu'elle faisait les courses pour notre fille. Même si j'avais l'intention de me fâcher, mon étonnement devant ce prodige – nourrir deux familles sans dépenser plus – neutraliserait ma colère.

Pas le temps d'approfondir la question : Guikas m'appelle.

– Nous devons être chez le ministre dans une heure.

– Pourquoi ? Okamba a été transféré.

– Mais il y a les banques. Il a pris rendez-vous avec les banquiers et cherche un brise-lames.

L'ennui avec les brise-lames, c'est qu'on se fait tremper par les vagues, mais d'un autre côté je comprends que le ministre est coincé et cherche des renforts.

En entrant dans son bureau, nous le trouvons en compagnie de quatre hommes dans les cinquante-cinq ans, bien vêtus et bien conservés. Parmi eux je ne connais que Stavridis, gouverneur de la Banque centrale. Les autres sont Berkopoulos, le sous-directeur grec de la First British Bank, Galakteros, gouverneur de la Banque ionienne de crédit, et le Français Serban, de la succursale athénienne d'une banque française dont je n'ai pas retenu le nom. Les deux premiers représentent l'Union des banques grecques, Stavridis étant président et Galakteros vice-président, et les deux autres les banques étrangères.

À ma grande surprise, je ne vois pas le chef de la police, mais le ministre s'en explique aussitôt.

– M. Arvanitopoulos, chef de la police, n'a pu se joindre à nous, malheureusement, étant retenu par le transfert du suspect des deux meurtres de banquiers. Comme vous le voyez, nous travaillons pour vous, conclut-il avec un sourire.

S'il attendait des louanges ou des remerciements, il doit être déçu : les quatre banquiers restent de marbre. Enfin Stavridis prend la parole.

– Nous sommes très satisfaits, assurément, de ce qu'il y ait un suspect, monsieur le ministre. Malheureusement, voilà que nous tombe dessus un deuxième souci : ce paranoïaque qui remplit Athènes d'affiches incitant les citoyens à ne pas rembourser leurs emprunts et ne pas utiliser leurs cartes de crédit. Vous savez ce que cela représente pour nous ?

– Si une partie seulement de nos clients décide de suivre le conseil des affiches, ajoute Galakteros, nous serons confrontés à un problème énorme.

– J'en suis parfaitement conscient, reconnaît le ministre. Nous avons fait disparaître toutes les affiches.

– Restent les annonces dans les deux journaux.

– Là, nous ne pouvons rien faire, hélas.

Jusqu'à présent, la discussion se limite aux deux banquiers et au ministre. Les autres sont de simples témoins, qui pour finir n'auront qu'à signer le compte-rendu.

– Comment, vous ne pouvez rien faire ? proteste Galakteros. Est-il possible de laisser publier des choses pareilles sans que la justice intervienne d'office ?

– La justice n'exerce pas de censure, monsieur Galakteros, répond le ministre. Elle intervient en cas d'infraction à la loi, or selon elle, apparemment, la loi n'est pas enfreinte en l'occurrence. Le gouvernement ne peut pas dicter sa conduite à la justice. D'ailleurs, vous avez quant à vous des moyens légaux à votre disposition. Vous pouvez attaquer les journaux.

– Pour attendre le verdict cinq ans ? ironise Galakteros.

– Vous pouvez réclamer des mesures de sûreté. La procédure est bien plus rapide.

– Nous le pouvons, monsieur le ministre, admet Stavridis. Nous pouvons aussi faire quelque chose de bien plus simple. Retirer notre publicité aux deux journaux. Mais nous deviendrions la cible des médias. Et nous vivons, hélas, dans un pays où les médias transforment tout événement en scandale. Vous comprenez ce que cela représenterait pour nous ?

– Nous vivons aussi, rétorque le ministre, dans un pays où quand le citoyen ne veut pas faire quelque chose, il exige de la cité qu'elle le fasse.

– Croyez-vous que les deux meurtres et la campagne contre les banques sont liés ? demande Berkopoulos, qui jusqu'alors écoutait sans un mot.

Le ministre ne répond pas, mais se tourne vers Guikas.

– De façon indirecte seulement, répond celui-ci. L'hypothèse la plus vraisemblable est que quelqu'un a saisi le prétexte des meurtres pour s'attaquer aux banques. En tout cas, les éléments dont nous disposons nous renvoient à d'autres pistes.

– Quelqu'un veut se venger des banques.

Le ministre et les quatre banquiers, pris par surprise, se tournent vers moi. Je ne sais ce qui les surprend : mes propos ou la révélation de mon existence. Le seul à ne pas sursauter, c'est Guikas, qui connaît déjà ma théorie.

– Pourquoi se venger ? Qu'est-ce qu'on leur a fait ? demande le banquier français.

Il parle grec avec un accent français prononcé.

– À mon avis, c'est l'œuvre d'un de vos clients qui a été lésé par sa banque. Par exemple, quelqu'un qui n'a pas pu faire face à ses obligations et dont les biens ont été saisis. Cet homme a pris prétexte des meurtres pour tenter de se venger.

Tous me regardent sans réagir.

– Vous avez raison, monsieur Charitos, dit enfin Stavridis. C'est le plus probable.

C'est alors que je me rappelle l'idée qui m'échappait depuis hier.

– Ce qui nous aiderait beaucoup, c'est que vous nous donniez la liste des saisies effectuées par les banques ces cinq dernières années. Ce qui nous intéresse, c'est seulement les grandes fortunes, et surtout les biens immobiliers. Laissons tomber les voitures saisies pour cause de traites impayées, il y en a trop, il nous faudrait plus d'un an pour tout vérifier.

– Vous l'aurez demain matin, dit Stavridis.

Et la réunion s'achève, tous étant satisfaits, le ministre en tête.

Nous rentrons avenue Alexandras dans la voiture de Guikas. Devant mon bureau, je trouve en embuscade la meute de journalistes habituelle. Mais je me sens de bonne humeur, du fait d'avoir pensé à la liste des saisies, et fais face avec le sourire.

– Que faites-vous là, les amis ? Je vous attendais hier.

– Okamba était prioritaire, m'explique une quinqua, une vieille routière qui d'habitude envoie son assistante.

– Vous comprenez, les meurtres passent avant, se justifie la journaliste en rose.

– Surtout dans le cas d'un acte terroriste, intervient Sotiropoulos, appuyé comme toujours contre le mur près de la porte.

Sa voix déborde d'ironie amère.

Mais trêve de badinages.

– Eh bien, je vous écoute.

– Avons-nous des indices quant à l'identité de celui qui a couvert Athènes d'affiches contre les banques ? me demande un jeune en T-shirt noir avec « *Love is life* » écrit dessus et un anneau à l'oreille droite.

– Rien pour l'instant. Nous cherchons.

– Pensez-vous que Robin des banques va encore frapper ?

– Vous l'avez baptisé comme ça ? Non, pour l'instant, lui seul sait ce qu'il va faire.

– Qu'est-ce qui s'est dit à la réunion du ministre avec les gouverneurs de banques ? demande la quinqua.

– Seul le ministre est habilité à répondre.

– Mais vous étiez présent à cette réunion, de même que M. Guikas.

– Demandez au ministre.

Fin de la discussion. Conformément à la coutume, tous s'en vont sauf Sotiropoulos collé à son mur.

– Beau spectacle, dit-il. Bill Okamba en gilet pare-balles, menotté, entouré de flics en cagoule armés jusqu'aux dents. Voitures, fourgons, équipes de télé… Hollywood peut aller se rhabiller.

– Ne me raconte pas. J'ai tout vu aux infos.

– Tu sais qu'il a été mis en préventive après accord entre juge d'instruction et procureur.

– Je sais.

Je ne le savais pas. Guikas avait donc raison.

– Je plains le procureur qui sera chargé de l'affaire. Avec les éléments dont il dispose, Leonidis va le ridiculiser.

– Je voudrais que tu me rendes un service, dis-je, pas seulement pour changer de sujet.

– Quel genre ?

– Que tu m'arranges un rendez-vous avec un ami à toi, du service économique.

– Pourquoi ?

– Parce qu'il connaît les banques mieux que moi et peut m'ouvrir les yeux.

Je pourrais deviner la réponse de Sotiropoulos :

– Et moi, je gagne quoi dans l'histoire ?

– Mon estime.

Il rit.

– Celle-là, c'est la première fois que je l'entends et je dois reconnaître que c'est une sacrée prime, surtout maintenant que nos primes sont ratiboisées. Mais avant la prime, je veux que tu me parles de mon salaire, car là aussi on taille dedans.

– Tu seras le premier informé à partir de nos sources anonymes.

– Une minute.

Il sort son portable et parle à quelqu'un en chuchotant, puis :

– Tu peux être aujourd'hui à cinq heures à la Brasserie, rue Valaoritou ?

– Oui.

– Bien, on en reparlera là-bas.

La conversation s'achève, il s'en va et nous sommes tous deux satisfaits.

24

Je gare la Seat et me pointe à la Brasserie, rue Valaoritou, avec un quart d'heure de retard. La chaleur atteint les quarante degrés. Les tables sur le trottoir sont vides sous le soleil. L'intérieur étant climatisé, c'est là que doivent se trouver Sotiropoulos et son ami. Les voici en effet, au fond de la salle.

L'ami s'appelle Panos Nestoridis, rédacteur dans un quotidien économique. Les deux hommes semblent avoir le même âge. La différence est ailleurs. Nestoridis a l'air sûr de lui d'un homme qui s'occupe d'argent, et Sotiropoulos la mauvaise humeur de qui fréquente le crime.

Je commande un thé glacé. Nestoridis boit un café frappé et Sotiropoulos un cappuccino.

– Platon m'a dit que vous souhaitiez mon concours. En quoi puis-je vous aider ?

– M. Sotiropoulos a dû vous dire que j'ai sur les bras une affiche qui incite les gens à ne pas payer ce qu'ils doivent aux banques. Mes connaissances concernant le système bancaire ne dépassent pas la tenue de mon compte à la Caisse d'épargne. Tout ce qui peut m'aider à comprendre qui se cache derrière cette campagne est le bienvenu.

– D'abord, l'auteur connaît très bien le système bancaire.

– À quoi le voyez-vous ?

– Si vous lisez soigneusement l'annonce, vous verrez qu'elle s'adresse uniquement à ceux qui doivent rembourser des prêts au logement ou à la consommation, ou des prêts vacances. Elle parle aussi des détenteurs de cartes, à savoir quatre-vingt-dix pour cent des Grecs. Mais elle laisse de côté les entrepreneurs, car on sait qu'en cas de refus de paiement les banques fermeront le robinet et qu'ils seront coulés.

– Qui est l'auteur, à votre avis ?

Nestoridis a la réponse toute prête :

– Un banquier qui s'est fait virer pour on ne sait quelle raison ou un entrepreneur qui connaît bien le système. Ou alors quelqu'un qui a contracté un prêt au logement, n'a pas pu payer les mensualités et dont les biens ont été saisis par la banque.

Je voudrais me donner des baffes : ma première idée, après le meurtre de Zissimopoulos, était de soupçonner un banquier furieux de s'être fait éjecter. D'où mes questions à la secrétaire de Zissimopoulos et de Stavridis. Puis on a coffré Bill Okamba, je me suis éloigné de l'enquête, le fil s'est cassé. Et voilà que Nestoridis me ramène à la case départ.

– Que me conseillez-vous ? lui dis-je.

– D'après moi, intervient Sotiropoulos, il faut commencer par les banquiers.

– Pourquoi ?

– Ils sont les moins nombreux. Combien de cadres se font licencier dans les banques ? S'ils font une connerie, on les mute, on les change de service, mais les virer, non, c'est rare.

– Platon a raison, dit Nestoridis. Je vous conseille moi aussi de commencer par les banquiers, et de passer ensuite aux possesseurs de biens immeubles.

– Et les entrepreneurs ?

– En troisième position, et uniquement les petits et les moyens. Les commerçants… les petits industriels…

– Pourquoi pas les gros ?

– Tu as bien fait d'être flic, ironise Sotiropoulos. Entrepreneur, tu risquerais la faillite. Tu penses qu'un détenteur d'actions d'une société anonyme imprimerait des affiches pour se venger des banques parce que la valeur de ses actions a chuté ?

– C'est juste, confirme Nestoridis. Même dans une SARL, si le propriétaire perd son entreprise, personne ne peut toucher à ses biens, ou à ceux des actionnaires. Certaines sociétés ont coulé, mais actionnaires et propriétaires continuent de vivre à l'aise grâce à leur fortune personnelle.

– C'est pourquoi ils ne vont presque jamais en taule, ajoute Sotiropoulos. Les banques et les créanciers savent que s'ils les mettent à l'ombre ils ne toucheront pas un sou. Alors que s'ils les laissent libres et font pression sur eux, ils pourront récupérer quelque chose.

Il me regarde et sourit.

– Tu n'as pas l'air très chaud pour soupçonner les banquiers, dit-il.

– Qu'est-ce que tu veux… Quel que soit le coupable, le mobile semble être la vengeance. La question, pour moi, c'est de savoir s'il va continuer.

– Et ce que vont faire les banques, ajoute Sotiropoulos.

– Ça, les directeurs l'ont annoncé ce midi à la conférence de presse, dit Nestoridis.

– Ils ont parlé à la presse ?

Ils ont dû y aller en sortant de chez le ministre.

– Ils ont dit que si la campagne se poursuivait, ils gèleraient les prêts.

Sotiropoulos hausse les épaules, indifférent.

– Les journaux ne publieront sûrement pas d'autre annonce. Et le collage d'affiches va devenir plus risqué, avec les flics planqués au coin de la rue.

Le silence qui suit montre que nous avons tout dit. Je me lève, devinant que Sotiropoulos et Nestoridis vont poursuivre leur conversation.

– Je vous remercie, vous m'avez ouvert les yeux, dis-je à Nestoridis en lui tendant la main.

– À votre entière disposition. Platon vous donnera mon numéro de portable.

– J'imagine que ma prime est en route, j'attends maintenant mon salaire, plaisante Sotiropoulos.

– Dès qu'il y aura du nouveau.

Je rejoins mon bureau en un temps record, la seule chance de trouver dégagées les rues d'Athènes étant le 15 août ou un après-midi de canicule. J'appelle aussitôt Mme Kalaïtzi, la secrétaire de Stavridis, à son bureau et par chance elle décroche.

– Bonjour, monsieur le commissaire, dit-elle d'un ton amical.

– J'avais demandé à M. Stavridis, lors de la réunion de ce matin chez le ministre, la liste des clients défaillants qui ont subi une saisie.

– M. Stavridis m'a mise au courant. Je pense que vous l'aurez demain.

– Je sais que je vous embête, mais j'aimerais aussi la liste des employés que les banques ont renvoyés pour malversation.

– Pour tout vous dire, cela m'étonne que vous ne l'ayez pas demandée plus tôt. Si je me rappelle bien notre première conversation, vous vous étiez particulièrement intéressé aux cadres qui n'aimaient pas Zissimopoulos. Je vais appeler l'Union des banques et veiller à ce qu'elle fasse le nécessaire.

– Madame, je veux vous poser une question en rapport avec cette première discussion. Pensez-vous que cette campagne contre les banques puisse être l'œuvre d'un cadre renvoyé d'une d'entre elles ?

– Je le verrais plutôt dans le rôle de l'assassin, dit-elle en riant.

– Pourquoi ?

– Comment expliquer ? dit-elle, embarrassée. Les banquiers ont une relation particulière avec la banque où ils travaillent. Il y a des rivalités, des frictions, et même de la haine entre eux, mais ils tiennent l'établissement à l'écart de leurs affaires personnelles. C'est ce qui explique sans doute que les transferts d'une banque à l'autre soient si rares, si l'on compare avec d'autres professions. Voilà pourquoi je vous ai dit qu'ils peuvent plus facilement tuer que nuire à leur banque.

Elle s'arrête pour peser ses mots.

– Mon intuition me dit que la campagne est le fait d'un ancien client lésé par une banque.

Mes prochaines démarches dépendent des deux listes que je recevrai le lendemain, donc ma journée est terminée. Je n'ai plus qu'à rentrer chez moi, vanné.

Parfait, me dis-je en prenant l'ascenseur. Nestoridis et Sotiropoulos pensent que le coupable est un ancien cadre de banque. Mme Kalaïtzi, qui connaît mieux ce milieu, penche pour l'hypothèse du client. Conclusion : il va falloir chercher partout, ce qui devrait nous prendre un mois. Entre-temps, le coupable aura toute latitude pour frapper à nouveau.

Je trouve Adriani dans la cuisine en train de couper des haricots verts. La maison est fraîche grâce à l'air conditionné, que Phanis nous a imposé au moment de mon infarctus.

– Tu les coupes pour Katérina ?

Elle lève la tête, étonnée.

– Tu m'as déjà vue couper des haricots pour elle ?

– Ce que j'en dis, c'est que tu lui fais déjà les courses, alors tu pourrais lui apporter les haricots coupés.

Elle s'interrompt et me regarde, pas même surprise.

– C'est elle qui te l'a dit ?

– Oui, et elle ne s'en plaint pas pour elle-même, seulement voilà, elle a un mari, qui pourrait se vexer quand sa belle-mère apporte des provisions chez lui.

– Se vexer ? Pourquoi ?

– C'est une façon de lui dire qu'il ne sait pas gérer son ménage.

– Où vis-tu donc ? s'écrie-t-elle, indignée. Aujourd'hui, la plupart des jeunes couples ne peuvent pas survivre sans le soutien de leurs parents ! Et avec la crise, maintenant, ça va être encore pire !

– Tu as peut-être raison, mais quand les deux travaillent, c'est différent.

– Katérina travaille, mais n'est pas encore payée. Et savoir quand elle le sera, avec les immigrés qu'on lui a confiés, impossible. Alors je soutiens, jusqu'à ce qu'elle soit payée. C'est tout.

– Tu peux m'expliquer une chose ? Les sommes que tu dépenses pour la maison n'ont pas changé. Comment réussis-tu à entretenir deux foyers sans dépenser plus ?

– C'est très simple. Le matin, j'allume la radio et je note dans quels supermarchés on fait des promotions. Les promotions changent de produit chaque jour. Je rassemble les provisions ici et une ou deux fois par semaine je passe chez eux.

– Et comment je n'ai pas remarqué tes stocks ?

– Mais qu'est-ce que tu remarques ? Si demain je change le séjour en chambre à coucher et la chambre à coucher en séjour, tu n'y verras que du feu.

Elle s'interrompt un instant, puis ajoute :

– Comment ferait-on sans les promotions ? Nous sommes le seul pays où en temps de crise les prix montent au lieu de baisser.

– Qu'est-ce que je peux dire, ma chérie ? Chapeau.

– Quand les temps sont durs, on s'entraide. C'est comme ça que j'ai grandi, Kostas. Quand quelqu'un avait des ennuis, tout le quartier accourait.

Moi aussi, j'ai grandi comme ça, si bien que nous n'avons rien à ajouter.

En allumant la télévision, je tombe sur ce bandeau : « Les banques menacent. »

Au-dessous, autour d'une longue table, trois banquiers. Il y a là Stavridis, Galakteros et un troisième qui m'est inconnu. Derrière eux, sur le mur, des portraits de dignes moustachus à l'ancienne, et d'autres plus récents, datant des années cinquante.

– Nous ne menaçons personne, dit Stavridis, comme pour démentir l'inscription. Mais nous sommes contraints d'affronter une situation excessivement désagréable pour nous. Les banques travaillent déjà dans des conditions difficiles à cause de la crise. Si les débiteurs se mettent à ne pas payer leur dette, comme les y incite ce déséquilibré, c'est l'ensemble de l'économie qui en sera gravement atteint.

Le coupable a réussi son coup, au moins en partie. Même si les emprunteurs n'écoutent pas son appel, il est parvenu à affoler les banques.

Les journalistes qui suivent la conférence de presse ont un style très différent de ceux des affaires policières. C'est moins une question d'âge que d'apparence, et de style de questions.

– Quels sont vos commentaires sur l'attitude des journaux qui ont publié l'annonce ?

– Nous la jugeons totalement irresponsable. Nous respectons le droit à l'information des citoyens. Si c'était une déclaration, nous comprenons qu'ils auraient le devoir de la publier. Mais il s'agit d'une annonce. Personne n'oblige un journal à publier une annonce.

– Nous faisons confiance à la police pour arrêter ce déséquilibré. Mais si elle n'y parvient pas, nous serons dans la désagréable obligation de prendre des mesures.

C'est Galakteros qui enfonce le clou, comme s'il craignait qu'on n'ait pas compris.

– Quel genre de mesures envisagez-vous ? dit une voix de journaliste.

– Geler provisoirement les prêts, répond Galakteros.

Je vois Nestoridis se lever.

– C'est là une mesure qui frappe les innocents en même temps que les coupables.

– C'est vrai, mais nous n'avons pas le choix. Nous ne pouvons pas mettre les établissements bancaires en danger.

– Écoutez, monsieur Nestoridis, intervient Stavridis. Les banques ont jusqu'à présent parfaitement rempli leur mission sociale. Elles ont versé de l'argent pour activer le marché, soutenu économiquement les entreprises, accru le niveau de vie et le pouvoir d'achat de la population. Il est par conséquent injuste qu'elles subissent une agression pareille.

– Je n'ai pas bien compris, dit Adriani, qui s'est assise à côté de moi sans que je m'en aperçoive. Les banques sont devenues d'un seul coup des organismes à vocation sociale ? Elles ne prêtent pas pour empocher les intérêts, mais par bienfaisance ? Et c'est pour ça qu'elles te laissent tout nu quand tu tardes à payer ?

– Tu me demandes ça à moi ? Tu as entendu ce qu'il a dit.

– Chacun voit midi à sa porte, conclut Adriani.

Je me dis que si elle imprimait toutes ses expressions sur des T-shirts, nous serions riches.

25

Emprunt n.m. 1. Somme d'argent accordée ou reçue, à rendre augmentée d'intérêts. Contracter un emprunt. Crouler sous les emprunts. *Emprunt honteux et amer.* 2. Emprunt intérieur, extérieur : emprunt contracté par un État à l'intérieur ou à l'extérieur du pays. 3. Emprunt loterie : donnant le droit de participer à une loterie. Emprunt forcé : emprunt intérieur imposé par l'État.

Je relis la définition et constate que le vengeur inconnu et la Grèce entière sont dans le même bateau. Tous deux considèrent qu'ils ont contracté un emprunt « honteux et amer », l'un auprès des banques, l'autre auprès du FMI et de l'Europe. D'où les coupes sombres dans les primes, les salaires et la sécu. Tous deux « croulent sous les emprunts ». Ni l'un ni l'autre ne bénéficient de l'emprunt loterie, mais pour tous deux l'emprunt est « forcé », même si ce n'est pas dans le sens indiqué par le dictionnaire.

Toutes ces pensées me harcèlent depuis cinq heures du matin, quand je me suis réveillé brusquement, fui par le sommeil. J'ai pris le dictionnaire sous le bras et me suis installé dans le séjour. C'est là que m'a trouvé Adriani, levée à sept heures comme d'habitude.

– Qu'est-ce qui t'arrive ? a-t-elle demandé, inquiète, car le moindre accroc à la routine la met dans tous ses états.

– Rien. Je n'ai plus sommeil, c'est tout.

– À cause de Katérina ?

– Quelle idée ! Tu as fait ce qu'il fallait. Ne t'inquiète pas si Phanis râle, je vais lui parler.

Elle pose tendrement la main sur mon épaule.

– Je savais que tu serais d'accord.

– Oui, mais la prochaine fois préviens-moi, que j'aie l'air au courant.

– D'accord, tu as raison, déclare-t-elle.

Mensonge : elle ne me dira rien, je le sais.

Arrivé au bureau, je descends à la cafétéria prendre ma ration journalière de café-croissant. Dimitra, qui tient le buffet, crie à un jeune flic assis en compagnie :

– Il parle d'or ! Enfin quelqu'un qui le dit, que nous ne sommes pas obligés de payer les voleurs.

– De qui parles-tu, Dimitra ? lui dis-je.

– Du colleur d'affiches ! Il a raison. Ils nous ont déjà piqué tant d'argent, on va encore leur donner des mille et des cents ?

Elle se tourne vers nous.

– Mes pauvres, je vous plains, lance-t-elle à la cantonade.

– Pourquoi ? demande Lazaridis, debout à côté de moi.

– Parce que vous êtes obligés d'arrêter ceux qui font du bien à la société.

Je prends ma tasse et m'éloigne, tandis que Lazaridis derrière moi commente :

– C'est ce que pense toute la Grèce.

– Comment ça ?

– Quand une banque t'accorde un prêt, c'est une église dont le directeur est l'évêque. Dès qu'on te demande de rembourser, la banque se change en requin et le directeur en dents de la mer.

Il rit.

– Comme tu vois, on est mal barrés.

J'ai mangé mon croissant, je savoure mon café lorsque Koula entre dans mon bureau, une enveloppe à la main.

– Elle vient d'arriver en express, monsieur Charitos.

L'expéditeur est l'Union des banques grecques. J'ouvre et en sors deux documents. D'abord, sur une page et demie seulement et quatre colonnes, le nom de l'employé, le nom de la banque, la date du renvoi, sa cause. Ensuite, toute une liasse : la liste des saisies effectuées par les banques ces trois dernières années – même durée que pour la liste des renvois. La première sera vite épluchée. Le problème, c'est les saisies. Il va nous falloir des journées entières et cela ne sert à rien de confier la liste aux filles qui travaillent à l'ordinateur : je ne sais pas ce que je dois chercher, comment sauraient-elles ?

Soudain, je trouve la solution. J'appelle Koula.

– Koula, tu aurais le temps de faire un petit travail pour moi ?

– Avec plaisir, monsieur Charitos, mais vous savez que ce n'est pas moi qui décide.

Je raccroche et appelle Guikas.

– J'ai besoin de Koula pour un boulot, si elle a le temps.

Un silence, puis il demande, réticent :

– Pour quoi faire ?

– Éplucher sur Internet la liste des entreprises qui ont fait faillite à cause d'une saisie par les banques.

– Pourquoi tu ne la donnes pas au service informatique ?

– D'abord, on perdrait du temps. Les filles sont débordées, chacun fait pression pour que son affaire passe en premier. Ensuite, elles ne sauront pas quoi chercher. Koula, elle, a de l'intuition dans ce domaine et sera plus efficace.

– D'accord, mais je ne te promets pas l'exclusivité. Elle s'interrompra quand j'aurai besoin d'elle.

– Merci, je n'en demande pas plus.

Je prends la liste des saisies et monte voir Koula. Guikas lui a parlé, elle est prête.

– Koula, je voudrais que tu m'étudies cette liste. Mais

laisse tomber les sociétés anonymes et les SARL. On s'en occupera si on ne trouve rien chez les PME.

– Que voulez-vous que je cherche précisément ?

– Trouve-moi les adresses actuelles des entrepreneurs et vois s'ils ont fondé une nouvelle entreprise ou s'ils ont coulé une fois pour toutes. Et là encore il y a une sous-catégorie. Priorité à ceux qui ont coulé.

– J'ai compris, monsieur. Dès que je trouve quelqu'un de suspect, je vous préviens.

Je suis la recette de Nestoridis car elle ne manque pas de logique, mais aussi parce qu'il est bien plus facile de repérer des individus isolés que deux actionnaires ou davantage.

Rentré dans mon bureau, je prends la liste des renvoyés. Je survole les seize noms. Les uns se sont fait graisser la patte pour accorder un prêt, d'autres ont organisé des enchères, quelqu'un a monté toute une arnaque aux livrets de Caisse d'épargne. Impossible de m'y retrouver seul, et je ne peux pas accaparer Koula davantage sous peine de déchaîner les foudres de Guikas.

J'appelle Vlassopoulos et lui donne la liste pour qu'il y jette un premier coup d'œil. Je pense qu'on y arrivera plus vite avec les renvoyés.

– Je commence par lequel ? demande-t-il.

– Aucune idée. Tire à pile ou face.

Il me jette un regard indécis.

– Ne fais pas cette tête-là. Ce sont tous des filous. Comment peux-tu soupçonner l'un plutôt que l'autre ? Donc, tu les prends dans l'ordre et advienne que pourra.

Avant qu'il ait le temps de répondre, le téléphone sonne.

– C'est le Centre d'intervention, monsieur le commissaire. J'ai au bout du fil une femme qui crie et qui pleure, en pleine hystérie. Si j'ai bien compris, c'est une femme de ménage. En nettoyant elle a trouvé un cadavre. Mais où, et quel genre de cadavre, impossible d'en tirer quoi que ce soit.

– Bon, garde-la en ligne, je descends.

L'ascenseur est à éviter quand on est pressé. Je descends l'escalier quatre à quatre, entre dans le Centre d'intervention et le flic au téléphone me fait signe. Je prends l'écouteur et me dis que pour calmer cette femme il faut d'abord que j'aie l'air calme.

– Écoute-moi bien, dis-je. Je m'appelle Charitos, je suis commissaire. Calme-toi et raconte-moi dans l'ordre ce que tu as vu, pour que je puisse t'aider.

– Un cadavre, je suis venue nettoyer et j'ai vu un cadavre.

– Quel genre ? Homme ou femme ?

– Homme, je crois.

– Comment, je crois ? Tu ne le vois pas bien ?

– Si, mais il n'a pas de tête.

Et elle se remet à hurler.

– Calme-toi et dis-moi où tu es.

– Dans un bar de la rue Athanassias, à Pagrati.

– Qui s'appelle ?

– Meetings.

– Et où se trouve le cadavre ?

– Derrière, dans la cour où on met les bouteilles vides.

– Bon. Rentre dans le bar et ferme la porte. Nous serons là-bas dans dix minutes.

J'appelle Guikas pour le prévenir.

– Pour l'instant, me dit-il, n'informe pas l'Antiterrorisme. Tu y vas d'abord pour te faire une idée. Nous déciderons ensuite.

Et voilà, me dis-je. Nous avons un autre cadavre, et une arrestation qu'on ne saura plus comment justifier. Le ministre, le chef de la police et Stathakos vont s'arracher les cheveux, surtout Stathakos qui va se faire secouer les puces.

Je vais aussitôt dans le bureau de mes deux adjoints.

– Nous avons un nouveau corps sans tête. Dans un bar à Pagrati. Prenez une voiture et prévenez le commissariat du coin.

Ils me regardent, sidérés. Puis partent au galop.

26

La façade du bar Meetings est peinte dans des nuances de noir et de bleu foncé, avec une enseigne rouge aux lettres imitant l'écriture manuscrite.

Une voiture des flics locaux barre l'entrée. La porte du bar est fermée, mais s'ouvre dès que nous frappons. À l'entrée, un type grand et maigre dans les trente-cinq ans, à la barbe opulente. Le regard qu'il nous jette en dit long sur son émotion.

– Je suis Nassos, dit-il machinalement, car c'est ainsi, on le devine, qu'il se présente aux clients.

– Nom de famille ?

– Melanakis.

– Tu es le patron ?

– Oui.

– Où est la victime ?

– Derrière, dans la cour.

Au fond de la salle, le bar. Il y a des box et des tables rondes. À l'une d'elles est assise une femme de cinquante ans devant une bouteille d'eau et un verre.

– Madame Georgia ?

– C'est moi.

– Un peu de patience, madame Georgia. On va se parler dans une minute.

Derrière le bar, entre les alignements de bouteilles, un rideau cramoisi. Melanakis passe le premier et je le suis avec mes acolytes. À côté du rideau, deux lave-vaisselle, à droite et à gauche, les toilettes, et au fond la porte de la cour. Melanakis l'ouvre et nous laisse passer, tandis que lui-même reste à l'intérieur.

La petite cour est pleine de bouteilles vides et de casiers. Pile au centre, au milieu des bouteilles de vodka, de whisky et de gin, un cadavre sans tête. Il porte un jean, un T-shirt bleu ciel et des mocassins sans chaussettes. Je comprends maintenant la terreur de Georgia. Elle a ouvert la porte et voilà ce qu'elle a vu. Accrochée au T-shirt, à gauche, la signature : D.

– La tête n'est sûrement pas loin, dis-je à mes aides.

Pas besoin de chercher longtemps. Elle a roulé jusqu'à l'armoire métallique dans le prolongement de la porte. Après Georgia, c'est à mon tour de subir la douche froide. La tête est celle d'Henrik De Mor, dirigeant de l'agence de notation, que j'avais vu interviewer à la télévision où il soutenait que la société n'existe pas.

Dans le mur d'en face, je vois une petite porte qui doit donner sur l'autre rue. J'appelle aussitôt Guikas, car cette sombre histoire commence à virer au noir le plus pur.

– On est mal barrés, commente Guikas. Je ne peux pas ne pas avertir le chef de la police, ni empêcher Stathakos de se pointer. Alors dépêche-toi d'enquêter avant l'arrivée de l'Antiterrorisme.

Zissis s'est donc révélé bon prophète, me dis-je. Le soir de l'interview, il m'avait dit qu'il attendrait que l'assassin tue aussi De Mor pour aller lui faire la bise. Oui mais avant la bise, il faudra d'abord le trouver.

Je vois Stavropoulos, le médecin légiste, entrer dans la cour. Il jette un bref regard au cadavre et me salue d'un signe de tête.

– Je ne comprends pas cette manie que tu as de me faire disséquer des corps sans tête, dit-il, agacé, tout en enfilant ses gants de chirurgien. Dis à tes assassins de prendre un flingue, pour changer.

Je ne relève pas, n'ayant pas l'humeur à la blague. Je dis à Vlassopoulos de rester avec moi et à Dermitzakis de découvrir dans quel hôtel se trouvait De Mor. Je retourne au bar m'occuper de Georgia. Melanakis veut me parler, je l'interromps.

– Attends. D'abord, Mme Georgia, qui a trouvé le corps.

Je la trouve un peu plus calme. Je m'assois en face d'elle.

– Ça va mieux ? On peut se parler ? dis-je sur un ton amical.

– Je vais essayer, mais c'est dur.

– Je sais. Alors commençons par le plus facile. À quelle heure commences-tu ton travail ?

– Pas très tôt. Entre dix et onze heures. Le bar ouvre à huit heures du soir, donc j'ai toute la journée pour nettoyer et ranger.

– Aujourd'hui ?

– Plus tôt. Vers neuf heures et demie. Ma fille et moi on s'est levées plus tôt pour envoyer mes petits-enfants à la colonie. Depuis que mon gendre, ce bon à rien, a perdu la boule et nous a quittées, tout le poids est tombé sur nous, les deux femmes. Alors quand ma fille a emmené ses deux enfants prendre le car, j'ai eu l'idée de venir ici pour finir une heure plus tôt.

Elle boit une gorgée d'eau.

– Je commence toujours par le rangement du bar. J'évacue les bouteilles vides, je remplis les lave-vaisselle et je nettoie les tables. C'est ce que j'ai fait aujourd'hui. J'ai gardé pour la fin l'aspirateur et l'éponge. Quand j'ai ouvert pour prendre les détergents rangés dans la cour, alors je l'ai vu.

L'image reprend vie pour elle et elle cache ses yeux derrière ses mains pour la chasser.

– Tu as vu le corps seul, ou la tête aussi ?

– Le corps. J'ai crié et je suis rentrée dans le bar. Quand j'ai été un peu remise, j'ai téléphoné.

Elle n'a rien d'autre à me dire, inutile de la garder plus longtemps.

– C'est bon, Georgia. Tu donneras ton adresse à M. Vlassopoulos, qu'on puisse te convoquer pour ta déposition, et après tu pourras partir.

Détendue, soulagée, elle se lève. Je vais voir Melanakis.

– Allons dehors, dis-je, et je l'emmène dans la cour.

Stavropoulos a provisoirement posé la tête coupée sur les épaules. Pas besoin de demander à Melanakis s'il le reconnaît : il réagit aussitôt.

– Le Hollandais ! Oh putain !

Il se tourne vers moi, l'air désespéré.

– Le bar est foutu. C'est une perte énorme. Dire que j'ai dépensé une fortune pour installer la clim et ouvrir même en été.

– Comment sais-tu que la victime était hollandaise ?

– C'est lui qui me l'a dit. Il parlait très bien anglais, je lui ai demandé s'il était anglais et il m'a répondu non, hollandais d'Utrecht.

Nous rentrons dans le bar.

– Il venait souvent ici ?

– Les derniers jours, tous les soirs.

– Seul ?

– Si ma mémoire est bonne, la première fois il était accompagné. Ensuite, il est venu seul.

– Celui qui l'a amené la première fois était un habitué ?

– Non, lui aussi je le voyais pour la première fois.

– Un Grec ?

– Non, un étranger.

Il s'arrête un instant, puis me dit à contrecœur :

– Il vaut mieux que ce soit moi qui vous le dise. Le Meetings est un bar gay, monsieur le commissaire. Les clients viennent soit pour boire un verre avec des gens qui partagent leur orientation sexuelle, soit pour trouver un partenaire.

Henrik De Mor était donc homosexuel, et alors ? C'est son problème, le crime n'est pas sexuel et les autres non plus. D'un autre côté, l'assassin devait le suivre et savoir qu'il était homo. Un point reste obscur : comment un client du bar s'est-il retrouvé dans la cour ?

– Ils vont souvent dans la cour, tes clients ?

Il voit où je veux en venir.

– Je tiens à le préciser dès le début, monsieur le commissaire. Ce bar n'est pas une maison close, mais un bar très *in* pour homosexuels. Il est fréquenté par des dirigeants d'entreprise, des scientifiques, des acteurs, des artistes…

– Tu n'as pas répondu à ma question.

S'il n'a pas répondu, c'est qu'il se sent mal à l'aise.

– Écoutez, beaucoup de gens aiment les relations d'un soir, de temps en temps. Il y a des pères de famille qui vont avec une putain à l'occasion. Dans le cas des homosexuels, c'est plus fréquent. Mais quand il s'agit de personnes en vue, qui ne veulent pas attirer l'attention, ils garent leur voiture dans la rue derrière et sortent par la petite porte de la cour.

– Je veux une liste de tes clients.

– Allons, monsieur le commissaire. Dans les bars, personne ne se présente en donnant son nom. Il y en a même qui utilisent un pseudo, par prudence. Une liste, comment voulez-vous ?

– À quelle heure vous fermez d'habitude ?

– Ça dépend. En semaine, entre deux et trois heures du matin. Vendredi et samedi, on peut aller jusqu'à cinq heures.

– Hier ?

– Il devait être deux heures et demie.

Mon portable sonne, c'est Dermitzakis.

– Facile, monsieur le commissaire. Il était à l'Attica Plaza, avenue Stadiou.

– Vas-y tout de suite. Prends la clé de sa chambre et attends-moi.

Je laisse Melanakis et retourne dans la cour au moment où arrivent les brancardiers. Stavropoulos a terminé et ôte ses gants.

– Même chose que les deux premières fois, dit-il. À première vue, c'est la même personne. Je te le confirmerai après l'autopsie.

– Tu peux préciser l'heure du crime ?

– Entre minuit et cinq heures.

Soudain, j'entends un brouhaha dans le bar. La porte s'ouvre et voilà Stathakos. Il s'arrête brusquement face au cadavre, mais apparemment il n'a pas vu l'interview et ne reconnaît pas De Mor.

– Pourquoi on ne m'a pas prévenu ? me demande-t-il sèchement.

– Tu me prends pour ton secrétaire, Loukas ? dis-je, non moins sèchement. Le Centre d'intervention m'a signalé un meurtre. Depuis quand je te signale tous les meurtres qu'on me colle sur le dos ? Quand j'ai vu la décapitation, j'ai aussitôt prévenu Guikas.

Je continue plus calmement :

– Peu importe qui t'a prévenu. Là, tu as deux gros soucis. Primo : vous avez arrêté un suspect, les meurtres continuent. Deuzio : Leonidis va tous nous tanner, juges et flics, jusqu'à ce qu'on libère son client.

Il hausse les épaules.

– Il y a sûrement deux assassins et nous n'en tenons qu'un seul.

Aucune envie de discuter. Je me réfugie auprès de Dimitriou de l'Identité judiciaire, qui me demande :

– Voulez-vous qu'on cherche quelque chose en particulier, monsieur Charitos ?

– Regarde s'il a son portefeuille.

Il va droit à la poche revolver, en sort le portefeuille et l'ouvre.

– Il avait sur lui trois cents euros. Donc, on ne l'a pas volé.

Il continue de chercher.

– Il n'a pas sa carte d'identité.

Si nous ne la trouvons pas à l'hôtel, c'est qu'on la lui a prise. J'appelle Vlassopoulos et l'envoie en reconnaissance dans la rue derrière, puis je traverse le bar et sors par l'entrée principale. La rue est tranquille, comme la plupart des rues à Pagrati, les voitures garées du côté droit. Quelques curieux bavardent à l'entrée des immeubles. Ils me voient sortir et les regards se concentrent sur moi. De l'autre côté de la rue, j'aperçois une quincaillerie. Je commence par là, car les quincailliers d'habitude ont un œil qui traîne.

La quincaillière m'examine de la tête aux pieds.

– Si vous êtes de la Brigade financière, vous pouvez regarder partout. Je suis parfaitement en règle.

– Depuis quand la Brigade financière poursuit-elle les quincailliers ?

– Vous êtes sérieux ? Ici, bientôt, ils poursuivront même les mendiants, pour voir s'ils paient la TVA. Je le disais l'autre jour à l'un deux qui s'était posé devant ma boutique. Attention, que je lui ai dit, s'ils voient que tu ne donnes pas de reçu, tu es fichu.

– Je ne suis pas de la Brigade financière. Je suis commissaire.

– Je vois. Vous êtes là pour le meurtre.

– Oui. Avez-vous vu quelque chose d'anormal ?

Elle me regarde, déconcertée.

– Vous en connaissez, des quincailleries ouvertes jusqu'à l'aube ?

– Ce n'est pas ce que je demande. Avez-vous entendu des commentaires ? Quelle est l'opinion du quartier sur ce bar ?

– Il est là depuis dix ans et n'a jamais fait d'histoires.

Pas de bruit, pas de scandales, rien. Maintenant, pourquoi ils ont tué cet étranger, est-ce que ce meurtre est lié aux deux autres, à vous de le dire. En tout cas, ce n'est pas le premier désaxé à se faire tuer. Vous vous souvenez, il y a eu l'écrivain Taktsis, et puis l'autre, l'armateur à Kolonaki. Une chose est sûre : on n'a jamais eu à se plaindre du bar. Nassos est un garçon correct. Irréprochable.

La suite de l'enquête ne donne rien. Par acquit de conscience, je rends visite au commissariat du coin, mais le commissaire n'a rien à me dire de remarquable. Cela se confirme : le bar est au-dessus de tout soupçon.

Je me rends à l'Attica Plaza, suivi de Dimitriou de l'Identité judiciaire. J'en apprendrai davantage sur De Mor là-bas qu'au Meetings. En chemin, une petite lumière s'allume. Où ai-je entendu parler d'un mendiant ? Je me creuse la tête, en vain.

27

La durée du parcours entre Pagrati et la place Syntagma est une affaire de chance. Si on tombe sur un rassemblement, une manifestation, on peut mettre huit heures. Si on y échappe, un quart d'heure peut suffire. Aujourd'hui, les dieux sont avec nous et nous arrivons en dix minutes.

Dermitzakis nous attend dans le hall. Notre arrivée n'est remarquée que par la réception. Pour les clients et le reste du personnel, nous ne sommes rien.

– J'ai la clé, dit Dermitzakis. Chambre 502.

– Monte avec Dimitriou pour qu'il commence. Moi, je vais d'abord parler aux employés de la réception.

– Oubliez. Le directeur insiste pour vous parler d'abord.

Apparemment on a sonné l'alarme : dès que je dis mon nom, une trentenaire me demande de la suivre. La direction est au rez-de-chaussée, derrière la réception. Le directeur, un nommé Pouliassis, se lève et me tend la main.

– Qu'est-il arrivé à notre client ? demande-t-il.

Cette question suffit à me faire sortir de mes gonds.

– La police n'est pas obligée de justifier ses enquêtes auprès des citoyens, monsieur Pouliassis. Vous saurez ce qui est arrivé à votre client quand nous ferons une déclaration. Pour l'instant, je veux seulement des informations concernant De Mor. Qui peut me les donner ?

– Vous m'avez mal compris, monsieur le commissaire.

M. De Mor est l'un de nos clients réguliers et je m'inquiète pour la bonne réputation de notre établissement.

– Je peux vous certifier que ce qui s'est passé ne concerne en rien votre hôtel.

– Cela me suffit, dit-il, soulagé.

– Qui peut me renseigner sur Henrik De Mor ?

– M. Koutsouvelos, notre chef de réception.

Il décroche son téléphone et bientôt apparaît un grand gaillard dans les quarante-cinq ans, aux cheveux poivre et sel, en uniforme de réceptionniste.

– Depuis combien de temps De Mor était-il chez vous ?

– Cinq jours. Au début, il comptait rester trois jours, mais il nous a bientôt annoncé qu'il passerait chez nous une semaine de plus. En vacances, a-t-il dit.

– Recevait-il des visites ici ?

– Oui, à titre professionnel.

– Qu'est-ce qui vous permet de le dire ?

– Chaque fois que je l'ai vu avec d'autres, ils avaient devant eux des dossiers ouverts et discutaient.

Il réfléchit, puis ajoute :

– D'ailleurs, dès le début de ses vacances, il a cessé de recevoir des visites.

– Il rentrait tard le soir ?

Koutsouvelos rit.

– Monsieur le commissaire, ceux qui viennent ici en vacances voient les monuments et les musées les premiers jours, et après, que reste-t-il ? La vie nocturne. Ceux surtout qui viennent d'Europe centrale ou du Nord adorent nos nuits, eux qui dans leurs pays se couchent avec les poules et se lèvent au chant du coq.

– Bien, je n'ai plus besoin de vous. Je vais monter dans la chambre.

– Je reste ici à votre disposition, dit le directeur.

Je le remercie et monte au cinquième étage. Dans la chambre 502, Dimitriou et Dermitzakis sont en plein boulot. Le lit est défait, nous avons donc devancé la femme de chambre. La valise est sur le porte-bagages. Sur la table, un ordinateur portable connecté à Internet. Au pied de la table, une grosse serviette, mais je ne vois de dossiers nulle part. J'ouvre la serviette et les trouve rangés en bon ordre. Visiblement, depuis le début de ses vacances, il n'a pas consulté ses documents professionnels, comme toute personne sensée.

– Tu as trouvé quelque chose ?

– Des empreintes digitales en pagaille, mais rien de palpitant, j'en ai peur. Celles de la victime et celles du personnel. Je vais envoyer l'ordi au labo pour voir ce qu'il a dans le ventre.

– J'essaie d'ouvrir la valise, mais son cadenas a un code.

– J'ai vu, dit Dimitriou. Laissez, on l'ouvrira au labo.

Puisque la valise me résiste, je prends la serviette et la pose sur le lit. La carte d'identité se trouve dans le premier compartiment. Donc, il la laissait à l'hôtel avant ses virées nocturnes. Je sors les dossiers un à un et lis les titres. La plupart concernent l'agence de notation Wallace et Cheney. Et tout à la fin, bingo : un dossier marqué « Coordination and Investment Bank. Report ».

– Tu envoies tous les dossiers à Lazaridis, dis-je à Dermitzakis. Mais pour celui-là, je veux des photocopies.

Étape suivante, l'armoire. Suspendus aux cintres, le costume que portait De Mor lors de l'interview et deux pantalons de lin. Les chemises et les T-shirts sont empilés avec soin sur le rayonnage au-dessus du costume. L'un des tiroirs est vide. L'autre contient des chaussettes et des slips. Sous les slips, deux boîtes de préservatifs.

Dans la salle de bains, rien de plus que l'ordinaire du voyageur : ustensiles de rasage, dentifrice, brosse à dents.

Je dis à Dimitriou de mettre les scellés et de garder la clé. Puis je passe prendre Dermitzakis et rentre au bureau. Craignant de trouver la meute des journalistes devant mon bureau, je monte directement au cinquième pour informer Guikas d'abord.

– Je vous ai trouvé trois noms qui pourraient vous intéresser, me dit Koula dès qu'elle me voit.

– Tu vas me montrer ça dès que je sortirai de chez Guikas.

Je trouve celui-ci prêt à cracher des flammes.

– Dis vite ! Le ministre a appelé trois fois et le chef de la police autant.

Je fais un rapport express.

– Selon Stavropoulos, à première vue, les trois crimes ont le même auteur. Il nous le confirmera après l'autopsie.

– Si cela se confirme, on aura l'air fin. Remercions le ciel d'avoir été mis sur la touche, nous autres. Allez, file, je dois informer le ministre.

Il n'a pas tort. Faire tapisserie est parfois un moindre mal. Je m'arrête chez Koula pour voir ce qu'elle a déniché.

– J'ai repéré trois cas, monsieur Charitos. Le premier est un certain Sotiris Baloyannis. Il avait une boutique dans Pagrati. Il a emprunté pour en ouvrir une seconde à Kifissia. Elle l'a ruiné, il a tout perdu. Le deuxième s'appelle Leonidas Steriopoulos. Il a une fabrique de vêtements féminins. Il l'a maintenue dix ans à coups d'emprunts. À la fin il a fait faillite et tout perdu. Le troisième, c'est l'entrepreneur Stefanos Varoulkos. Il construisait un immeuble à Koropi.

– Koropi ?

– Oui, mais il n'a pas pu vendre les appartements à cause d'un litige avec les héritiers du terrain. Il y a eu procès, il a cessé de rembourser l'emprunt et pour finir la banque lui a tout pris.

– Tu sais quelle banque lui avait accordé le prêt ?

– La Banque centrale.

Zissimopoulos a été assassiné à Koropi, l'entrepreneur a fait faillite à Koropi, c'est la Banque centrale qui lui a tout pris. Coïncidence ? Peut-être, ou peut-être pas. En tout cas, il convient d'aller voir. Koula me donne les noms, les adresses et le nom des banques impliquées.

– Koula, tu es un trésor. Je te remercie et j'attends la suite.

Elle m'offre son plus beau sourire et je prends congé.

Je les vois de loin, plantés devant mon bureau, comme prévu. Il y a là toutes les têtes familières, à l'exception de Sotiropoulos. Dès qu'ils m'aperçoivent, ils m'assiègent avec leurs micros.

– Qu'avez-vous à nous dire sur la nouvelle victime, monsieur le commissaire ?

– Est-ce vrai qu'il est étranger et homosexuel ?

– Y a-t-il un seul coupable ou deux différents ?

– S'il n'y en a qu'un, qu'allez-vous faire de l'homme que vous avez arrêté ?

J'ai la réponse toute prête et m'en amuse.

– Le ministre fera une déclaration.

– Quand ?

– Depuis quand suis-je l'organisateur des conférences de presse du ministre ? Demandez à son cabinet.

– Vous ne pouvez pas nous dire au moins s'il y a un ou deux coupables ?

– Je regrette, mes amis. Je ne peux rien vous dire. Comprenez-moi.

Je les laisse dans le couloir. Dans mon bureau, Vlassopoulos m'attend.

– Alors ?

– Rien de palpitant. Stavropoulos est parti avec le corps. Dans la petite rue, aucun indice. Il y a toujours des voitures garées. Personne n'a vu arriver une voiture pendant la nuit. Ce qui est sûr, c'est que le bar a bonne réputation et ne dérangeait personne. Je n'ai trouvé personne pour m'en dire du mal.

J'ai eu la même impression à la quincaillerie. Je donne à Vlassopoulos la liste de Koula.

– Trouve-moi les traces des deux premiers et prépare une voiture, nous allons à Koropi. Ce Varoulkos me semble être le plus voyant des trois.

Mais on dirait que tout se ligue pour saboter mon programme. Vlassopoulos à peine sorti, le téléphone sonne et c'est Guikas.

– Le ministre veut nous voir dans son bureau tout de suite.

Tandis que j'entre dans l'ascenseur, mon portable sonne et c'est Sotiropoulos.

– J'ai compris que tu n'allais pas ouvrir tes dossiers, alors j'ai envoyé un jeune collègue. As-tu une révélation à me faire, entre nous ?

– Selon des sources anonymes, il n'y aurait qu'un seul assassin. Je dois raccrocher, Guikas m'attend.

– Eh oui, conclut-il, ironique. Un seul se plante et tous les autres courent.

28

Nous sommes sept, assis autour de la table de réunion du ministre. Nous quatre formons deux couples : d'un côté, le chef de la police et Stathakos, de l'autre, Guikas et moi-même. Parmi ceux qui restent, le ministre et Anagnostou, juge d'instruction de l'affaire, ont plutôt l'air de parents éplorés lors d'un enterrement. Le seul indifférent de la bande, c'est Stavropoulos, le médecin légiste, à côté de moi.

Du coin de l'œil j'observe Guikas assis à ma gauche. Il partage l'air sérieux et sombre des autres, mais je parie qu'*in petto* il se dit : « Merci de nous avoir mis de côté. Maintenant, allez morfler sans nous. » Il n'a pas tort. Guikas n'est sans doute pas un meilleur flic que nous autres, mais il est sûrement doté d'un talent unique pour protéger ses arrières, et parfois, indirectement, les miens.

– Nous sommes confrontés à une situation aussi gênante que désagréable, dit le ministre, trouvant les mots justes pour l'enterrement. Nous avons un suspect en ce qui concerne les deux premiers meurtres. Les charges contre lui étaient assez lourdes, comme nous l'a certifié monsieur le juge d'instruction, pour justifier sa mise en garde à vue.

Sous-entendu : le responsable, c'est le juge d'instruction.

– Avec l'accord du procureur, précise Anagnostou, pour partager la responsabilité.

– Assurément, admet le ministre. Mais voilà qu'aujourd'hui nous avons une autre victime, laquelle nous expose aux yeux de l'étranger. Henrik De Mor était dirigeant de l'agence de notation Wallace et Cheney. Son assassinat, après celui de Robinson, nous met en plus fâcheuse posture encore, puisque notre suspect ne peut l'avoir commis. La question à laquelle nous devons répondre, par conséquent, est la suivante : nous sommes-nous trompés de coupable, ou sont-ils deux ?

Il attend la réponse. Personne ne bouge. Tout le monde se protège et attend que le voisin fasse le premier pas. Le juge d'instruction à juste titre, puisque c'est la police qui enquête. Guikas et moi n'avons pas été associés, quel avis pourrions-nous donner ? Le patron regarde Stathakos, l'air de dire, c'est toi le responsable de l'enquête, à toi de parler.

Stathakos saisit l'allusion et reprend la théorie qu'il m'a déjà servie.

– D'après moi, nous avons affaire à deux assassins différents. Nous avons arrêté le premier, le second court toujours.

– Impossible, dit sèchement Stavropoulos.

– Pourquoi ? demande le ministre.

– L'enquête balistique permet de déterminer avec certitude si plusieurs crimes ont été commis avec la même arme ou non. Ce qui vaut également pour l'épée. Deux épées différentes seront plus ou moins aiguisées, n'auront pas la même lame, et provoqueront des dommages différents. L'épée en question a eu exactement le même effet sur les trois victimes. Et cela atteste qu'il s'agit non seulement d'une même arme, mais d'une même personne.

– Expliquez-vous, dit le chef de la police.

– Quand on frappe avec l'épée, le corps est dans une certaine position, le coup est porté avec une certaine force et d'une certaine façon. Deux personnes différentes agiront en tout de façon différente. Or dans le cas de nos trois victimes, les conditions sont tout à fait les mêmes.

– Vous en êtes certain ? demande le ministre.

– L'autopsie et les analyses de laboratoire l'établissent formellement.

Il se tourne vers Stathakos.

– Vous vous êtes simplement trompé de coupable, monsieur Stathakos.

Silence de mort. Ce que nul ne voulait entendre, Stavropoulos l'a dit sèchement, à sa manière.

– Dans ces conditions, dit Anagnostou, je suis obligé de libérer Bill Okamba, dès que j'aurai le rapport officiel du médecin légiste.

Et il se prend la tête à deux mains.

– Mon avis à moi, en tout cas, dit Stathakos, c'est qu'il ne faut pas se presser. Après tout, Okamba n'en mourra pas s'il reste encore un peu à l'ombre.

– Avez-vous une autre piste à explorer ? demande le ministre.

– Pas pour l'instant, mais rien n'exclut les coïncidences. Et rien n'exclut, de même, que le dernier crime ait un mobile sexuel.

– Monsieur Stathakos, le médecin légiste a été clair, dit le ministre qui contient mal son impatience. Ne me dites pas que tous les justiciers de l'Afrique se sont donné rendez-vous en Grèce pour décapiter tout ce qui bouge.

– En tout cas, les Anglais n'avaient pas le moindre doute.

– Les Anglais ont un faible pour la vitesse, qu'ils jugent plus efficace, mais très souvent ils le paient, intervient le patron. C'est ainsi qu'ils ont tué par erreur le Brésilien dans le métro de Londres. Sans parler de toutes leurs victimes en Irlande du Nord.

Et voilà. Arvanitopoulos change de cap et suit la ligne Sotiropoulos anti-anglaise. Il prend ses distances vis-à-vis de Stathakos et l'abandonne à son triste sort. Mais Stathakos n'est pas de ceux qui lâchent le morceau facilement.

– Imposons-lui au moins des mesures coercitives, pour être tranquilles, dit-il au juge d'instruction.

On voit où il veut en venir. Les mesures coercitives signifieront que les soupçons n'ont pas totalement disparu, et que par conséquent la police ne s'est pas totalement trompée.

– Quel genre de mesures coercitives ? demande Anagnostou.

– L'interdiction de sortie du territoire jusqu'à la fin de l'enquête, plus une caution.

– Pour la première, c'est faisable. La seconde, impossible. Nous n'avons pas affaire à un simple scandale financier. Il y a eu mort d'homme. Si de lourdes charges pèsent sur le suspect, alors on le garde en détention ; sinon, il est libre. Vous connaissez Leonidis ? Si nous imposons une caution, il fera tomber le palais de justice sur nos têtes. Même si je demandais cette caution, le procureur la refuserait aussitôt.

Le ministre se tourne vers Guikas.

– J'aimerais entendre votre avis, monsieur.

Guikas fait mine de peser ses mots. En fait, je suis sûr qu'il les a déjà pesés dans son bureau, mais il veut souligner la gravité de la situation.

– Je crains qu'il ne faille abandonner la piste terroriste, monsieur le ministre.

– Sur quoi vous fondez-vous ?

– Primo, l'assassin vise une seule branche professionnelle : la banque. Or on n'a jamais vu de terroristes s'attaquer à une profession précise. Secundo, dans toute l'histoire du terrorisme, on n'a jamais vu de terroristes tuer avec l'épée. Ils utilisent des armes à feu ou des bombes. Même s'ils considèrent leurs actes comme une sorte de croisade, ils ne tuent pas comme les croisés. Et enfin tertio : après trois meurtres nous n'avons aucune revendication. Donc il faut chercher ailleurs.

Le ministre ne commente pas, mais se tourne vers moi.

– Et vous, monsieur, qu'en pensez-vous ?

– Je pense que les meurtres et l'incitation à ne pas rembourser les banques sont le fait d'une même personne. Ce n'est pas un terroriste, mais quelqu'un qui a été lésé par les banques et qui se venge. Je pense que, d'une façon ou d'une autre, il va encore frapper : soit par un meurtre, soit par voie d'affiches. Il faut faire vite, car tant qu'il a les mains libres, il peut faire de gros dégâts en ces temps de crise.

Le ministre laisse aux autres le temps de protester ou d'intervenir. Silence. Il continue.

– Bien, suivons donc la piste de la personne lésée qui veut se venger, et voyons où cela nous mène. Si entre-temps une revendication apparaît, il sera temps de changer de cap.

Il se tourne vers Guikas et moi.

– Vous devez tout faire pour régler cette affaire avant que les banquiers ne se fâchent pour de bon. Officiellement, bien sûr, nous n'abandonnons pas la piste terroriste, nous étudions toutes les possibilités. Et cela pas seulement comme ligne de défense, mais pour tranquilliser les étrangers, qui ne voient chez nous que le terrorisme.

Il se tourne vers le juge d'instruction.

– Comment justifions-nous la libération du suspect ?

– Nous autres ne justifions rien. Les magistrats ne font pas de déclarations à la presse.

Il est soulagé de nous avoir refilé le bébé. Le ministre percute et se tourne vers le chef de la police :

– Tu insisteras sur l'interdiction de sortie du territoire.

Le chef de la police comprend qui va tirer les marrons du feu et se contente de hocher la tête. Le ministre se lève, donnant le signal du départ.

– Prépare un bureau pour Koula, elle est à ta disposition dès demain, me dit Guikas tandis que nous nous quittons devant le ministère de la Protection du citoyen.

Il monte dans sa voiture, direction le bureau, et moi dans la mienne, vers Koropi.

29

Jusqu'à Aya Paraskevi nous roulons sans problème, mais bientôt la circulation devient dense. Les difficultés commencent à la bifurcation vers Mesoyia, tandis que la chaleur s'obstine. Chacun court vers la mer pour y jeter tout ce qu'il peut : son corps, son matelas pneumatique pour les enfants, son canot gonflable pour les grands.

L'un de ces canots nous précède, traîné par une BMW Cabrio qui roule à quarante à l'heure. Je dis à Vlassopoulos de mettre la sirène pour que l'autre se range, mais le chauffeur ne réagit pas. Vlassopoulos vient se mettre à sa hauteur :

– Tu n'entends pas la sirène ? crie-t-il.

– Pourquoi, t'es pressé d'aller piquer une tête ? répond le malotru.

– Je note son numéro ? me demande Vlassopoulos hors de lui.

– Non, nous avons autre chose à faire.

– On rogne sur nos salaires, nos primes et la sécu, et ceux-là roulent encore en BMW… philosophe Vlassopoulos.

– Ils croient qu'ils vont s'en tirer, quand la Troïka[1] sera partie.

1. Le Fonds monétaire international, la Banque centrale européenne et la Commission européenne qui contrôlent ensemble l'économie grecque. *(NdT.)*

– La Troïka ne partira pas, répond-il, catégorique, comme s'il sortait d'une discussion avec ses membres.

– Comment peux-tu en être sûr à ce point ?

– Parce que c'est la troisième fois la pire, monsieur le commissaire.

– C'est-à-dire ?

– Écoutez, à l'Indépendance on a eu Capodistria. On s'est dit, c'est qui ce comte Machin, et on l'a tué. Ensuite sont venus les rois bavarois. On s'est dit, c'est qui ces von Machin et on les a virés. Et maintenant voilà le Danois, le Belge et l'Allemand. Et là encore, on se dit, c'est qui ces Van et von Machin ; seulement ceux-là ne sont pas près de partir, parce qu'ils sont la troisième fois, la pire. Vous comprenez ?

C'est une façon de voir les choses. Elle ne nous met sans doute pas le cœur en fête, mais elle pourrait bien être juste, puisque ce qui nous mettait jusqu'ici le cœur en fête nous le met en berne aujourd'hui.

Notre première étape à Koropi, c'est l'agence immobilière de Yannis Mertikas, que j'ai rencontré lors de l'enquête sur Zissimopoulos. Je veux me renseigner auprès de lui sur la situation actuelle de Stefanos Varoulkos, et sur les préjudices qu'il a subis lors du conflit avec la Banque centrale – pour adopter le vocabulaire de tout journaliste de troisième zone aujourd'hui.

La vitrine de l'agence est de nouveau couverte d'annonces de terrains et d'appartements à vendre. Mertikas, seul dans son bureau, contemple son écran d'ordinateur. Sa fille n'est pas là.

– Salut, monsieur le commissaire, dit-il en me voyant. Qu'est-ce qui t'amène ?

– Je suis venu tailler une bavette.

– Dieu m'a pris en pitié. Tu sais ce que c'est de passer toute la journée devant l'écran sans parler à personne ?

– Ta fille n'est pas là ?

– Je lui ai donné un congé à durée illimitée. Il vaut mieux qu'elle reste à la maison plutôt que de moisir ici à tuer les mouches. Ça lui casse le moral de penser qu'elle va hériter de ça.

– Qu'est-ce qui se passe ? Les Koropiotes ne vendent plus leurs terrains pour acheter la nouvelle jeep Cherokee, comme tu me le disais ?

– On ne vend plus de terrains, on n'achète plus ni jeeps ni Mercedes. Le robinet à fric est fermé, monsieur le commissaire. Les affaires ont marché tant que l'argent circulait. Si les gars vendaient leurs terrains pour acheter des Cherokee, d'autres achetaient les terrains. Et s'ils empruntaient pour acheter, tout le monde s'en foutait. L'argent circulait, c'est ça qui comptait. Alors on te dit oui, mais c'était surtout de l'argent sale, et pour assainir l'économie il faut faire circuler le propre. Oui, mais tu fais quoi quand l'argent ne circule plus du tout ? Moi, je te le dis : en cas de besoin, mieux vaut du sale que pas d'argent du tout. Et si tu veux mon avis, l'argent n'a pas d'odeur. L'argent, c'est comme une voiture. Pour que ça roule, il faut s'en servir. Quand elle est sous sa housse au garage, la batterie se vide. Voilà où nous en sommes. Mais tu n'es pas venu pour écouter mes conneries.

– Je suis venu pour que tu me dises ce que tu sais sur Stefanos Varoulkos.

Il me regarde, sidéré.

– Comment tu te souviens de lui ?

– Laisse tomber. Ce serait trop long de t'expliquer.

– Qu'est-ce que tu veux savoir ?

– Pourquoi il a fait faillite.

Il est toujours étonné, mais décide de ravaler son étonnement.

– Varoulkos était le grand entrepreneur de Koropi. Tous les terrains où il construisait, c'est à moi qu'il les achetait. Un jour il a voulu faire le malin et s'est planté.

– Comment ça ?

– Il a trouvé un terrain très bien situé. Grand, dégagé. Il n'est pas passé par moi pour éviter les frais. Les propriétaires lui ont caché qu'il y avait un autre héritier en indivision, qui vivait au Canada. Il avait construit la moitié de l'immeuble, quand un beau matin l'héritier canadien a débarqué. Il est allé en justice et la construction s'est arrêtée. Varoulkos en a bavé pendant un an et pour finir il a dû emprunter pour racheter la part du Canadien. À ce moment-là, il était raide et a dû emprunter une deuxième fois pour terminer la construction. Seulement, voilà, il n'a pas pu vendre les appartements.

– Pourquoi ?

– D'abord, ils étaient luxueux et trop chers. Mais surtout, tout le monde savait qu'il croulait sous les dettes et on attendait qu'il baisse les prix. À la fin, il n'a pas pu rembourser et la banque a tout raflé. Et en plus de ses autres erreurs, il a choisi la mauvaise banque.

– La Banque centrale ?

– La Banque centrale sous Zissimopoulos. On lui a fait des conditions excellentes. Il était comme ça, Zissimopoulos. Il te ménageait, mais quand tu étais sur la mauvaise pente il te filait un coup de latte qui t'envoyait dans le gouffre.

– Où est-il maintenant ?

– Sa famille est d'ici. Son père avait des jardins maraîchers. Varoulkos a gardé la ferme. C'est là qu'il habite. Tu prends cette rue-là, puis la quatrième à gauche et tu trouveras la baraque au bout du chemin. Tu ne peux pas la manquer, elle est isolée.

La rue en question marque la fin de la partie densément bâtie. Ensuite, les maisons s'éparpillent peu à peu. Au bout du chemin nous apercevons une ferme entourée de végétation, perdue au milieu de nulle part.

– Ce doit être ça, dit Vlassopoulos.

De toute façon, rien d'autre à l'horizon.

Normalement, il faudrait des jumelles pour en être sûr, mais Vlassopoulos a un œil d'aigle. Nous laissons la voiture sur le chemin et continuons à pied.

C'est une ferme traditionnelle, comme on en voit encore beaucoup dans la campagne de l'Attique. Les murs sont d'un blanc sale, signe qu'on ne les a pas chaulés depuis des dizaines d'années. Devant, un petit jardin planté, dernier vestige peut-être des jardins du père.

En approchant, nous voyons un homme sans âge, assis dans un vieux fauteuil en osier, sous un auvent bricolé avec des planches. Il porte un jean délavé, une chemise à carreaux et des bretelles. Nous voyant approcher, il ne bouge pas d'un pouce.

– Stefanos Varoulkos ?

– Et alors ?

– Commissaire Charitos.

– Tu es venu pour rien, ce n'est pas moi qui l'ai tué, dit-il aussitôt.

– Qui ça ?

– Zissimopoulos. Ce n'est pas moi.

– Personne n'a dit que c'était toi.

– C'est lui qui m'a tué.

Il prend l'air songeur, hausse les épaules.

– Tant pis, c'est bien ainsi. J'ai sauvé la maison paternelle, gardé un bout de jardin pour manger. De quoi d'autre ai-je besoin ? Si ma femme n'était pas morte en plus… C'est la seule chose qui me fait mal.

– Tu n'as pas d'enfants ?

– Non.

Il part dans un long rire étouffé.

– Quand j'ai eu tout perdu, les autres continuaient de se faire du fric et moi j'étais le raté. Maintenant que les autres s'arrachent les cheveux à cause de la crise, moi je n'ai plus rien à perdre et je me marre.

Il n'y a pas d'autre chaise et je reste debout sous l'auvent pour ne pas être cuit par le soleil.

– Je suis venu te voir parce qu'on m'a dit que tu connaissais bien Zissimopoulos.

– Moi, connaître Zissimopoulos ?

Même rire étouffé.

– Si je l'avais bien connu, je me serais méfié, je ne l'aurais pas laissé me ruiner.

Il retrouve son sérieux.

– Tu sais que c'est moi qui ai coulé le béton de sa maison ? On s'est connus comme ça. Il passait de temps en temps jeter un œil aux travaux et me disait « bravo, c'est du bon boulot ». C'est alors que ce grand terrain s'est présenté et j'ai eu l'idée de demander un prêt à la Banque centrale, puisque je connaissais le gouverneur. Il a dit oui sans discuter. Comment l'affaire a capoté, on a dû te le dire, je ne vais pas recommencer. Je lui ai demandé un deuxième prêt. Il n'a pas dit non, mais en précisant qu'il n'y en aurait pas d'autre. Et il a tenu parole. Non seulement il m'a refusé le suivant, mais il m'a fermé toutes les portes des autres banques. Pour finir, il m'a tout pris. Des relations à moi sont intervenues et lui ont demandé de ne pas m'enlever la maison de famille, que tu vois là. Il me l'a laissée pour aller se vanter partout de sa bonté. Moins d'un an plus tard, nous avons pris tous deux notre retraite. Lui plein aux as, moi sans rien.

Il me lance un regard songeur.

– Zissimopoulos était un bon client. Il ne marchandait jamais, payait toujours à l'heure. Mais quand toi tu ne respectais pas le deal, il était sans pitié.

Je regarde ce Varoulkos assis en face de moi dans son fauteuil. Ce type, tuer trois personnes à l'épée ? Impossible. Mais il a pu imprimer les affiches et envoyer l'annonce. Dans ce cas, nous aurions affaire à deux personnes au moins. L'une tue, l'autre se charge de frapper les banques. Voilà le scénario le plus probable.

– Je peux jeter un œil à la maison ?

– Pourquoi, tu cherches l'épée ?

– Ce n'est pas chez toi que j'irais la chercher.

Il hausse les épaules.

– Cherche autant que tu veux. Inutile que je t'accompagne. Il y a deux pièces, tu auras fait le tour en cinq minutes.

Vlassopoulos et moi entrons dans la maison. En effet, il n'y a qu'un séjour et une chambre. Dans le séjour, une table et un fauteuil en osier, jumeau de l'autre, en face d'une télévision Grundig en noir et blanc posée sur une chaise. Dans la chambre, je trouve un lit à deux places et une armoire en plastique avec fermeture éclair. Dedans, deux pantalons suspendus, des chemises, un blouson. Les sous-vêtements, les chaussettes et deux pulls sont rangés au bas de l'armoire. Dans la cuisine, une casserole sur une gazinière à deux feux et un vieux frigo. La télévision et le frigo doivent sortir de chez un brocanteur.

Je ne vois nulle part d'ordinateur ou d'imprimante. S'il avait des enfants, je pourrais imaginer qu'il utilise le matériel de l'un d'eux. Mais il n'en a pas. Donc, je le vois mal imprimer les affiches.

Visite bouclée en cinq minutes. Il a vu juste. Nous ressortons.

– Je te remercie pour les renseignements, lui dis-je.

Cette fois son regard exprime la curiosité.

– Qu'est-ce que tu cherchais ? Tu peux me dire ?

Au fond, je ne risque rien en lui parlant. Parfois les idées vous viennent d'où on ne les attend pas.

– Je cherche quelqu'un qui a imprimé des affiches et incité les gens à ne pas payer leurs dettes aux banques. Celui qui l'a fait avait besoin d'un ordinateur et d'une imprimante.

De nouveau le rire étouffé.

– J'ai une tête à avoir ça chez moi ? Et puis qu'est-ce que ça peut me foutre si les autres paient ou non ? Moi, de toute façon, je n'ai pas payé.

Il reprend brusquement son sérieux et me dit sèchement :

– Allez, salut. Laissez-moi tranquille.

– Ce type me rappelle quelque chose, mais quoi ? dit Vlassopoulos une fois dans la voiture.

– Un parent à toi ? Un ancien camarade de classe ?

– Non, autre chose, mais je ne me souviens pas.

Il cherche encore un peu, puis abandonne.

– Allez, ça finira bien par me revenir.

30

Quand notre programme est sans cesse contrarié, cela veut dire que les choses nous échappent et poursuivent leur chemin toutes seules. Je suis prêt à faire une pause et rendre visite à Zissis, car parler avec lui bien souvent m'éclaircit les idées.

Mais Koula gâche tout.

– Nous avons de la visite, il vous attend.

– Qui ça ?

– Une personnalité étrangère, et elle éclate de rire.

Voilà qui ne me plaît pas du tout. Est-ce une réapparition des Anglais ? Je remets ma visite à Zissis et monte au cinquième.

– Monsieur Charitos, je suis au courant, me lance Koula tandis que je passe devant elle. Vous ne pouvez pas savoir combien je suis heureuse.

Je la taquine :

– C'est ça qui te met d'humeur à plaisanter ?

– Il faut bien rire. Je n'en peux plus de cette routine.

Dans le bureau de Guikas je ne trouve pas les Anglais, mais un grand type en costume, aux cheveux très roux : Ruud Sifel, chargé d'affaires de l'ambassade des Pays-Bas.

– M. Sifel, commence Guikas, est venu prendre des nouvelles de l'enquête sur l'assassinat d'Henrik De Mor.

– Je voudrais aussi savoir quand nous pouvons emmener le mort, ajoute Sifel.

Je m'étonne de ce qu'il me parle en grec, mais je m'aperçois tout de suite qu'il le parle bien. Il a un fort accent, bute parfois sur des mots, mais dans l'ensemble il se fait très bien comprendre.

– Maintenant, dis-je. L'autopsie est terminée.

– Et où en sont les... enquêtes ?

Il cherchait sûrement le mot « recherches ».

Guikas répète pour lui la ligne officielle. Nous n'abandonnons pas la piste terroriste, mais entre-temps l'affaire des affiches nous oblige à en explorer une autre. Nous ne savons pas encore laquelle est la bonne, à moins qu'elles ne soient liées.

– Europol devrait peut-être vous envoyer une troïka... dit Sifel. Bon, je plaisante.

Son air supérieur permet d'en douter.

Guikas rougit, mais garde son sang-froid.

– La police grecque s'est bien défendue face aux organisations terroristes. Jusqu'à présent nous en avons démantelé deux, comme vous le savez.

– Écoutez, depuis l'arrivée de la Troïka, la Grèce a fait des *reforms* qu'elle n'avait jamais faites, dit Sifel à présent sérieux. Je me dis qu'une troïka de la police européenne vous aiderait à travailler de façon plus rapide.

– La police grecque, répond Guikas, collabore avec toutes les polices d'Europe.

– Elle collabore aussi avec la Commission européenne, mais lui a donné des chiffres faux.

Je tire mon chapeau à Guikas : il bouillonne, mais n'élève pas la voix.

– La Troïka, répond-il froidement, qu'elle soit économique ou policière, c'est l'affaire du gouvernement, monsieur Sifel. Si vous voulez proposer une troïka policière, il faudra vous adresser au ministre. Cela mis à part, respectez l'effort actuel du peuple grec.

– Un très gros effort, vraiment. Je me demande cependant ce qui arrivera quand la Troïka sera partie. Vous allez recommencer comme avant ?

La Troïka ne s'en ira pas, me dis-je, tu n'as qu'à demander à Vlassopoulos.

Sifel se lève.

– Je vous remercie pour votre aide. Où dois-je m'adresser pour récupérer le corps ?

– Au Service médico-légal, répond Guikas, très sec, sans autres précisions.

Nous nous serrons la main en silence et Sifel nous quitte.

– Tu l'as entendu ? dit Guikas. La Troïka ne lui suffit pas, il veut mettre la police grecque sous tutelle !

Il soupire.

– Il faut se grouiller. D'un côté, Robin des banques, de l'autre, les étrangers, qui cherchent des occasions de nous montrer leur estime… Il est temps d'en finir.

– On a perdu beaucoup de temps.

– Je sais, mais ça, tu ne peux le dire ni au ministre ni au chef de la police. Dès demain, au contraire, nous les aurons dans nos pattes, le second surtout, qui n'admettra pas facilement s'être planté concernant le Sud-Africain.

Il est six heures passées quand je pars, direction la maison de Zissis à Nea Philadelphia. Tout en roulant, je me dis qu'après la fausse piste Varoulkos à Koropi il faudra dès demain se tourner vers ceux que les banques ont virés.

À six heures et demie, la circulation vers le terminus de Patission ne pose pas trop de problèmes. Je trouve Zissis assis sur la terrasse de sa villa surélevée, en train de boire son café. La cour et les fleurs en pots ont été arrosées. Il me regarde entrer dans la cour et monter les marches, mais sans le moindre geste pour m'accueillir. Il attend que j'arrive devant son fauteuil de toile et que je lui présente mes respects.

Tu avais disparu, me lance-t-il.

– Trop de boulot. Tu sais bien.

– Tu veux du café ?

Il n'attend pas la réponse, sachant que je ne refuse jamais un café maison, et se lève pour aller le préparer.

Il revient bientôt avec, sur un petit plateau, le café accompagné d'un peu de coing confit. Il sert toujours le café avec une friandise, comme le lui a appris sa mère, réfugiée d'Asie Mineure.

– Comment tu t'en tires ?

Ma question fait allusion à la diminution de sa retraite. Il a compris et hausse les épaules avec indifférence.

– Je te l'ai dit au téléphone. Moi, je me débrouille avec deux cents euros par mois.

– Oui, mais en même temps tu voulais embrasser celui qui tue les banquiers.

– Surtout à cause du dernier. Celui-là, j'étais fou de rage.

– Pourquoi lui surtout ?

– Ce salopard a dit qu'il n'y avait pas de société ! Tu sais ce que ça représente, passer sa vie en prison, en déportation, en tortures, parce que tu veux changer la société, et entendre ce type te dire que ce que tu veux changer n'existe pas ? Ça te fout tout par terre. Quand il l'a dit, j'ai voulu le tuer, vraiment.

– En tout cas, tu as visé juste. Comment as-tu deviné qu'on allait le tuer ?

Il prend son air malin, comme à chaque fois qu'il veut me mettre en boîte.

– Tu crois que je suis dans le coup, tu veux me tirer les vers du nez ?

– Lambros, tu sais que j'ai confiance en toi. Pourquoi crois-tu que j'ai toujours des arrière-pensées de flic ?

– J'aime te faire marcher, c'est tout. Pour le banquier, je me suis dit simplement : il a m'a rendu fou de rage, d'autres vont éprouver la même chose. Et à partir du moment où quelqu'un se balade en liberté pour liquider ce genre de types, il ne devrait pas rater celui-là. Quel que soit l'assassin, il agit pour qu'on lui dise bravo.

Heureusement qu'il n'a pas entendu le chargé d'affaires hollandais. C'est lui qu'il voudrait tuer en priorité.

– Tu crois que c'est un terroriste ?

– Vous avez ouvert un cloaque, vous autres, et vous y jetez tout le monde en les appelant terroristes. Les terroristes tuent car ils pensent pouvoir ainsi changer le monde. Ils sont les victimes de Che Guevara. C'est toujours pareil. Quelqu'un commence plein de bonnes intentions, puis d'autres arrivent qui foutent la merde. C'est ce qui s'est passé avec Guevara et les terroristes, et aussi avec nous qui voulions apporter le socialisme, tu as vu le résultat.

Il prend l'air songeur.

– Mais l'assassin que vous cherchez n'est pas un terroriste. C'est quelqu'un qui a morflé et qui veut se venger. Même si les affiches sont une sorte de tract.

– Qu'est-ce qui te fait dire ça ?

– Ça ne lui suffit pas de tuer le grand capital. Il veut soulever les gens contre les banques. Ça me rappelle les premiers tracts des terroristes. Ils voulaient soulever les gens contre leurs oppresseurs.

– Cette fois nous sommes d'accord, dis-je en souriant.

– Erreur. Moi, je suis avec l'assassin.

Il a de nouveau son air malin. Et il change soudain de sujet :

– J'ai appris que Katérina va s'occuper des immigrés. Bravo.

Toujours le même. Il ne dit pas « Katérina m'a dit », mais « j'ai appris », craignant que je ne sois fâché de ce que ma fille et lui soient en contact. Mais je sais bien qu'elle lui dit tout, lui demande toujours conseil, et cela ne me gêne en rien, au contraire : je crois qu'il lui fait du bien en lui disant ce que je ne peux ou ne sais pas lui dire.

– Dans tout ce que j'ai fait, je me suis toujours planté,

dit Zissis. Sauf avec ta fille. Dès la première rencontre, quand tu me l'as amenée et que tu nous as laissés seuls, j'ai compris que cette fille-là allait tout faire bien.

Je me souviens des doutes de Katérina, quand elle pensait que je pratiquais la torture, et que je l'ai amenée à Zissis pour lui expliquer ce que c'est, la torture. Après leur discussion elle est venue me voir, dans la pâtisserie où je les attendais, et j'ai compris qu'elle avait trouvé son mentor.

– Même son mari, elle l'a bien choisi, poursuit Zissis.

– Merci, Lambros, lui dis-je sincèrement.

– Pourquoi merci ? C'est toi qui l'as choisi ?

– Non, bien sûr. Au début, je peux même dire que je le voyais d'un mauvais œil.

De retour chez moi, à huit heures passées, je trouve Adriani assise à son poste de vigie, devant la télévision. Dès qu'elle entend claquer la porte elle crie :

– Ils l'ont libéré !

– Qui ça ?

– Le Noir que vous aviez arrêté, qui avait soi-disant tué les banquiers. Viens voir.

Je m'assois à côté d'elle et tombe sur la déclaration du chef de la police :

– Puisqu'un nouveau meurtre a suivi l'arrestation du suspect, et comme il se confirme que les trois meurtres ont été commis de la même façon, nous sommes obligés de lever la détention préventive d'Okamba. Cependant, le procureur lui a imposé une interdiction de sortie du territoire, jusqu'à ce que les trois crimes soient pleinement élucidés.

– Ce qui veut dire que le Sud-Africain reste suspect ? demande un journaliste inconnu de moi.

– Oui, le temps que le vrai coupable soit arrêté.

– Mais comment est-ce possible ? s'exclame Sotiropoulos. Désolé, monsieur Arvanitopoulos, mais c'est vous-même qui le dites, le rapport d'autopsie est formel : les trois crimes ont été commis par la même personne ! Comment Okamba peut-il donc être soupçonné, puisqu'au moment du troisième crime il était incarcéré ?

– Coincé, ton patron, commente Adriani.

C'est là le jeu préféré de Sotiropoulos : harceler son interlocuteur et le pousser à se contredire. Il m'a fait le coup à moi aussi au début, avant de me laisser tranquille, soit parce que nos relations ont changé, soit parce que je le connais et ne me laisse plus entraîner.

– Nous étudions tous les scénarios possibles, monsieur Sotiropoulos, répond le chef de la police. Pour l'instant, il est prématuré de tirer des conclusions sûres.

L'image s'efface et la présentatrice apparaît.

– C'était la déclaration du chef de la police, chers téléspectateurs. À vous de tirer vos conclusions.

– La mienne, en tout cas, intervient le commentateur, c'est qu'ils sont dans le brouillard.

– Visiblement, ils se voyaient proches du but et se retrouvent soudain au début.

L'image nous emmène devant la prison de Korydallos. La petite porte s'ouvre sur Okamba et son avocat Leonidis. Okamba s'avance, fier et droit, comme à chaque fois que je l'ai vu. Les journalistes l'assaillent, mais c'est Leonidis qui parle.

– Je n'avais pas le moindre doute quant à l'innocence de mon client, déclare-t-il. Et je considère comme injuste l'interdiction de sortie du territoire. Bill Okamba n'est aucunement lié à ces crimes qui préoccupent la justice et l'opinion publique. Nous sommes tout disposés à aider la police à faire son travail – pourvu qu'elle travaille avec discernement.

Ayant lâché son venin, il entraîne Okamba vers la voiture qui les attend. Au volant, Nick Zissimopoulos.

31

Sur mon bureau, la photocopie du rapport de la Coordination and Investment Bank. Assise devant moi, Koula. Le rapport occupe dix pages d'une typographie fine et serrée sur papier blanc sans en-tête. Je le garde pour plus tard et appelle mes deux adjoints. La présence de Koula les surprend, et si l'un d'eux se fend d'un « salut Koula », l'autre se borne à un « salut » très sec.

– À partir d'aujourd'hui Koula fait partie de l'équipe. Ordre de Guikas, vu que le poids de l'enquête sur les décapitations nous tombe dessus.

Je les interroge du regard. Aucun des deux ne nage dans le bonheur.

– Et voici mon ordre à moi : considérez Koula comme votre égale. Elle n'est pas venue faire de l'archivage, c'est bien clair ? Je le dis en sa présence, qu'elle sache que ma porte lui est ouverte si vous lui mettez des bâtons dans les roues.

Dermitzakis juge nécessaire de jouer les offensés :

– À vous entendre, on croirait que nous sommes de gros machos.

– Je n'ai pas dit ça. Mais je sais que dans tous les services on confie les corvées au nouveau venu pour lui apprendre à vivre. Seulement, nous autres, nous travaillons tous ensemble, et nous devons travailler vite, parce que là, ça chauffe !

Sur ce point ils n'ont rien à répondre et je poursuis.

– Koula, pour l'instant tu continues d'éplucher la liste des entrepreneurs victimes de saisies. Vlassopoulos, où en sommes-nous avec les employés licenciés ?

– J'en ai repéré quatre. L'un d'eux travaille dans une entreprise de Bahreïn. Un autre a émigré en Amérique latine. Sur les deux restants, l'un, Miniatis, est devenu concessionnaire automobile sur l'avenue Syggrou. Le dernier s'appelle Batis et a ouvert une agence de voyages.

– On va commencer par le vendeur de bagnoles, dès que j'aurai jeté un œil au rapport de la banque.

Tous trois s'en vont et j'ouvre le rapport, mais mon anglais ne me permet pas de saisir les termes économiques, que j'ignore de toute façon dans ma langue. Au bout d'un quart d'heure, ayant la tête qui tourne, j'appelle Tsolakis sur son portable.

– Vous êtes sorti de l'hôpital ?

– Oui, en attendant d'y retourner, dit-il en riant.

– Je voudrais vous envoyer le rapport de la Coordination and Investment Bank pour que vous y jetiez un coup d'œil. Et si ça ne vous ennuie pas, je passerai demain pour qu'on en discute.

– Je le lis et je vous attends.

Je suis sur le point d'appeler Dermitzakis pour qu'il envoie le rapport, quand le téléphone sonne.

– Commissaire Charitos ?

– Lui-même.

– Commissaire Kliopas, du poste de police de Keratsini. Robin des banques a encore frappé, monsieur le commissaire.

– De nouvelles affiches ?

Nous l'attendions au centre, me dis-je, et le voilà en banlieue.

– Non, pas d'affiches. Des autocollants.

– Des autocollants ?

– Parfaitement. Le Pirée en est plein. Ils en ont mis partout : les poteaux électriques, les vitrines, les banques, les portes d'immeubles, partout. Le bon côté, c'est que cette fois il a fait court. Le mauvais, c'est que les autocollants ne se décollent pas. Il faut les gratter un à un.

– Et qu'est-ce que ça dit ?

– Les banques ont reçu vingt-cinq milliards de plus. Pris sur vos impôts. Ne les payez pas en plus de votre poche.

Il est malin, Robin des banques. Et efficace. L'autocollant fera plus de dégâts encore que l'affiche. Car si l'on dit au Grec qu'il a déjà donné vingt-cinq milliards aux banques, il va se dire, ça va comme ça, ils m'ont assez plumé.

– N'essayez pas de les gratter, dis-je à Kliopas. Je vous envoie deux hommes pour que vous les leur montriez.

– Pas besoin. On tombe dessus partout.

Je raccroche et appelle mon trio, que je mets au parfum. Je dis à Vlassopoulos d'envoyer le rapport de la banque à Tsolakis puis de filer au Pirée avec Dermitzakis.

– Futé, le bonhomme, dit Koula.

– Pourquoi tu dis ça ?

– Il a compris qu'une deuxième affiche raterait son coup et a trouvé une meilleure combine. Les autocollants se collent plus facilement et se décollent plus difficilement.

– Emmenez avec vous un photographe de l'Identité judiciaire pour prendre quelques clichés. Et ne revenez pas sans avoir trouvé qui a collé tout ça.

Je pars, accompagné de Koula, voir le concessionnaire. Au lieu d'une voiture de la police, je préfère prendre la mienne, pour ne pas faire fuir la clientèle de Miniatis.

L'avenue Syggrou est un peu encombrée d'abord, puis cela se dégage. Le magasin de Miniatis est situé avant l'embranchement vers Nea Smyrni. Sous une enseigne en plexiglas, la vitrine expose trois nouveaux modèles. De quelle marque, je l'ignore, cela ne m'intéresse pas.

Nous demandons le patron à l'un des deux vendeurs et il nous montre un entresol vitré donnant sur le magasin. Dans l'un des deux bureaux, j'aperçois un quinquagénaire, et dans l'autre une jeune femme. C'est la secrétaire, à qui le chewing-gum qu'elle mâche donne l'air bovin. Nous nous annonçons et Miniatis nous reçoit aussitôt, le regard soupçonneux.

– Si vous étiez le fisc, dit-il, je dirais que je ne vous dois rien. Si vous étiez la sécu, même chose. Si j'avais embouti quelqu'un en voiture, c'est la police de la route qui viendrait. Mais qu'ai-je donc fait pour avoir affaire à vous ?

– Monsieur Miniatis, dis-je, nous aimerions des renseignements sur ce qui a motivé votre renvoi de la banque.

Il me regarde en silence un instant.

– Vous voulez dire que j'ai été accusé de corruption, précise-t-il presque naturellement, comme s'il s'agissait d'un tiers.

– Si vous préférez, disons-le ainsi.

– Oui, mais j'ai été innocenté triomphalement.

– Alors pourquoi la banque vous a-t-elle licencié ?

Il rit.

– Le licenciement est immédiat, alors que la décision de justice prend au moins cinq ans. Après mon acquittement, la banque m'a proposé de revenir, mais entre-temps j'avais ouvert mon magasin et j'ai refusé.

Nous voyant dubitatifs, il appelle la secrétaire :

– Marianna, apporte-moi le dossier des banques.

La secrétaire va prendre le dossier sur une étagère.

– Venez voir, monsieur le commissaire, dit-il.

Je m'approche.

– Toutes les transactions se font avec la Banque ionienne de crédit, celle qui m'a licencié. Connaissez-vous une banque au monde qui accorderait un prêt à une personne qu'elle a licenciée car elle l'accuse de malversations ?

Évidemment, son ancien supérieur, Galakteros, nous avait dit lors d'une interview qu'ils accorderaient un prêt à un orang-outang, mais cela n'annule pas son argument.

– J'ai été victime d'une calomnie, poursuit Miniatis.

L'un des clients les plus encombrants, de ceux qu'on trouve dans toutes les banques, a demandé un prêt alors qu'il en avait déjà un autre qu'il n'arrivait pas à rembourser. Il a eu l'idée lumineuse de nous dire : « Donnez-moi un prêt pour que je rembourse l'autre et qu'il me reste un peu d'argent. » Ce qui revenait pour nous à effacer le premier prêt et nous charger d'un autre plus conséquent. J'ai refusé, bien sûr. De désespoir, il m'a accusé de corruption, pensant que la banque lui accorderait le prêt pour le faire taire. Mais la banque m'a licencié, c'était plus simple, et l'a envoyé paître. Moi, je l'ai attaqué en diffamation, j'ai gagné, il a tout perdu et se trouve aujourd'hui en prison.

– Excusez-moi, intervient Koula, mais pourquoi n'avez-vous pas demandé à l'Union des banques de rayer votre nom de la liste des employés licenciés par les banques pour escroquerie ?

Miniatis est stupéfait.

– Ils ne l'ont pas encore rayé, trois ans après ?

– Non, c'est comme ça que nous vous avons trouvé.

D'abord désorienté, il décide de donner un sens à l'affaire.

– Quand on parle de privatisations dans les journaux, je ne sais pas si je dois rire ou pleurer, monsieur le commissaire. On dit que le secteur public en Grèce est en pleine décomposition, et qu'il faut donc s'adresser au privé. C'est des blagues. Le secteur privé ne vaut pas mieux que le public. C'est du pareil au même. Je suis passé par une banque, alors je sais.

– Nous pourrions prendre avec nous votre ordinateur et votre imprimante ? dis-je.

Nouvelle stupéfaction.

– Pour en faire quoi ?

– On voudrait voir quelque chose.

– Mais sans mon ordinateur, je suis perdu ! J'ai tout dedans, la liste des clients, les prix, la liste des importateurs… Sans lui, je n'existe plus.

– Je peux y jeter un coup d'œil ? demande Koula.

– Allez-y.

Koula passe dans le bureau de la secrétaire où se trouve le matériel, jette un bref coup d'œil à l'imprimante, puis à l'ordinateur.

– Vous avez un ordinateur chez vous ? demande-t-elle à Miniatis.

– Oui, un portable Toshiba. Je m'en sers quand je travaille à la maison.

– Très bien. Ce n'est pas la peine de l'emporter, monsieur, me dit-elle.

Je n'insiste pas. Koula s'y connaît en ordinateurs, elle a ses raisons. Miniatis nous salue, de plus en plus perplexe.

– Tu peux m'expliquer ? dis-je à Koula une fois dans la voiture.

– Les affiches ont été composées sur Mac et Miniatis a un PC, dit-elle, sûre que je comprends, alors que je suis nul. Mais de toute façon, emporter tout ça ne servirait à rien.

– Pourquoi ?

– Parce qu'il s'agit de programmes simples qu'on trouve sur toutes les machines. Robin des banques s'est servi d'une imprimante Hewlett Packard, comme il y en a partout, dans les entreprises ou chez les particuliers, par millions. Donc, il est pratiquement impossible d'identifier le coupable. La seule solution serait de retrouver le fichier, mais je suis sûre qu'il n'existe plus.

– Pourquoi ?

– Après avoir composé puis imprimé l'affiche et l'autocollant, il a détruit le fichier. Pas si fou !

Après Varoulkos, Miniatis : nous nous sommes plantés deux fois. Retour au bureau par le même chemin. Je suis à peine assis quand Dermitzakis se pointe. Je lui demande :

– Vous y voyez plus clair ?

Sans un mot, il étale devant moi une série de photos. Puis il sort de sa poche un autocollant qu'il me tend. C'est exactement le texte dont Kliopas m'avait parlé. « Les banques ont reçu vingt-cinq milliards de plus. Pris sur vos impôts. Ne les payez pas en plus de votre poche. » Les photos montrent, comme l'a dit Kliopas, les autocollants collés partout.

– Appelle-moi Koula, dis-je à Dermitzakis.

Il s'apprête à répondre, mais se retient. Il sort et revient aussitôt, suivi de Koula.

– Dis-moi, Koula, que penses-tu de cet autocollant ?

Elle lui jette un coup d'œil et hausse les épaules.

– À première vue il sort de la même imprimante, mais là c'est du corps 14 en gras. Bon, et alors ? Comme je vous l'ai dit, ce genre d'imprimante se trouve partout. Est-ce la même ou une autre, je ne peux pas le savoir.

Je me tourne vers Dermitzakis :

– Vous avez retrouvé les colleurs ?

– Ils sont là. Je vous les amène ?

– Drôle de question.

– Surprise !

C'est la voix de Vlassopoulos, tandis qu'il ouvre la porte et fait entrer triomphalement trois gamins entre treize et quinze ans. Je n'en reviens pas.

– Ce sont eux les colleurs ?

– Eux et trois autres que nous n'avons pas retrouvés.

– Vous avez prévenu les familles ?

– Bien sûr. Les mamans voulaient venir avec nous, mais on leur a dit qu'elles n'avaient aucune raison de s'inquiéter. Nous voulons seulement quelques précisions et ensuite nous les raccompagnerons en voiture.

Les trois jeunes sont dans leurs petits souliers. Je les tranquillise :

– N'ayez pas peur. Je vous pose deux ou trois questions et puis je vous laisse repartir. Qui vous a donné les autocollants ?

On les sent prêts à tirer au sort pour savoir qui va parler. Enfin, le plus âgé se lance.

– Un monsieur.
– Quel genre ? Jeune ou vieux ?
– Vieux, dit le numéro 2 de la bande.
– Plus vieux que mon père, complète le troisième.
– Grand ou petit ?
– Moyen, répond le premier. Comme mon oncle Yannis, le frère de mon père. Il fait un mètre soixante-dix.
– Vous vous souvenez de ses vêtements ?
Ils échangent des regards.
– Ses vêtements ? Une chemise et un pantalon, dit l'un d'eux comme si cela allait de soi.
– De quelle couleur ?
Regards embarrassés.
– On ne sait pas, on n'a pas remarqué.
– Pas grave. À quelle heure est-il venu ? Vous vous souvenez ?
Cette fois ils savent répondre, tout heureux.
– Ben oui. Peu après six heures. À six heures on a décidé d'aller jouer au foot.
– Et le collage, c'était à quelle heure ?
– Il nous a donné cinq euros chacun, nous a dit de coller à la nuit tombée, et de faire gaffe de pas nous faire piquer.
– Et de coller si possible sur des vitrines, pour que ça colle mieux.
– C'était marrant, dit le troisième. Nous deux on guettait aux deux bouts de la rue et les autres collaient. On en a mis partout dans le Pirée, conclut-il fièrement.
– C'est bon, les gars. Ce sera tout. On va vous raccompagner en voiture.
– Super, dit l'aîné, qui entre-temps s'est enhardi.
Si l'on en juge par ses deux premiers exploits, Robin des banques est un malin. Il a d'abord trouvé des Noirs, puis des enfants. Les premiers ne pouvaient pas lire les textes. Les seconds, même en les lisant, n'auraient rien compris. Une seule différence : la première fois, c'est un Noir qui

a pris les contacts, et la seconde fois un Blanc. Robin en personne ? À la réflexion, c'est peu probable. Dans ce cas il serait intervenu la première fois aussi. Il trouve à tous les coups quelqu'un d'autre, ce ne doit pas être difficile : il y a sûrement plein de gens tout prêts à se payer les banques.

L'appel de Guikas m'arrache à mes pensées.

– C'est quoi, cette histoire d'autocollant ? Stavridis hurlait au téléphone.

Je lui résume la situation.

– Il faut en finir avec cette affaire, dit-il, sinon ça va virer au cauchemar.

– Je sais bien, mais vous croyez que c'est facile de trouver parmi les cinq millions et demi d'habitants de l'Attique un type qui engage des Noirs et des gamins pour coller ses messages ? Tous les chemins que nous avons suivis jusqu'à présent sont des impasses.

– Des gamins ?

– Eh oui.

Il met un certain temps à encaisser.

– Avec les meurtres, c'est pareil, on n'avance pas.

– À mon avis, on avancera quand on aura trouvé ce Robin des banques.

– Prépare-toi pour des visites demain.

– Quelqu'un est annoncé ?

– C'est mon petit doigt qui me l'annonce.

Et il raccroche.

32

– Papa, on verra ensemble la finale du Mondial demain soir ? m'a demandé Katérina hier.

Elle n'a qu'un défaut : être une fan de football, comme Phanis. Le dimanche ils ne sortent pas de chez eux, mais regardent à la télévision des matchs venus des quatre coins du monde. J'avais découvert leur péché mignon en 2004, leur premier voyage en couple les ayant menés à Lisbonne pour assister à la finale de l'Euro entre la Grèce et le Portugal. Quant à moi, ce sport me laisse froid, mais je veux faire plaisir à ma fille.

– Venez chez nous, a lancé Adriani, je vous ferai un bon petit plat.

Phanis l'a coupée dans son élan :

– Oublie, Adriani. On mangera des brochettes.

– Mais qu'est-ce que tu racontes, mon petit Phanis ?

– Pour nous, tous les grands événements nationaux sont accompagnés de brochettes. Rappelle-toi celles qu'on a mangées le soir de la chute des Colonels.

– Pareil pour les Jeux de 2004, confirme Katérina. Vous imaginez les tonnes de brochettes qu'on a mangées devant nos télés ?

– À Noël on mange la dinde et à Pâques on met l'agneau à la broche, mais l'accompagnement de nos grands succès nationaux, c'est les brochettes.

Finalement, nous avons décidé que les enfants viendraient

chez nous, mais qu'ils apporteraient les brochettes : Phanis dit savoir où se trouvent les meilleures d'Athènes. Moi qui suis nul en football, mais connaisseur en brochettes, *gourmet*, comme le dit aujourd'hui le moindre Grec, fauché mais doté d'un I-phone, je mangerai et jugerai.

– Nous sommes pour les Espagnols, évidemment, a déclaré Phanis comme si la chose allait de soi.

– Pourquoi ? me suis-je étonné.

– D'abord, tu conduis une voiture espagnole.

– Je ne l'ai pas choisie. Tu me l'as imposée.

– Mettons que c'était un mariage arrangé. Si ta fille s'était mariée sous ce régime, tu ne soutiendrais pas son mari ?

– Phanis, a lancé Katérina piquée, jamais je n'aurais fait un mariage pareil, ni avec toi ni avec un autre !

– Et pourtant, sans le savoir, tu l'as fait.

– Ça ne va pas la tête ?

– Écoute. Il sert à quoi, le mariage arrangé ? À donner à la fille un bon gars doté d'un métier régulier. Et toi, tu as trouvé quoi ? Un médecin. Donc, un bon gars, un métier régulier.

Katérina s'est tournée vers moi, hilare.

– Rien à faire avec celui-là.

Ce matin-là, dès mon arrivée au bureau, je comprends que la discussion de la veille ne restera pas isolée. Je tombe sur mes trois acolytes, deux hommes et une femme, embarqués dans un débat passionné.

– Que se passe-t-il, les enfants ?

– Rien, nous parlons de ce soir, répond Dermitzakis.

– Qu'est-ce qu'il y a ce soir ?

Je me souviens seulement que Katérina et Phanis vont venir dîner. Le Mondial s'est effacé.

Les trois restent sans voix.

– Ce soir, mais c'est la finale du Mondial, monsieur le commissaire ! me rappelle Koula.

– Et nous sommes tous Espagnols, bien sûr, précise Vlassopoulos, s'identifiant à Phanis.

– Pourquoi faut-il qu'on soit tous avec les Espagnols ?

– Enfin, monsieur le commissaire, proteste Koula violemment, le FMI ne doit pas gagner le Mondial ! Ils nous ont tout pris. Et ils voudraient le Mondial en plus !

– Ils taillent dans nos revenus, c'est vrai, Koula, mais ce sont aussi les seuls qui nous donnent des sous, maintenant qu'on nous a fermé toutes les portes.

– Je vais t'expliquer, monsieur le commissaire, dit Vlassopoulos, le plus âgé, qui sait que dans ce domaine je ne comprends rien. C'est comme les indics chez nous. Ils nous informent, et nous on ne les aime pas. Le FMI, c'est pareil. On prend l'argent qu'il nous donne, mais on ne l'aime pas. C'est pas plus compliqué.

– Et qui joue la finale ?

Oh le naïf ! l'idiot ! De nouveau ils me regardent comme un extraterrestre.

– Mais enfin, l'Espagne et les Pays-Bas ! répond Dermitzakis.

Eh oui, comment ne pas soutenir les Espagnols, lorsque depuis la veille le chargé d'affaires néerlandais vous reste sur l'estomac comme une pierre.

Je suis à peine entré dans mon bureau que le téléphone me surprend le croissant à la main. C'est Guikas.

– Qu'est-ce que je te disais hier ? Ils sont là.

Je comprends qu'il s'agit des banquiers et saute dans l'ascenseur vers le cinquième étage. Dans l'antichambre, je me trouve nez à nez avec une superbe brune en uniforme.

– Bonjour, monsieur le commissaire. Je suis Stella.

– D'où viens-tu ?

Sidéré, j'en oublie mes bonnes manières.

– De la Brigade des étrangers.

D'abord la mignonne Koula, et maintenant Stella prix de beauté. Je me demande si Guikas n'aurait pas la liste de toutes nos jolies fliquettes. À moins qu'il n'organise des concours de Miss Police derrière mon dos.

– Entrez, me dit Stella, monsieur le directeur vous attend.

Guikas est assis à sa table avec seulement deux des banquiers de la précédente réunion : Stavridis et Galakteros. Je me réjouis d'abord de ne devoir en affronter que deux, mais il va s'avérer bientôt que ces deux-là comptent pour quatre.

– Des autocollants ! s'écrie Stavridis au moment où j'entre. C'est encore pire que des affiches. Il en a collé même à l'entrée de nos agences. Vous savez ce que ça représente, un emprunteur qui passe à son agence pour payer sa mensualité, et qui lit « ne payez pas » ? Vous, monsieur le directeur, vous pouvez garder votre sang-froid, parce que vous n'avez pas encore vu les gens protester devant les banques. Vous considérez que les gens sont indifférents. Mais je vous signale que depuis le jour des affiches, le remboursement des prêts a chuté de quinze pour cent et le paiement par cartes de trente pour cent.

– Puisque vous n'avez pas encore arrêté le coupable, propose Stavridis, arrêtez du moins les colleurs pour faire peur aux autres.

– Arrêter qui ? dis-je. Les gamins de treize-quatorze ans ?

– Des gamins ? s'étonne Stavridis.

– Eh oui. Vous voulez qu'on enferme des gamins en maison de correction pour avoir collé des textes qu'ils ne comprenaient même pas ?

– Cela n'arrive que dans les États totalitaires, monsieur Stavridis, ajoute Guikas.

– Vous n'avez même pas arrêté les immigrés colleurs d'affiches.

– Le collage d'affiches n'est pas passible de prison.

– Vous avez réponse à tout, mais vous devez faire quelque chose. Nous autres, nous avons fait ce que vous nous demandiez. Vous avez reçu les listes le lendemain, mais moi, je ne vois pas de résultat.

Guikas se tourne vers moi.

– Nous examinons les noms un par un, mais jusqu'à présent nous sommes dans l'impasse. Dans un cas, nous avons même trouvé une erreur.

– Une erreur ? s'étonne Galakteros.

– Oui, à propos d'un certain Miniatis, qui vend des voitures avenue Syggrou. Son nom est encore sur la liste, alors que la justice l'a innocenté.

– On n'a pas rayé son nom, comment se fait-il ? demande Stavridis.

– Je vais me renseigner, dit Galakteros, l'air penaud.

Et comme l'air penaud lui va mal, il passe aussitôt à la contre-attaque :

– Nous vous l'avons déjà dit la dernière fois, monsieur le directeur, dit-il à Guikas. Les banques sont obligées de se défendre. Il est impensable qu'on tue leurs dirigeants, qu'on ne rembourse plus les prêts, et qu'elles restent les bras croisés. Dès demain, nous suspendons les prêts et les allocations, jusqu'à ce qu'on arrête ce Robin des banques. La décision est prise.

Guikas garde son sang-froid.

– Ce n'est pas moi qui vais vous dire comment faire votre métier, monsieur Galakteros. Mais si vous voulez mon avis, le remède pourrait être pire que le mal.

– Comment cela ? demande Stavridis.

– Voyant que vous les punissez, vos clients se diront « Robin des banques avait raison », et celui-ci, voyant qu'on lui donne raison, sera encouragé à continuer.

– Quelle solution proposez-vous ?

– Continuez comme si de rien n'était et patientez jusqu'à ce qu'on mette la main dessus. On y arrivera tôt ou tard.

– Tôt ou tard. Cela peut nous mener aux calendes grecques, commente Galakteros.

– Peut-être. Ou peut-être avant. Mais je ne vois pas d'autre solution.

– En d'autres termes, on a le choix entre Charybde et Scylla, commente Stavridis.

– Vous êtes dans une situation difficile et nous en sommes conscients, monsieur Stavridis. Mais ces affaires-là ne se règlent pas en un jour.

Comprenant qu'ils n'obtiendront pas de meilleure réponse, ils prennent congé. En bon maître de maison, Guikas les raccompagne jusqu'à la porte du bureau.

– Bravo pour la nouvelle secrétaire, lui dis-je, une fois seuls.

– Voyons comment elle se débrouille. En tout cas, il n'y a qu'une seule Koula.

Il la veut non seulement belle, mais efficace. On s'en doutait.

33

À court d'inspiration, je décide de rendre visite à ce Batis qui se trouvait sur la liste des licenciés et qui dirige maintenant une agence de voyages. Je voulais voir Tsolakis d'abord, pour qu'il me dise ce qu'il a trouvé dans le rapport de la Coordination and Investment Bank, mais il devait passer des examens et m'a prié de venir l'après-midi.

Je laisse mes adjoints éplucher les listes et pars seul. L'agence de Leonidas Batis s'appelle Endless Travels et se trouve dans la rue Nikis. La boutique est petite et ne se distingue en rien des autres agences qui pullulent dans Athènes. En vitrine, des publicités pour des compagnies aériennes et des voyages à prix cassés ; derrière, deux bureaux pour accueillir les clients et un troisième occupé par un quinquagénaire chauve. Je suppose qu'il s'agit de Batis, mais le lui demande pour être sûr. Oui, c'est lui.

Je me présente. Il me regarde, avec plus d'étonnement que d'inquiétude, puis me montre une chaise. Il a quelque chose d'apaisant. On dirait un de ces hommes qui accueillent les situations les plus difficiles avec sérénité.

– Je suis venu vous poser quelques questions.

Il n'est pas surpris. Au contraire, il sourit, l'air détendu.

– Dommage. Moi qui croyais que vous étiez intéressé par l'un de mes voyages organisés.

– Il ne s'agit pas de voyages. Nous avons trouvé votre

nom dans une liste de cadres licenciés par les banques pour avoir été accusés d'escroquerie.

– Oui, et alors ? dit-il sans perdre son sang-froid.

– J'aimerais que nous parlions un peu des conditions de votre licenciement.

Cette fois il se met à rire.

– Les raisons de mon licenciement vous sont totalement indifférentes. Ce qui vous intéresse, c'est ce Robin des banques, comme le surnomment les journalistes, qui colle des affiches et excite les gens. Je ne sais quel petit malin vous a mis dans la tête que ceux qui se sont fait virer pourraient avoir une dent contre les banques et fabriquer des affiches pour se venger. Vrai ou faux ?

Il s'exprime bien. Jusqu'à présent, il a le dessus. J'insiste :

– Restons-en à votre licenciement.

– Comme vous voudrez. Que savez-vous déjà ?

– On vous a accusé de corruption.

– En fait, j'ai simplement reçu un *cadeau* – c'est le terme consacré. Un bon client, entrepreneur connu, demandait un prêt accéléré. J'ai réussi à le lui obtenir. Une semaine plus tard, il m'a offert une voiture.

– Quel modèle ?

Cette fois, il est sérieux.

– Une Toyota Yaris. Vous pouvez vérifier si vous voulez : en principe, un tel service est payé dix pour cent de la somme. Quand il est venu un jour me donner les clés dans du papier cadeau, ma première réaction a été de refuser. Puis je me suis dit que mon fils venait d'avoir son bac, qu'il entrait au Polytechnio. Comment ne pas lui offrir une voiture ? La plupart de ses amis en recevaient une, il allait se sentir brimé. Sans compter que sans voiture il passerait des heures dans les transports pour aller en cours. Voilà, c'est tout. J'ai perdu mon poste à cause d'une Toyota Yaris.

– Et, ensuite, pourquoi le client a-t-il changé d'avis au point de vous dénoncer ?

– Je lui ai refusé un second service. Alors que d'après lui le cadeau faisait de moi son représentant à la banque. La voiture était à mon nom, mais il avait la facture avec le numéro du véhicule. Il a facilement prouvé que j'avais reçu un cadeau.

– Il a donc voulu se venger.

Batis me regarde comme si je plaisantais.

– Non, monsieur le commissaire. Chez les entrepreneurs de cette taille, la vengeance ne joue aucun rôle. Il l'a fait pour terroriser mon remplaçant, et il a réussi. Mon remplaçant lui rend tous les services possibles pour être tranquille. Quant à la question qui vous tourmente : suis-je ce Robin qui met le feu aux banques ? Je vous réponds tout de suite que je ne suis pas celui que vous cherchez. Cela ne m'est jamais venu à l'idée de me venger des banques. Il m'a paru bien plus simple de couper toute relation avec elles. Mon agence a un compte bancaire pour encaisser les chèques des clients. Mon compte personnel est à la poste. Je n'ai même pas une carte de crédit. Je pourrais développer mon affaire en contractant un emprunt, mais ce n'est pas la peine. Je suis content comme ça. Tout ce que je vous dis là, vous pouvez le vérifier facilement.

– Mais je préfère l'entendre d'abord de vous.

– Eh bien, je vais vous dire aussi que votre seul espoir d'arrêter Robin des banques, c'est le flagrant délit.

– Pourquoi dites-vous ça ?

Il sourit.

– La Grèce entière marche à l'emprunt. Prêts au logement, à la consommation, aux entreprises, prêts vacances ; les prêts sont le moteur qui fait tourner la machine. Les banques tiennent en otage plus de la moitié des Grecs. Et avec la crise la situation ne fait qu'empirer. Aucun otage n'est heureux de l'être. Il essaie d'abord de se libérer, mais quand il ne peut pas, il ne lui reste plus que la vengeance.

Coupable potentiel, donc, une bonne moitié du pays. Vous croyez qu'il sera facile à trouver ?

Je sais bien que non, et Batis m'aide à comprendre pourquoi toutes nos recherches mènent à une impasse. Quant à prendre Robin sur le fait, ce sera tout aussi difficile. Du moment qu'il y a des banques dans tous les coins du pays, l'homme peut frapper dans n'importe lequel d'entre eux, pas seulement dans Athènes.

Batis me voit songeur et ajoute comme pour m'encourager :

– Vous avez un autre espoir.

– Lequel ?

– Qu'il s'enhardisse et veuille briser les codes de sécurité des banques, pour entrer dans leur système et effacer les prêts. Dans ce cas, vous aurez affaire à un hacker, et il vous sera plus facile de trouver la source, à savoir l'ordinateur utilisé.

Là-dessus, Koula serait sans doute d'accord. Mais l'homme est intelligent, il sait se protéger. Donc je ne pense pas qu'il va oser. Et s'il le voulait il pourrait agir depuis l'étranger. Et là, on peut toujours courir.

Telles sont mes pensées sur le chemin du parking où j'ai laissé la Seat. Batis m'a sapé le moral. Je me tue à chercher une autre solution, mais mes réflexions se heurtent à un mur, comme mes recherches.

À cette heure de l'après-midi, le trajet de Syntagma jusqu'à Politia, où Tsolakis habite, a des allures de parcours du combattant. Sur l'avenue Kifissias on roule, mais dès l'embranchement vers Halandri ça se gâte.

J'arrive chez Tsoulakis au crépuscule. Je le trouve assis sur sa terrasse, son serviteur noir debout à côté de lui.

– Désolé, j'ai été pris dans un bouchon terrible.

– Ce n'est pas grave, répond-il en riant, vous me subissez un peu plus tard, c'est tout. *Rachid, will you bring us something refreshing to drink, please ?*

L'autre part sans un mot chercher les rafraîchissements. Nous restons silencieux jusqu'au retour de Rashid porteur d'une carafe d'orangeade et de deux verres qu'il remplit, comme toujours sans un mot. Tsolakis boit une gorgée, attend que je boive la mienne.

– Donc, dit-il enfin en souriant, vous êtes impatient de connaître le contenu du rapport de la Coordination and Investment Bank.

– Seulement s'il y a là quelque chose d'intéressant pour moi.

– Ça, je ne peux pas vous le garantir. Mais je peux vous dire que le rapport est tout à fait positif en ce qui concerne la Grèce.

– C'est-à-dire ?

– Le rapport soutient que les efforts du gouvernement grec à l'instigation du FMI et de la Communauté européenne auront des résultats et que la Grèce n'aura pas besoin de renégocier sa dette, c'est-à-dire de faire faillite.

– Un instant. Alors pourquoi l'agence de notation Wallace et Cheney a-t-elle classé les obligations grecques parmi les chiffons de papier, et pourquoi ai-je entendu à la télévision Henrik De Mor, celui de ses dirigeants qui s'est fait assassiner, être si réservé, non seulement vis-à-vis de la Grèce, mais de toute l'Europe ?

Tsolakis accueille mon ignorance avec indulgence.

– Il faut comprendre, monsieur Charitos, que les agences de notation accordent une grande importance aux données objectives. Ils conseillent de très gros investisseurs et doivent d'abord les convaincre qu'ils sont objectifs dans leurs notes.

– Objectifs, alors qu'ils soutiennent le contraire de ce que dit le rapport ?

– Ils ne soutiennent pas le contraire, car ils n'ont pas qu'un seul rapport. Supposons qu'un investisseur s'adresse à une agence de notation pour savoir quel risque il court en achetant des obligations de l'État grec. L'agence lui montre d'abord les rapports des grandes banques, de renommée mondiale. La banque Morgan Stanley affirme que la Grèce n'échappera pas à la renégociation de sa dette extérieure. Même son de cloche, par exemple, à la banque JP Morgan. La Deutsche Bank est plus sibylline que la Pythie. Pour finir, l'agence présente le rapport positif de la Coordination and Investment Bank, une petite banque insignifiante basée à Vaduz. Le client, naturellement, croit les grandes banques, et n'achète pas les obligations. C'est de la même façon que l'agence note la Grèce. Comme si je vous disais que vous pouvez choisir entre une Mercedes et une Suzuki. Vous choisiriez la Suzuki ?

Non, bien sûr. Mais ce qui me soulage dans cette affaire, c'est que si demain Stathakos devient directeur de la Sûreté et si moi je claque la porte, je pourrai au moins me recycler dans les affaires, avec tout ce que j'ai appris ces derniers jours.

– Vous pouvez me dire ce que De Mor faisait en Grèce ? Cela pourrait m'aider à comprendre pourquoi on l'a tué.

Tsolakis ne répond pas tout de suite.

– Je peux faire deux hypothèses. La première : il vérifiait les chiffres avec le ministère grec des Finances, pour compléter son appréciation.

– Et la seconde ?

– Il collectionnait des données pour jouer aux courses.

– Aux courses ?

Je répète, croyant n'avoir pas bien entendu.

– Pour parier, monsieur le commissaire. Il y a sur le marché en ce moment des gens qui parient des fortunes sur la probabilité d'une faillite de la Grèce. Si la Grèce ne fait pas faillite, ils perdront des sommes gigantesques. Tous ces gens parient en fonction des rapports des agences. Si elles ne donnent pas une image objective, si cela fait perdre de l'argent aux investisseurs, alors elles fermeront, car aucun d'entre eux ne leur fera plus confiance. Voilà pourquoi je vous ai parlé de paris sur les chevaux. Si un journal spécialisé fait de mauvais pronostics, les parieurs perdront leur argent et cesseront de lire ce journal. Vous comprenez l'importance d'une évaluation objective.

– Même si elle est fictive ?

– L'argent aussi est fictif. Il n'est pas déposé dans une caisse, il ne passe pas d'une banque à l'autre, il est invisible. L'objectivité fictive est au service de l'argent fictif. La seule réalité, c'est De Mor assassiné. Tout le reste est fictif.

– Si un jour de l'argent à investir me tombe du ciel, je viendrai vous voir.

– Ne croyez pas que je ferai du bon boulot. Ne confondons pas l'analyse et l'instinct de l'investisseur. Cet instinct, je ne suis pas sûr de l'avoir.

Je prends congé, il me salue cordialement.

– En tout cas, je suis un conseiller digne de foi, dit-il en riant.

Le retour est incroyablement facile : tout le monde est rentré pour suivre la finale du Mondial.

34

Adriani a mis une nappe en tissu sur la petite table du salon. On devrait normalement y trouver les verres en cristal et les couverts en argent – et non, comme aujourd'hui, rien qu'un plat et des brochettes dedans.

Les premières bouchées accompagnent les hymnes nationaux. Le match commence et le quatuor de spectateurs se divise en deux couples : les jeunes spécialistes passionnés et les deux nuls.

– Non, Iniesta, tu ne les passeras pas tous ! s'écrie Katérina. Ah, cette manie de dribbler…

– Il cherche un partenaire démarqué, explique Phanis.

– Xabi Alonso est à côté ! s'indigne Katérina. Il est aveugle ?

– Ce type à moustache assis au milieu des autres joueurs, on dirait qu'il dort, qui est-ce ? demande Adriani.

– Del Bosque, l'entraîneur espagnol, mais il ne dort pas, maman. C'est l'un des meilleurs entraîneurs du monde.

– En tout cas, il a l'air mollasson.

Je ne comprends pas cette passion de ma fille et de mon gendre. Je vois les Espagnols se repasser le ballon comme en famille, les Néerlandais qui les poursuivent, qui voudraient jouer eux aussi, mais pas moyen de récupérer le ballon. Pour le profane, le football a de l'intérêt quand les gardiens de but s'en mêlent avec leurs plongeons spectaculaires. Mais le ballon qui circule d'une paire de pieds à une autre, quel ennui. Apparemment je ne suis pas le seul à juger ainsi la partie : Phanis vient en renfort.

– Pas terrible, ce match, lance-t-il.

– Il ne faut pas s'attendre à des miracles dans ces cas-là, répond Katérina. Chacune des équipes essaie d'abord de ne pas prendre un but, et après d'en marquer.

– On ne gagne pas en marquant des buts ?

– Si, mais on perd quand l'autre en marque. Si on se découvre en essayant de marquer, on peut prendre trois buts avant d'en mettre un.

– On va se taper les prolongations, dit Phanis inquiet.

– Prions pour qu'on n'aille pas aux tirs au but, commente Katérina, parce que là c'est à pile ou face.

Prolongations ? Tirs au but ? Je n'ose pas poser de questions : personne n'aime étaler son ignorance.

– Et celui-là, il sert à quoi ? demande Adriani. Chaque fois qu'on lui passe la balle, il la met dehors ou la perd. Pourquoi le mollasson n'en met-il pas un autre à sa place ?

– Tu sais qui c'est, maman ? David Villa ! Le meilleur buteur de l'Espagne !

Je remarque une chose qui ne me plaît pas du tout : Katérina la paisible, la conciliante, qui vient toujours calmer le jeu les rares fois où Adriani et moi nous disputons, s'est transformée au cours du match en islamiste fanatique. Elle hurle comme si on l'égorgeait, bondit sur ses pieds, ferme les yeux chaque fois que les Espagnols sont en danger. Phanis, au contraire, garde comme toujours son sang-froid. Cependant, tous deux sont absorbés au point d'oublier les malheureuses brochettes, si bien que j'en ai mangé trois sans être vu par ma fille et mon médecin. Mais on ne peut échapper à l'œil d'Adriani, qui remarque tout. Elle me chuchote :

– C'est la dernière. N'exagère pas.

– Oh non, putain ! s'écrie Katérina en se levant d'un bond. Robben les dribble tous, il va marquer !

Mais au dernier moment le gardien espagnol réussit à dégager du pied.

– Sauvés ! crie Katérina, et elle retombe dans son fauteuil. Sauvés par saint Iker !

– Qui est saint ? s'étonne Adriani.

– Iker Casillas, le gardien espagnol, maman. C'est comme ça qu'on l'appelle dans son pays : saint Iker.

– Des gardiens de but devenus saints ! Jamais vu ça. Jusqu'à présent je croyais que c'était réservé aux martyrs, commente Adriani, et elle se signe.

– Ce Robben, je ne peux pas l'encaisser. Ce regard glacial, arrogant, ça m'énerve... Holà, ça sent le but ! Centre, Andrès, centre !

Andrès n'écoute pas ses conseils, vise les filets et l'instant d'après le ballon est dedans, tandis que le gardien néerlandais le regarde comme une personne qu'on n'a pas invitée.

– BUUUT ! s'exclament Katérina et Phanis, de nouveau debout.

– Andrès, tu es un dieu ! hurle Katérina.

– L'un est un saint, l'autre est un dieu ? Que le Seigneur nous pardonne ! s'exclame Adriani.

Dans les dernières minutes, les deux jeunes sont pratiquement entrés dans le poste pour aider les Espagnols. Coup de sifflet final. Phanis saute de joie.

– On a ga-gné !

– *Campeones ! Campeones !* crie Katérina.

– Qu'est-ce que ça veut dire ? s'étonne Adriani.

– Champions, maman ! On est champions du monde !

Et elle passe à la cuisine. Je demande à Phanis :

– Dis-moi, elle est toujours comme ça pendant les matchs ?

– Regarder ça, tu vois, c'est comme l'ivresse. Il y en a qui pleurent et d'autres qui s'éclatent. Katérina fait partie des seconds, mais elle dessoûle dès la fin du match.

Katérina revient avec un verre d'eau qu'elle descend

d'un coup, le gosier desséché par ses cris. Sur le terrain, les Espagnols dansent de joie, tous emmêlés, tandis que les Néerlandais ressemblent aux tulipes fanées qu'ils cultivaient naguère.

Je pense au chargé d'affaires des Pays-Bas qui doit lui aussi, maintenant, ressembler à une tulipe fanée, et je remercie ceux qui m'ont incité à soutenir l'Espagne. C'est alors que mon portable sonne.

– Comment va, monsieur le commissaire ?

La voix de Vlassopoulos.

– Nous fêtons la victoire.

– Malheureusement, vous allez devoir écourter les réjouissances.

– Pourquoi ?

– Nous avons un nouveau cadavre sans tête.

Je regarde mon portable.

– Où ?

– Dans une voiture, à Polydrosso. Au coin des rues Samou et Stratigou Rogakou.

Pourquoi s'étonner ? Y avait-il meilleur moment pour l'assassin, alors que tout le monde était chez soi devant la télévision ?

– Bon. Préviens l'Identité judiciaire et la Police scientifique, j'arrive. Dis au commissariat de Halandri d'envoyer deux voitures. Et un drap, pour recouvrir la voiture : je prévois la panique.

Quand je dis à la famille que je dois les quitter pour cause de nouveau cadavre, ils restent bouche bée. Encore heureux que j'aie eu le temps de manger mes trois brochettes.

35

Les rues, en ce soir de finale, évoquent le samedi saint deux heures avant la Résurrection. Les voitures qui circulent se comptent sur les doigts d'une main, et Kifissias rappelle ces avenues désertes au milieu de nulle part qu'on voit dans les films américains. Ne connaissant pas la rue Samou, je sollicite le GPS, qui cette fois veut bien faire son travail. Je n'ai mis en tout que dix minutes.

Le trajet a donc été tranquille, mais au coin de la rue Samou, c'est la foire. La foule sur les trottoirs, les riverains aux balcons, les voitures de police jouant de leurs sirènes, et au milieu une Golf Volkswagen couverte d'une toile de tente. Bravo, me dis-je, nous avons volé la vedette aux Espagnols. Je cherche et trouve Vlassopoulos et Dermitzakis, qui discutent au coin de la rue avec l'équipage d'une voiture de police.

– Vous voulez jeter un œil ? demande Vlassopoulos.

– On sait qui c'était ?

– Oui, il avait sa carte d'identité et son permis de conduire. Il s'appelait Kyriakos Fanariotis et d'après ce qu'on m'a dit, il travaillait dans une entreprise, juste en face, dans cet immeuble.

– Le nom de l'entreprise ?

Il me mène à l'entrée de l'immeuble et me montre une plaque : Cash Flow – Recouvrements.

Je leur dis de soulever un peu la toile et je jette un coup

d'œil. Fanariotis est assis au volant, les deux mains touchant le siège, le corps renversé en arrière. Sa tête, sur le siège derrière lui, regarde le corps dont elle vient d'être violemment séparée. La signature du D, cette fois, n'est pas épinglée sur la victime. L'assassin, sans doute pressé, l'a laissée sur l'autre siège avant.

Je baisse la toile. Pas besoin d'en voir davantage.

– Tu as prévenu Stavropoulos ?

– Oui. Il m'a traité de tous les noms, mais il arrive. L'Identité judiciaire est en route.

– Qui l'a trouvé ?

– Une femme qui passait en voiture. Vous voulez lui parler ?

La police de Halandri a interdit la circulation aux alentours. Juste avant le ruban rouge, une Smart est abandonnée au milieu de la rue. Assise sur le trottoir, une jeune femme dans les trente ans, une bouteille d'eau à la main.

– Dites-moi, comment l'avez-vous trouvé ? Prenez votre temps, nous ne sommes pas pressés.

Elle respire profondément.

– Je ne peux pas vous le dire demain ? Là, je ne sais plus où j'en suis.

– Je vous comprends et je ne vais pas vous embêter longtemps. Dites-moi deux ou trois choses et nous laissons le reste pour plus tard.

Nouvelle respiration.

– Je passais dans la rue en voiture. J'ai dépassé la Golf et ensuite je me suis rendu compte que quelque chose n'allait pas. Je suis descendue et j'ai couru vers la voiture, je croyais que l'homme avait besoin d'aide. En arrivant tout près, j'ai vu… il lui manquait la tête.

– Vous vous souvenez de ce que vous avez fait ?

– Je me suis mise à crier, mais personne ne m'a entendue. J'ai fini par sortir mon portable et j'ai appelé Police-Secours.

On ne l'a pas entendue, rien d'étonnant. Tout le monde était devant la télévision. Et même si on l'a entendue, on a cru qu'elle criait à cause du match. Katérina aussi criait une heure plus tôt.

– Bon, ce sera tout. Vous compléterez lors de votre déposition officielle. Je veux seulement votre nom et votre adresse.

– Chryssa Levendi, 52, rue Fragoklissias.

Je note.

– Vous feriez mieux de ne pas conduire dans l'état où vous êtes. Nous allons vous raccompagner.

Entre-temps, la camionnette de l'Identité judiciaire est arrivée.

– Jette un œil vite fait, dis-je à Dimitriou. Tu t'attarderas plus tard, quand la Golf sera au labo.

Il hoche la tête et se met au travail, tandis que je demande à la deuxième patrouille d'écarter les badauds. Je vois l'ambulance arriver, suivie de Stavropoulos dans sa propre voiture.

– Tu raccourcis ma nuit une fois de plus, me dit-il en guise de salut. Même topo que les précédents ?

– Oui, à première vue.

– Arrête ce type, Charitos, parce que d'abord le spectacle n'a rien d'agréable, même pour moi, et ensuite, au train où vont les choses, je ne vais plus dormir que d'un œil à côté du téléphone.

Soudain, je vois débouler une armada de voitures, tous feux allumés. Je comprends aussitôt qui je dois accueillir. Les voitures s'arrêtent rue Samou, devant le ruban. Les journalistes se précipitent sur tout ce qui bouge, voisins massés sur le trottoir ou flics. Certains m'aperçoivent et me tombent dessus.

– Que s'est-il passé, monsieur le commissaire ?

– Nous avons une nouvelle victime.

– Et le même assassin ?

– Il semblerait, à première vue. Nous en saurons davantage demain.

– Qui était la victime ?

– Elle n'a pas encore été identifiée formellement.

Regards ironiques : ils savent déjà grâce aux voisins.

– Vous en savez autant que nous, je le sais, dis-je. Mais ne l'écrivez pas avant que nous ayons informé la famille. Ce ne serait pas correct qu'ils l'apprennent par la radio ou la télévision. Prévenez vos confrères.

– D'accord, monsieur le commissaire, répond-on aussitôt.

Je les laisse pour chercher un kiosque à journaux. C'est là d'habitude une bonne source d'informations pour tous les crimes commis dans la rue. J'en trouve un seul d'ouvert, assez loin, il y a peu de chances pour que le kiosquier ait repéré quelque chose.

Dermitzakis revient d'une première tournée dans les appartements éclairés d'alentour.

– J'ai compris rien qu'à voir ta tête, lui dis-je avant de le laisser parler.

– Personne n'a rien vu. Ils étaient tous collés devant leur télé.

Il choisit toujours la bonne heure, me dis-je. Il a tué Robinson le matin, quand la rue Mitropoleos dort encore, De Mor dans un bar au petit matin à l'heure de la fermeture, et maintenant Fanariotis en pleine finale. Quant à Zissimopoulos dans sa propriété isolée, dès que l'on connaissait ses horaires, c'était un jeu d'enfant.

La question est de savoir s'il avait des complices. Robin des banques n'a pas agi seul, puisque la personne repérée lors du collage d'affiches n'était pas celle qui a fait poser les autocollants. Quelque chose me dit que l'assassin non plus n'est pas seul.

Cela ne sert à rien d'enquêter ce soir. Il faudra revenir demain matin, parler aux collaborateurs de la victime.

– Prévenez sa famille, dis-je à Vlassopoulos, mais allez-y doucement.

Je vais voir Dimitriou, qui s'est interrompu pour laisser Stavropoulos terminer son examen sur place.

– Tu peux me dire quelque chose ?

– Deux choses. Primo, le moteur ne tournait pas. L'homme devait se préparer à démarrer, puisqu'on a trouvé la clé de contact dans le Neiman. Deuzio, la porte du conducteur n'a pas été forcée. Première éventualité : il venait de monter en voiture et l'assassin ne lui a pas laissé le temps de refermer la porte. Deuxième éventualité : c'est la victime elle-même qui a ouvert, pour on ne sait quelle raison. La troisième : l'assassin a ouvert pendant que la victime était occupée à démarrer et l'a tuée avant qu'elle ne puisse réagir. Si l'on trouve des empreintes sur la poignée de la portière, ce sera la version la plus probable.

– Sans doute, mais les empreintes ne seront pas nécessairement celles de l'assassin. Si tu veux mon avis, il portait sûrement des gants. Il est trop méthodique pour négliger ce genre de détail.

Stavropoulos a terminé.

– Tu veux savoir s'il s'agit du même assassin ? demande-t-il, ironique.

– Pas la peine.

– Eh oui. Seulement, cette fois il n'a pas frappé par-derrière, mais de côté.

– Ça date de quand ?

– Pas beaucoup plus de trois heures. Le corps est encore chaud.

Pendant la finale.

Stavropoulos me salue sommairement et s'éloigne. Je donne rendez-vous à mes adjoints le lendemain à neuf heures au même endroit.

– Koula aussi ? demande Dermitzakis.

– Non. Je veux qu'elle se renseigne sur la société Cash Flow.

Tandis que je monte dans la Seat, les journalistes sont toujours sur les lieux du crime, interrogeant ou parlant à la caméra.

Il est trois heures passées quand j'arrive chez moi. Les jeunes sont partis depuis longtemps et Adriani dort du sommeil du juste.

36

Le lendemain matin à neuf heures, je sonne à la porte de la société Cash Flow, au troisième étage d'un immeuble de la rue Samou. J'ai envoyé mes deux adjoints faire un tour dans le quartier, dans l'espoir qu'ils en apprendront davantage à la lumière du jour.

Une secrétaire m'ouvre, dans les vingt-cinq ans, les yeux gonflés par les larmes. Je me présente et demande à parler au directeur.

– Notre directeur est à la morgue, répond-elle, et elle fond en larmes.

– À qui pourrais-je poser quelques questions ?

– À M. Alevras. C'est le *second in command.*

Apparemment, la société occupe quatre pièces sur cent mètres carrés. Dans les deux premières, en façade, j'aperçois des trentenaires tondus de près en chemisette et cravate, imitation *cheap* d'agents du FBI dans une série américaine.

Le *second in command*, Photis Alevras, se présente et me serre la main d'un air affligé.

– Le ciel nous est tombé sur la tête. Sur la tête, littéralement.

– Kyriakos Fanariotis était donc le directeur de la société ?

– Son fondateur ! son propriétaire ! monsieur le commissaire. Son âme.

– De quoi s'occupe votre société, monsieur Alevras ?

– De recouvrements, répond-il du ton le plus naturel du monde.

– Quel genre ?

Il hésite, cherche ses mots.

– Nous collaborons avec les banques et veillons à ce qu'elles recouvrent leur argent.

– C'est-à-dire ?

– Eh bien, chaque banque a une catégorie de prêts appelée « à hauts risques ». Ce sont les prêts qu'elle juge quasiment impossibles à récupérer. On nous confie ces dossiers et nous veillons à assurer leur recouvrement en échange d'une commission.

– Pour être plus explicite : on vous envoie les clients qui ne sont pas en mesure de payer leur emprunt, et vous vous efforcez de les convaincre de payer par tous les moyens, pressions et menaces comprises.

Si Tsolakis m'entendait, il me mettrait vingt sur vingt.

– Nous ne menaçons pas, nous tâchons de persuader le mauvais payeur en le sollicitant sans relâche. Et notre activité est totalement légale.

– Je ne vous accuse pas d'illégalité. Avec quelles banques travaillez-vous ?

Alevras hésite.

– C'est le secret bancaire, dit-il enfin.

– Non, monsieur Alevras. On pourrait parler de secret bancaire si je demandais la liste de vos clients. Mais, même dans ce cas, vous ne pourriez pas invoquer le secret bancaire, car vous n'êtes pas couvert par lui. Vous devriez me renvoyer aux banques. Si vous ne me dites pas avec qui vous travaillez, je l'apprendrai de toute façon et vous n'aurez fait que retarder l'enquête, ce qui arrangera l'assassin de votre patron.

Il n'a pas l'air emballé, mais a-t-il le choix ?

– Nous travaillons surtout avec la Banque centrale, et quelquefois avec l'Ionienne de crédit.

– Merci. Autre chose. Y a-t-il des mauvais payeurs qui soient particulièrement agressifs ? Qui résistent, qui menacent ?

– La plupart implorent un délai. D'habitude, nous l'accordons, quand nous les jugeons sincères. Il y a aussi ceux qui résistent, qui crient et menacent. D'autres encore qui se cachent. Mais lesquels, vous l'apprendrez des banques, pas de moi.

– Ceux qui ne paient pas vont-ils en prison ?

– Si je n'étais pas en deuil, je me mettrais à rire, monsieur le commissaire. Que gagneraient-elles, les banques, si elles mettaient leurs débiteurs en prison ? La prison entraîne l'annulation automatique de la dette. Il vaut mieux menacer le débiteur de prison, on arrive toujours à lui soutirer quelque chose. En Grèce, vont en prison seulement ceux qui doivent au Trésor public. Mais là encore, c'est théorique, ces affaires-là d'habitude sont jugées au bout de cinq ans.

– Merci. À quelle heure Kyriakos Fanariotis quittait-il son bureau ?

– Je ne sais pas au juste, il restait toujours le dernier. Il aimait travailler seul. Mais je peux vous dire qu'il ne partait jamais avant huit heures.

Je ne vois pas d'autres questions et prends congé.

Ce quatuor de victimes, à présent, me donne une image plus claire. L'assassin a tué d'abord un gouverneur de banque à la retraite, puis le directeur en activité d'une banque étrangère, lié naguère aux *hedge funds*, puis un dirigeant d'une agence de notation étrangère, puis le patron d'une société de recouvrement. Deux conclusions. D'abord et surtout, ne cherchons pas deux coupables : c'est bien clair désormais, l'assassin et Robin des banques ne font qu'un. Ensuite, nous avons affaire à quelqu'un qui connaît le système et sait où frapper. Ce n'est pas un client lésé fou de rage, mais un cerveau qui vise toutes les banques. Est-il isolé, a-t-il des complices ? Mon instinct me dit qu'il n'est pas seul. Ce n'est pas un terroriste, comme nous le pensions au début, mais il a formé une équipe sur le modèle du terrorisme.

J'appelle de mon portable mes adjoints, nous nous retrouvons au pied de l'immeuble. Dermitzakis revient bredouille, mais Vlassopoulos a l'air tout joyeux :

– Je suis tombé sur une Mme Loukia Ignatiadou, il faut que vous lui parliez. Ce qu'elle vous dira peut avoir de l'intérêt.

– On sait où habitait Fanariotis ?

– À Halandri, rue Lesvou, répond Vlassopoulos.

Je dis à Dermitzakis d'aller chez Fanariotis, d'interroger sa famille, qui sera peut-être plus en mesure de parler que la veille. Je pense qu'il n'apprendra rien, voilà pourquoi je n'y vais pas moi-même, mais il faut le faire, pour la forme.

Vlassopoulos m'emmène dans un immeuble à deux rues de là. La dame qui nous ouvre a soixante ans, des cheveux tout blancs et pas de maquillage.

À entendre mon acolyte, on le croirait en costume du dimanche :

– Madame Ignatiadou, je vous présente mon supérieur, le commissaire Charitos. Si cela ne vous ennuie pas, pourriez-vous lui répéter ce que vous venez de me confier ?

Mme Ignatiadou nous fait passer au salon sans un mot. Mais j'ai à peine eu le temps de poser mes fesses sur le canapé qu'elle explose :

– C'est des brutes, monsieur le commissaire. Des crapules et des brutes. Ils vous tombent dessus comme des vautours. Ils vous bousculent, menacent votre famille, terrorisent vos enfants, rien ne les arrête.

– Tout ça, vous le savez par expérience, ou on vous l'a raconté ?

– Par expérience. Mon gendre est tombé entre leurs mains, hélas.

– Comment cela ?

– Il a fait faillite, monsieur le commissaire. Il fabriquait des vêtements pour femmes, les Chinois ont envahi le marché avec des prix inférieurs à son prix coûtant. Il a fini par sombrer en laissant à la banque deux emprunts pour fonds de roulement. Leur appartement était au nom de ma fille. Stathis n'était propriétaire que des ateliers. Ils les ont pris, mais cela ne suffisait pas à couvrir la somme. C'est là que le martyre a commencé.

– Le martyre ?

– D'abord, ils téléphonaient toutes les demi-heures, mais ça, ce n'était rien encore. Ensuite on est passé aux menaces : « Donne ton appartement pour sauver ton mari sinon ce sera pire encore pour vous. » Comme le téléphone ne suffisait pas, ils ont commencé les visites. À n'importe quelle heure, du petit matin jusqu'à minuit. Ils ont fini par tomber sur mon petit-fils. Il a douze ans. Ils sont allés lui parler à la sortie de l'école. « Va dire à ton papa : Je t'en supplie, ne me laisse pas orphelin. »

Elle a tout sorti d'une traite et s'arrête pour reprendre son souffle. J'attends qu'elle continue.

– Du coup, j'ai décidé d'aller les voir, en cachette de ma fille et de mon gendre. Je leur ai dit qui j'étais et ils m'ont emmenée tout de suite à celui qui s'est fait tuer hier. Il m'a dit : « Tu n'as rien à donner, toi, pour sauver ton gendre ? » J'ai répondu que j'avais un appartement offert en dot à ma fille, et rien d'autre. « Alors, ta fille doit vendre l'appartement pour rembourser la banque, et vous serez tranquilles. » J'ai dit qu'ils allaient se retrouver à la rue. Et lui : « Quand on a sommeil, on dort n'importe où. » Je lui ai demandé de laisser au moins mon petit-fils tranquille. « Les péchés des parents retombent sur les enfants », et il m'a mise dehors.

Elle s'arrête encore, au bord des larmes. Elle se mord les lèvres.

– Pour finir, ma fille a vendu l'appartement, monsieur le commissaire. Ils ont loué un petit trois pièces. Et moi, chaque fois que j'ai vu ce type dans le quartier, je me suis dit, Chien mauvais ne crèvera jamais. Et pourtant il a crevé.

L'assassin sait ce qu'il fait, me dis-je. Aucune des quatre victimes ne suscitait la sympathie. On souhaitait leur mort. Heureusement, ceux qui donnent la mort sont bien moins nombreux que ceux qui souhaitent la donner. Sinon, quel massacre…

Je remercie Mme Ignatiadou, qui semble soulagée, ayant raconté deux fois ses malheurs.

Reste le marchand de journaux de la rue Samou. Je le trouve assis à son poste, immobile, comme tous ses semblables. Il devait m'attendre, car il ne montre aucun étonnement.

– Tu connaissais Fanariotis ?

– De vue seulement. Je ne savais pas son nom. Il venait souvent acheter des cigarettes et les journaux financiers. Il payait et s'en allait.

– Tu savais quel métier il faisait ?

– On le savait tous, et on savait ce qu'il avait fait à Mme Ignatiadou. Je ne pouvais pas l'encaisser, mais je ne choisis pas mes clients.

– As-tu remarqué ces derniers jours quelque chose d'inhabituel dans la rue ?

– Comme quoi ?

– N'importe. Des visages nouveaux. Quelqu'un qu'on voit souvent passer.

Il réfléchit.

– Maintenant que tu m'y fais penser… Une mendiante. Je l'ai remarquée en me disant, Qu'est-ce qu'elle vient faire ici ? Il y a peu de voitures, peu de passants, qui va lui faire l'aumône ? Ici les mendiants ne viennent pas, même les jours de marché. Elle, au contraire, venait se poser au coin là-bas tous les jours.

Soudain, cela me revient. Une mendiante, devant chez Robinson à Psyhiko. Le vigile me l'avait signalée. Et la quincaillière de la rue Athanassias m'avait aussi parlé d'un mendiant. Je commence à comprendre. Si la mendiante et le mendiant travaillent pour lui, ils sont déjà trois.

– Tu te souviens quand elle est apparue ?

Il semble embarrassé.

– Va savoir… Ces derniers jours en tout cas, c'était régulier.

– Elle venait le matin ou l'après-midi ?

– L'après-midi. Je ne me souviens pas de l'avoir vue le matin.

– Tu peux me la décrire ?

– La décrire comment ? Une mendiante. Robe noire, foulard noir sur la tête et la main tendue.

– Grande ou petite ? Grosse ou maigre ?

– Je l'ai vue passer une seule fois devant mon kiosque. De taille moyenne, je dirais. Le reste du temps, elle était assise sur le trottoir. Maigre, oui, sûrement.

– Je te remercie. Tu m'as bien aidé.

– Avec la mendiante ?

Il n'a pas l'air d'y croire.

J'espère avoir noté le nom de la société de surveillance chargée de l'immeuble de Robinson. Ô joie, le voici : Galapanos Security Systems. J'appelle et demande le vigile.

– Il est de service là-bas aujourd'hui, monsieur le commissaire.

– Dites-lui de m'attendre. J'ai des questions à lui poser.

On me dit de ne pas m'en faire, il attendra.

37

Je trouve le vigile devant l'immeuble de Robinson, assis sur la même chaise, avec le même air de s'ennuyer.

– Ils m'ont dit au bureau que vous vouliez me voir, alors j'ai attendu, dit-il, sans cacher sa mauvaise humeur d'avoir dû le faire.

– Tu m'as dit que quelques jours avant le meurtre tu avais vu une mendiante dans la rue.

– Je me souviens.

– Tu pourrais me la décrire ?

– Si longtemps après, qu'est-ce que tu crois ? dit-il en le prenant de haut.

Je ne peux pas sentir les vigiles. Leur façon de jouer les défenseurs de l'ordre me tape sur les nerfs. Et celui-là bat les records.

– Si tu as du mal, je peux t'emmener pour interrogatoire, et tu resteras chez nous jusqu'à ce que ça te revienne.

Sa mémoire se réveille d'un coup.

– Elle était de taille moyenne…

– Tu l'as vue assise ou debout ?

– Assise, mais quand je l'ai chassée elle a dû se lever.

– Ses vêtements ?

Il réfléchit.

– Elle portait une de ces grandes robes multicolores, comme les Africaines, et un foulard de couleur, mais je ne me souviens plus laquelle.

– Une étrangère ?

– Comment savoir… En tout cas, elle ne venait pas de loin. Les Balkans… L'Albanie, la Bulgarie… C'était sûrement pas une Africainc.

– Tu peux me dire son âge ?

– Entre quarante et cinquante ans. Elle avait des rides.

Je pars sans le saluer, car je peux encore avoir besoin de lui, et je préfère maintenir la distance entre le flic authentique et l'ersatz.

Quelque chose me dit que c'est la même mendiante, qui a simplement changé de vêtements. Sur le chemin du retour, j'essaie de compter les complices possibles de l'assassin. Le Noir, qui a donné aux immigrés les affiches. La mendiante. Le mendiant de la rue Athanassias. L'homme qui a donné les autocollants aux enfants. Évidemment, ces deux derniers pourraient être la même personne, ce qui ferait descendre le nombre à trois. Le seul qui détonne dans la galerie, c'est celui que nous avions arrêté, Bill Okamba.

Ils occupent le terrain devant mon bureau, et ne se ruent pas sur moi, mais attendent que j'approche.

– Vous n'avez donc pas dormi ? dis-je.

– Trois heures, me répond une jeune femme.

– Il y a du nouveau ? demande Haritopoulou, la journaliste en rose.

– Vous connaissez le nom de la victime, pas besoin de vous le donner. Il était propriétaire d'une société de recouvrement, de celles qui collaborent avec les banques pour récupérer les impayés.

– Il sait ce qu'il fait, l'assassin.

C'est la voix de Sotiropoulos, au fond.

Je ne relève pas, tout en étant d'accord.

– Il n'y a aucun doute, il s'agit du même assassin. Fanariotis a été tué exactement de la même façon que les précédents. La voiture de la victime nous en dira peut-être davantage. L'Identité judiciaire s'en occupe activement.

– Penses-tu que Robin des banques et le tueur sont une seule et même personne, commissaire ? me demande Sotiropoulos, laissant tomber « monsieur » en vieil homme de gauche.

– Nous avons des indices dans ce sens, mais je ne suis encore sûr de rien. Je n'ai rien d'autre à vous dire.

Ils s'éloignent.

– Rien d'autre, tu es sûr ? demande Sotiropoulos qui m'attendait à l'écart, comme toujours.

– Sûr, Sotiropoulos. Je vous ai tout dit.

Je ne vais tout de même pas lui parler de la mendiante.

J'appelle Guikas pour le mettre au courant.

– Pas la peine, me dit-il. Tu raconteras tout au ministre à une heure, et j'y serai.

Je lui fais un résumé malgré tout pendant le trajet.

Nous trouvons le ministre en compagnie d'Arvanitopoulos, le chef de la police. Stathakos est absent, preuve que l'hypothèse terroriste est abandonnée de tous. La mine du chef de la police montre qu'il nous garde un chien de sa chienne, à Guikas et à moi.

Le ministre, écourtant les préambules, me fait l'honneur de m'adresser la parole.

– Je veux un rapport détaillé, monsieur Charitos. Moins pour savoir quoi dire aux journalistes, que pour apprendre où nous en sommes. Nous avons quatre victimes sur les bras, et une campagne qui déstabilise les banques. Nous risquons de nous retrouver sous un feu croisé de critiques, alors que par ailleurs nous affrontons d'autres tempêtes. On nous accuse déjà trop souvent, injustement, d'être les valets du FMI et de l'Europe. Nous n'allons pas en plus laisser dire que nous sommes des jouets entre les mains d'un Robin des banques.

– Jusqu'à présent, monsieur le ministre, nous marchions dans le brouillard et nous nous heurtions à des murs. Depuis hier, on voit de la lumière au bout du tunnel.

– Je suis impatient de la voir aussi, dit le ministre.

– D'abord, nous sommes sûrs désormais que nous poursuivons un seul coupable. L'assassin et Robin des banques ne font qu'un.

– Qu'est-ce qui t'amène à cette conclusion, Kostas ? demande le chef de la police.

– L'assassinat d'hier. Jusqu'à présent les victimes étaient deux banquiers et un dirigeant d'une agence de notation. Bref, c'est l'argent qu'on visait. Mais hier on a tué le directeur d'une agence de recouvrement. Ce qui signifie qu'on ne dit pas seulement aux emprunteurs « Ne payez pas », on tue un représentant de ceux qui les persécutent.

– Kostas a raison, remarque Guikas. Je pense qu'on a trouvé le mobile.

– C'est mon avis à moi aussi, dit le ministre.

– Ensuite, nous savons maintenant avec certitude que l'homme a des complices. Nous connaissions déjà le Noir colleur d'affiches et notre compatriote aux autocollants. Mais depuis hier nous avons une personne en plus, peut-être deux.

Je fais une pause pour savourer ma position de force. Le ministre et le patron sont suspendus à mes lèvres, tandis que Guikas, qui connaît déjà le film, sourit avec satisfaction.

– Eh bien ? s'impatiente le chef de la police, comme si j'avais balancé une pub au moment le plus palpitant.

– Une mendiante et un mendiant.

– Une mendiante ? s'étonne le ministre.

Je résume la situation.

– Il n'y a pas eu de mendiant à la First British Bank ? demande le patron.

– Non, parce que l'assassin ne surveillait pas la banque, mais l'immeuble de Robinson.

Je décide alors de passer le ballon au patron, comme les Espagnols l'ont fait la veille.

– Ce qui nous a induits en erreur au début, c'est ce mode opératoire qui est celui d'un groupe terroriste.

– Précisément ! s'exclame le patron enthousiaste. Dès le début cela ressemblait fort à une action terroriste. Moi, je te conseillerais de chercher davantage du côté des cinquante mille euros d'Okamba. Il y a là quelque chose de louche.

Le ministre ne l'écoute même pas. Il continue de m'adresser la parole.

– Et quels sont vos plans ?

– Suivre la piste. Si nous retrouvons l'un des deux mendiants, nous aurons déjà fait un grand pas.

– Vous pensez qu'il va encore frapper ?

– Tant que nous ne mettons pas la main dessus, il ne faut rien exclure. Jusqu'à présent, tout s'est bien passé pour lui. Ce qui, en principe, doit l'encourager à continuer.

– Parmi toutes ces informations, lesquelles pouvons-nous divulguer ?

– Toutes, sauf les mendiants. Nous pouvons mentionner simplement l'existence de complices.

– Bien. Je veux être informé en permanence, dit-il à Guikas.

– Tu commences à apprendre, me dit Guikas, l'air satisfait, tandis que nous montons dans sa voiture.

– Pourquoi dites-vous ça ?

– Tu as couvert partiellement le chef de la police. Il te revaudra ça, tu verras.

J'ai toujours eu Guikas pour maître, à qui s'est ajouté récemment Tsolakis. Mon apprentissage est en bonne voie.

38

– Monsieur le commissaire, pouvez-vous venir tout de suite à l'Union des banques ?

La question vient du procureur Mavromatis, à dix heures du matin. J'étais plongé dans le rapport du médecin légiste, qui confirme tout ce que m'a dit Stavropoulos l'avant-veille en vitesse : arme identique, coup porté différemment. Le meurtre a eu lieu entre sept heures et dix heures du soir.

– Mauvaises nouvelles ?

Il sent mon inquiétude et me rassure :

– Rien de grave. Je voudrais seulement vous montrer quelque chose.

– J'arrive.

Je laisse en plan le rapport de Dimitriou sur la voiture de Fanariotis, dont je n'attends pas grand-chose non plus.

L'Union des banques grecques a ses bureaux dans la rue Amerikis. Une secrétaire m'introduit aussitôt dans le bureau du président, où je trouve Galakteros en compagnie du procureur Mavromatis.

– Si vous avez des choses agréables à m'annoncer, leur dis-je après les salutations, cela me changera les idées. Car pour ce qui est du désagréable, j'ai ma dose.

– Agréable ou pas, à vous de juger, répond Mavromatis, et il me tend une feuille. En haut de la page, un nom : Evtykhia Sgouridou, et au-dessous trois colonnes : date, banque, somme.

Quelqu'un a envoyé à Evtykhia Sgouridou, en dix jours, cinq fois la somme de dix mille euros à cinq banques différentes. Total, cinquante mille euros. La même somme qu'à Bill Okamba. Mais cette fois le donateur a été plus astucieux en fragmentant son envoi.

Mavromatis a joué plus finement que je ne l'en croyais capable.

– J'ai demandé aux banques de me signaler tous les mouvements de fonds entre cinq et dix mille euros. Et voilà.

– Félicitations, beau succès, dis-je.

– Vos conclusions, monsieur le commissaire ? demande Galakteros.

– Il est trop tôt, monsieur. Simplement, cela ne peut pas être une coïncidence. Certaines personnes font un travail et sont rémunérées. Donc, il nous faut découvrir quel service ont rendu ces gens-là en échange d'une pareille somme.

– Sont-ils payés pour les affiches et les autocollants ?

– Cela me paraît excessif de payer une telle somme pour si peu, même si le commanditaire est riche à millions.

Je pense à la mendiante, mais là encore, je trouve extravagant de payer une femme cinquante mille euros pour se déguiser en mendiante et surveiller une éventuelle victime. L'assassin pouvait trouver toutes les immigrées qu'il voulait prêtes à faire le même travail pour vingt euros par jour. Évidemment, une telle somme aide à fermer les bouches. Quelle que soit la femme qui a surveillé Robinson et Fanariotis, elle n'a pas pu ne pas apprendre qu'ils ont été assassinés, et ne pas se mettre à réfléchir. Alors pourquoi ne pas dénoncer l'homme à la police ? De toute façon, elle n'allait pas perdre l'argent, puisqu'elle ne savait sûrement pas que Robinson et Fanariotis étaient des victimes désignées. L'assassin ne lui a sûrement pas dévoilé ses plans. Donc, la fausse mendiante et l'assassin se connaissaient et il était assuré de sa discrétion quand il lui a donné l'argent. C'est cela l'essentiel : la mendiante et le mendiant connaissent l'assassin.

Au bas de la feuille je trouve l'adresse d'Evtykhia Sgouridou. Elle habite en banlieue, à Egaleo.

– Continuez de chercher, monsieur le procureur, dis-je à Mavromatis. Pour vous aider, je dirai que vous avez de fortes chances de trouver des virements similaires à une personne de sexe masculin.

Il me jette un regard perplexe, mais un procureur sait qu'il ne faut pas poser de questions prématurées.

– Nous sommes en bonne voie, dis-je à Galakteros, pour lui remonter le moral.

– Je vais allumer un cierge à la Vierge, répond-il.

Dès mon retour, je fais venir Koula dans mon bureau.

– Koula, je veux que tu secoues ton ordinateur pour trouver des infos sur cette Evtykhia Sgouridou. Laisse tomber les listes des banques. Elles ne nous intéressent pas pour l'instant. Ne t'occupe que de Sgouridou.

– Bien, monsieur Charitos.

Je monte au cinquième informer Guikas.

– Il est disponible ? dis-je à Stella.

– Il m'a dit que pour vous il l'était toujours, monsieur Charitos.

À mon entrée, il me jette un coup d'œil et dit :

– Nous avons de bonnes nouvelles.

– Comment le savez-vous ?

– Ça se voit sur ton visage.

Je l'informe en détail.

– Bonnes nouvelles, en effet. Je préviens tout de suite le ministre.

Il passe un quart d'heure au téléphone avec lui, transmettant les nouvelles, répondant à ses questions.

– Tu as les félicitations du ministre, me dit-il en raccrochant.

– Les félicitations doivent aller à Mavromatis.

Son regard s'attarde sur moi.

– Tu n'apprendras jamais, Kostas. Tu es une vraie tête de mule.

– Apprendre quoi ?

– N'importe qui à ta place ferait tout pour profiter de ce succès. Et toi, tu ne penses qu'à ne pas léser Mavromatis, comme s'il en avait besoin. Finalement, mes leçons ou rien…

Hier il m'encensait pour avoir soutenu le patron, aujourd'hui il m'enfonce. Il souffle le chaud, puis le froid, comme l'instituteur du village avec son élève.

– Quelles sont tes intentions ?

– Convoquer Sgouridou ici pour l'interroger.

– Ici, pourquoi ?

– Je veux la filmer, pour voir si le vigile et le marchand de journaux la reconnaissent.

– Bien vu.

Quand je redescends à mon bureau, Koula a déjà les réponses.

– Evtykhia Sgouridou avait un magasin d'articles de sport à Egaleo. Les affaires marchaient mal et elle l'a revendu pour éponger ses dettes. Maintenant elle est comptable en free-lance. C'est ça l'avantage de Facebook, explique-t-elle avec un sourire.

Je ne connais pas Facebook et encore moins ses avantages. Je pense à autre chose. Travailler en free-lance permet d'organiser son emploi du temps librement. Cette femme pouvait facilement soustraire quelques heures pour aller faire la mendiante. Quelque chose me dit que nous avançons.

J'appelle Vlassopoulos et lui dis de m'amener Sgouridou le lendemain pour interrogatoire.

– Mais attention. Ne l'appelle pas, ne lui envoie pas de convocation. Tu prends une voiture, tu la cueilles et tu me l'amènes, sans lui laisser le temps de prévenir quelqu'un.

– Ça marche. Demain matin, je me mets devant chez elle et j'attends qu'elle sorte pour la cueillir.

J'appelle Dimitriou et lui demande d'installer une caméra en circuit fermé dans le bureau des interrogatoires.

N'ayant rien d'autre à faire, et pour ne pas me ronger les ongles en attendant, je lis le rapport de Dimitriou sur la voiture de Fanariotis. Empreintes digitales de la victime et d'autres personnes, rien d'important. Je laisse tomber.

39

Dix heures du matin, dans le bureau des interrogatoires. À côté de moi, le procureur Mavromatis, et face à moi Evtykhia Sgouridou. Le vigile lui avait donné cinquante ans. Elle n'en a guère plus de quarante, mais les rides sur son visage la vieillissent facilement de dix ans. Elle porte un T-shirt, un jean et des sandales. Les deux caméras sont braquées sur elle.

– Madame Sgouridou, il y a quinze jours vous avez reçu cinq virements de dix mille euros chacun, dans cinq banques différentes. Total : cinquante mille euros.

– Exact. Et alors ?

Le ton est agressif. Se retrouver chez les flics ne semble guère l'impressionner.

– Laissez tomber ce « et alors », je vous prie. C'est moi qui pose les questions. Vous pouvez me dire d'où vient cet argent ?

– D'un de mes clients.

– Vous êtes comptable, je ne me trompe pas ? intervient Mavromatis.

– C'est juste.

– Voulez-vous dire que les comptables sont rémunérés en dizaines de milliers d'euros ?

– Non, nous touchons trois fois rien. Mais ce client-là est spécial.

– Très spécial, à en juger par la somme, dis-je.

Elle ne relève pas mon ironie.

– Je lui ai permis, grâce à un jeu d'écriture comptable, de soustraire une forte somme à l'impôt. Il m'a récompensée généreusement.

– Pouvez-vous me donner son nom ?

– Il se trouve en ce moment à l'étranger.

– Peu importe, dit Mavromatis. Nous prendrons contact à son retour.

– Je ne peux pas.

Le ton est sans réplique.

– Pourquoi ? demande Mavromatis.

– Écoutez, monsieur le procureur. La somme vient d'une banque aux îles Caïmans. Je connais les affaires de cet homme en Grèce, elles sont absolument propres. Mais je ne sais pas ce qui peut se passer avec cet argent déposé à l'étranger, et qui plus est aux îles Caïmans, réputées pour être le paradis de la fraude fiscale. Quoi qu'il fasse, c'est son affaire. Moi, je me refuse à griller un homme qui m'a aidée. Je m'y refuse, quelles que soient les conséquences.

– Je peux vous l'assurer, la fraude fiscale éventuelle de votre client ne nous intéresse pas, dit Mavromatis. Nous cherchons autre chose.

– Le blanchiment d'argent ?

– Entre autres.

– Alors je peux vous dire ce que j'ai fait de cet argent, au centime près.

– Dites-nous.

– Il y a quelques années, je n'étais pas comptable. J'avais un magasin d'articles de sport. Mais mes affaires ont périclité et j'ai dû vendre. Avec l'argent, j'ai remboursé une partie du prêt, mais cela ne suffisait pas. Je travaille encore pour éponger la dette. J'ai versé trente-cinq mille euros pour le prêt, je respire un peu. Le reste est sur mon compte. Je peux vous apporter les reçus des versements du prêt et en allant voir mon compte vous constaterez que les quinze mille euros y sont.

– Vous êtes sans doute parfaitement en règle, dis-je. Mais l'important pour nous, ce n'est pas vous, c'est celui qui vous a donné l'argent. Le fait qu'il n'a pas fait un seul virement mais cinq est déjà louche : les banques sont tenues par la loi de déclarer à la Direction de l'antiblanchiment les virements supérieurs à dix mille euros. L'homme cherchait à passer inaperçu.

– Je ne sais pas ce qu'il a fait, mais moi je ne donnerai pas son nom. Et ne répondrai aux questions qu'en présence de mon avocat.

Nous la laissons seule et sortons dans le couloir.

– Qu'est-ce qu'on fait ? dis-je à Mavromatis.

– Nous ne pouvons pas l'inculper, nous ne pouvons pas non plus la garder sous prétexte que nous cherchons quelqu'un d'autre. Cela reviendrait à la garder en otage. Nous pourrions peut-être, naturellement, trouver quelque chose dans ses comptes, mais j'en doute fort. Pour nous parler avec autant d'aisance, elle doit être sûre que nous ne trouverons rien de répréhensible.

– Examinons tout de même ses virements. Ce sera peut-être intéressant de connaître ses créanciers.

– Sans aucun doute. Et nous allons éplucher son compte. Mais je ne suis pas optimiste.

De retour dans le bureau, nous la trouvons dans la même posture, immobile.

– Eh bien, madame Sgouridou, vous pouvez partir, lui dis-je. Je vous demanderai simplement la photocopie de vos reçus et votre numéro de compte.

– Pas de problème. Si l'un de vous m'accompagne, je les lui donnerai tout de suite. Et je dirai à la banque de vous donner dès aujourd'hui l'état de mon compte.

Elle se lève et gagne la porte sans saluer. Mavromatis hoche la tête, comme pour souligner son pessimisme.

Sgouridou pense peut-être que nous cherchons de l'argent sale, mais quand elle dira à l'assassin que nous l'avons interrogée, car elle le lui dira, il comprendra tout de suite, lui.

Mavromatis regagne son bureau et je téléphone à Dimitriou.

– Je veux les photos de Sgouridou le plus tôt possible.

– Dans une demi-heure.

Ce que j'apprécie chez Dimitriou, c'est qu'il est réglo. Une demi-heure plus tard, les photos arrivent sur mon bureau. Je les attrape et saute en voiture. Normalement je devrais appeler la Galapanos Security Systems pour qu'elle avertisse le vigile, mais il y a le feu au lac. Arrivé à la rue Malakassi, je trouve sa chaise vide. Je me souviens qu'il doit faire le tour du bâtiment toutes les heures et j'attends.

Il se pointe au bout de cinq minutes.

– On va devenir inséparables, dit-il avec son culot proverbial.

– Un flic peut devenir inséparable avec toi pour deux raisons. Soit il te suit pour te pincer, soit il le fait pour te protéger. Je ne vois pas que tu aies besoin de protection, et quant à l'autre éventualité, je ne suis encore sûr de rien.

Il comprend que ses plaisanteries tombent à plat et se calme. Je sors de ma poche la photo de Sgouridou et la lui montre.

– Elle te rappelle quelque chose ?

Il la regarde attentivement.

– Elle devrait me rappeler la mendiante ?

– Je ne sais pas. Elle lui ressemble ?

Regard plus attentif encore.

– Cette fille est habillée *casual*, bien sûr, lâche-t-il. Les fringues de la mendiante, il y en avait de toutes les couleurs… Ce qui colle, c'est les rides. La mendiante avait plein de rides.

– Tu peux être plus précis sur les vêtements de la mendiante ?

– Je t'ai dit. Le genre africain, plein de couleurs.

– Tu te souviens de ces couleurs ?

Il me lance un regard malheureux.

– Il y avait de tout…

– Bon. Son foulard, tu t'en souviens ?

Il réfléchit encore.

– Plutôt marron. Ça, j'en suis sûr.

– Écoute-moi bien. Je t'attends demain matin dix heures à une adresse que je vais te donner. Tu diras à l'entrée que le commissaire Charitos t'attend. N'aie pas peur, je ne vais pas t'arrêter.

Cela dit pour le rassurer, vu son regard inquiet.

– Je viendrai, mais il me faut l'autorisation de mon employeur.

– Qui dois-je appeler ?

– M. Sevastos.

J'appelle l'employeur, problème réglé.

De Psyhiko à Polydrosso la distance est courte. Je suis le parcours indiqué par le GPS la première fois, et la circulation fluide me permet d'arriver vite rue Samou. Le marchand de journaux est à son poste et reconnaît aussitôt le flic.

– Ça avance ? demande-t-il.

Sans préambule, je lui montre la photo de Sgouridou. Il la regarde, et sa question montre assez qu'il ne la reconnaît pas.

– C'est qui ?

– Peu importe. L'important, c'est de savoir si elle te rappelle quelque chose.

C'est là seulement qu'il voit où je veux en venir.

– Ah oui, la mendiante… Qu'est-ce que tu veux que je te dise ? Je ne l'ai vue de près qu'une fois, quand elle est passée devant le kiosque. Évidemment, elle n'était pas habillée pareil, c'est ça qui me gêne.

– Tu m'as dit qu'elle était en noir.

– Oui, en robe noire et foulard noir.

– Je veux que tu viennes demain à une adresse que je vais te donner.

L'idée ne semble guère l'enthousiasmer.

– À quelle heure ?

– Vers midi.

– Il va falloir que je dise à mon fils de garder le kiosque. Mais ce bon à rien, à chaque fois, prétexte un entraînement de basket. D'habitude, l'entraînement a lieu dans une cafétéria sur la place de Halandri. Enfin, je lui dirai que si je ne viens pas chez vous de mon plein gré, vous m'emmènerez menottes aux mains. Ça marchera peut-être.

Dernière halte, l'Identité judiciaire. Dimitriou est surpris de me voir.

– Du nouveau, monsieur le commissaire ?

– Oui, je voudrais voir votre dessinateur.

– Stratos ? Je l'appelle tout de suite.

Stratos a trente ans et l'œil vif. Je lui montre les deux photos.

– Le sous-commissaire Dimitriou va te donner une vidéo où tu pourras prélever d'autres vues. J'ai deux témoins qui ont très probablement vu cette femme. Mais elle ne portait pas ces vêtements-là. L'un des témoins l'a vue dans une robe bariolée de style africain et un foulard marron. Pour l'autre, elle était en robe noire et foulard noir. Je leur ai dit de venir ici demain, le premier à dix heures, le second à midi. Je veux que tu me prépares deux premiers dessins, pour commencer, mais ça ne suffit pas.

– Que faut-il d'autre ?

– Va faire un tour chez les marchands de fringues africains dans les rues, prends quelques échantillons pour stimuler l'imagination des témoins. Ça peut marcher, on peut se planter, mais je ne vois pas d'autre moyen.

– Aucun problème. D'ailleurs, on n'a pas besoin d'acheter des robes, écharpes et paréos suffisent. Ils font les robes avec ces mêmes étoffes.

Je n'ai plus rien à faire jusqu'au lendemain et regagne mon bureau.

40

La veille au soir, Katérina et Phanis sont passés nous faire leurs adieux. Ils ont brusquement décidé d'avancer leurs vacances, prévues pour septembre.

– Pourquoi changez-vous d'avis si vite ? a demandé Adriani.

– Nous n'avons pas changé d'avis, mais le cadeau de mariage est arrivé, a répondu Phanis en riant.

– Le cadeau de mariage ?

– Tsolakis nous a offert quinze jours dans l'un de ses hôtels, a rappelé Katérina. En principe, tout était plein en août, mais l'Aegean Coast de Sifnos, un hôtel de la chaîne Hôtels de l'Égée, vient de nous prévenir qu'une chambre se libérait.

– Katérina ne travaille pas en août, a ajouté Phanis, les tribunaux sont fermés, et moi, j'ai fait un échange avec un collègue qui voulait prendre ses vacances plus tard.

– Profitez bien et reposez-vous, a dit Adriani.

– Et vous, pas de vacances en vue ? a demandé Phanis.

Regard en biais d'Adriani.

– Mon cher Phanis, la dernière fois que nous avons décidé d'aller en vacances chez ma sœur, la terre a tremblé, pour un peu toute l'île était par terre. Laisse tomber.

Lorsque Adriani lance une attaque, elle attend avec impatience qu'on la contre pour continuer, mais ne voulant pas gâcher mes adieux j'ai ravalé mes commentaires.

Et maintenant, à l'Identité judiciaire, j'observe Stratos qui montre au vigile, dont le nom est Vassilis Lambropoulos, diverses étoffes, pour qu'il repère celle que portait la Sgouridou.

À côté de ma photo qui la montre assise, Stratos a tiré de la vidéo une image d'elle debout en train de quitter le bureau des interrogatoires.

– Ne te presse pas, dit Stratos à Lambropoulos. On va procéder en deux temps. D'abord, tu choisis les étoffes qui d'après toi se rapprochent le plus de ce qu'elle portait, et ensuite nous les essayons sur la photo. Prends ton temps.

Lambropoulos les examine une à une attentivement. Il choisit soigneusement, sans hâte, comme on le lui a dit. Je chuchote à l'oreille de Stratos :

– Pourvu que ça marche.

– Nous avons quatre-vingt-dix pour cent de chances. Elle n'a pas pu acheter sa robe dans une boutique. Elle l'a trouvée chez un marchand de rue ou au marché.

Lambropoulos finit par choisir quatre étoffes que Stratos découpe, puis épingle sur la photo. À la troisième Lambropoulos s'écrie :

– C'est ça ! C'est ça qu'elle portait !

– Tu es sûr ? demande Stratos.

– À cent pour cent.

– Bon, maintenant je vais essayer de lui mettre le foulard, mais cette fois il sera dessiné.

Stratos dessine le foulard.

– Non, trop foncé.

Mais le foulard plus clair ne lui convient pas non plus. Stratos fait encore cinq ou six tentatives avant que Lambropoulos ne s'exclame triomphalement :

– C'est elle la mendiante ! Je le jure sur l'Évangile.

Puis, se tournant vers Stratos :

– Alors toi, tu déchires !

– Toi aussi tu as drôlement bien travaillé, dis-je à Lambropoulos et je lui tape amicalement l'épaule. Tu vas nous laisser ton adresse et ton numéro de portable. Je peux te joindre par ta société, mais il vaut mieux communiquer directement.

Lambropoulos nous quitte alors que Fenertzoglou, le marchand de journaux, attend déjà dans la pièce à côté. Avec lui tout sera plus rapide : il a vu la mendiante en noir, ce qui simplifie la tâche du dessinateur.

– C'est elle, dit-il bientôt. Disons, à quatre-vingt-dix pour cent.

Il se tourne vers moi.

– Je laisse dix pour cent d'incertitude car je l'ai presque toujours vue assise. Mais je suis quasiment sûr.

Rentré dans mon bureau, j'appelle d'abord Guikas.

– Les deux témoins ont reconnu la mendiante. L'un est tout à fait sûr, l'autre pratiquement. C'est bien la Sgouridou.

– Bravo, on avance vite. À qui adresser les félicitations cette fois-ci ? Au dessinateur ?

Deuxième étape : j'appelle le procureur et lui demande un mandat de perquisition chez la Sgouridou et une autorisation de mise sur écoute. Je n'espère pas trop retrouver les vêtements chez elle. Si elle ne les a pas jetés aussitôt après, elle a dû s'en débarrasser après l'enquête. Mais je ne perdrai rien à chercher, surtout dans cette affaire où je découvre tout par la bande.

Lorsque j'en ai fini avec le procureur, qui se fait tirer l'oreille pour accepter le mandat de perquisition, j'appelle dans mon bureau Vlassopoulos et Dermitzakis pour information.

– À partir de maintenant vous surveillez la Sgouridou vingt-quatre heures sur vingt-quatre. Même pendant son sommeil. Mettez sur le coup des gars expérimentés qui ne vont pas tout bousiller. Je veux aussi contrôler tous ses appels téléphoniques du mois dernier sur son fixe et son portable. Nous aurons les autorisations demain.

Tandis que nous préparons nos plans, Koula entre dans le bureau. Elle s'arrête à la porte et me regarde, l'air songeur.

– Koula, on t'écoute.

– J'ai découvert autre chose concernant la Sgouridou, mais je ne sais pas si c'est important.

– Dis toujours.

– C'était une athlète de haut niveau, monsieur Charitos. Elle a gagné beaucoup de médailles sur 1 500 et 3 000 mètres.

– Championne d'athlétisme ? Oh, putain ! s'écrie Vlassopoulos en se levant d'un bond.

– Qu'est-ce que tu as ? dis-je.

– Je vous avais dit, vous vous souvenez ? que le nom de Varoulkos me rappelait quelque chose. Eh bien voilà. Varoulkos était un athlète lui aussi.

– Connu ?

– Pour que j'aie retenu son nom, moi qui ne connais rien en athlétisme, il a dû être très connu.

– Va te renseigner sur Varoulkos, dis-je à Koula.

J'appelle aussitôt Mavromatis.

– Monsieur le procureur, j'ai besoin de renseignements sur un autre nom : Stefanos Varoulkos.

– Cela ne me dit rien, mais je vais chercher.

Au bout d'un quart d'heure, Koula revient, toute souriante.

– Je l'ai trouvé ! Il lançait le disque. Vlassopoulos a raison, il devait être excellent. Mais il y a quelque chose de bizarre dans sa carrière, comme dans celle de Sgouridou.

– C'est-à-dire ?

– Elles s'arrêtent d'un seul coup. On dit simplement qu'ils ont quitté l'athlétisme, sans expliquer pourquoi. Or, vu leur âge à ce moment-là, ils auraient pu continuer plusieurs années encore. Mystère.

Ce genre de mystère, seul Sotiropoulos peut m'aider à l'éclaircir. Je l'appelle sur mon portable.

– Sotiropoulos, je veux que tu me rendes un service.

– Je t'ai ouvert un compte, dit-il en riant. Mais pour l'instant il n'y a que du débit. Je vois ta dette augmenter de jour en jour.

Il redevient sérieux et me demande ce que je veux.

– Il y a quelques jours tu m'as mis en contact avec un ami à toi, rédacteur économique.

– Nestoridis.

– Voilà. Maintenant j'aimerais que tu me trouves un journaliste sportif.

Un silence. Je l'ai laissé sans voix.

– Qu'est-ce que tu veux en faire ? Quel rapport avec ton histoire de banques ?

– Je te le dis tout de suite : tu peux assister à la conversation, mais défense d'écrire ce que tu entendras.

– D'accord, je te rappelle.

Cinq minutes plus tard :

– Les éliminatoires des championnats d'Europe ont commencé, l'après-midi est bloqué. Demain matin dix heures, tu peux ?

– Pas de problème.

– Bon. Nous serons à la brasserie de la rue Valaoritou.

Dans mon esprit une théorie commence à prendre forme, qui ne m'enthousiasme guère, dont je souhaite qu'elle soit fausse, même si cela doit me retarder.

41

Je connais depuis longtemps Nassioulis, le journaliste sportif. Sotiropoulos me l'a fait rencontrer à propos d'une autre affaire, concernant la troisième division de football.

– Comme on se retrouve, monsieur le commissaire, me dit-il quand j'arrive à leur table.

Ils sont assis dehors, car la chaleur est encore supportable et la climatisation rend l'intérieur glacial.

– On dirait que c'est mon destin. Je commence par le football, cette fois, c'est l'athlétisme, et dans les deux cas je suis nul.

Sotiropoulos n'a pas ouvert la bouche. Il attend de voir venir. J'y viens :

– Je voudrais que vous m'éclairiez sur deux athlètes qui ont disparu brusquement. D'abord, Evtykhia Sgouridou.

Cette fois, tous deux me regardent, étonnés. Ce nom doit dire quelque chose à Sotiropoulos lui-même.

– Comment êtes-vous tombé sur elle ? demande Nassioulis.

– Par des chemins détournés, mais c'est une autre histoire. Ce que je veux savoir, c'est pourquoi elle a disparu de l'actualité sportive du jour au lendemain.

Nassioulis rit.

– Neuf fois sur dix, ces disparus, comme vous dites, se sont fait pincer pour dopage.

– Sgouridou était dopée ?

– Je vais vous résumer son histoire. Sgouridou est l'une des plus grandes athlètes du pays de ces trente dernières années. Elle courait le 1 500 mètres, mais c'est sur 3 000 mètres, plus tard, qu'elle a eu ses grands succès. Jusqu'aux jeux Olympiques de 1996 où elle a été exclue de la finale pour dopage. Et elle a pris alors la bonne décision : rentrer chez elle.

– Le deuxième nom : Stefanos Varoulkos.

– Ces deux-là sont liés aux décapitations ? demande Sotiropoulos, éberlué.

– Si tu penses que l'un d'eux a décapité quatre personnes, alors la réponse est non. Mais ils sont sûrement mêlés à l'offensive contre les banques, et je cherche à voir de quelle façon.

– En tout cas, Stefanos Varoulkos a de bonnes raisons de détester les banques, remarque Nassioulis.

– Il s'est fait couler par la Banque centrale.

– Il s'est fait couler deux fois. La première, par l'Agence mondiale antidopage aux championnats d'Europe de 86 ou 87, si ma mémoire est bonne. Mais Varoulkos n'est pas resté dans la mouise comme Sgouridou. À cette époque, les athlètes ne se tuaient pas à l'entraînement comme aujourd'hui. Ils pouvaient suivre des études sans problème. La plupart devenaient professeurs d'EPS, d'autres faisaient médecine. Varoulkos a obtenu un diplôme d'ingénieur. En quittant l'athlétisme, il a cru qu'il ferait une belle carrière d'entrepreneur et c'est là que la banque l'a démoli.

Je demande naïvement :

– Ils sont si nombreux, les athlètes dopés ?

Nassioulis hausse les épaules.

– Nombreux, c'est relatif. Par rapport à l'ensemble des athlètes, ils sont peu. Mais leur nombre augmente. La progression ces temps-ci est géométrique. On assiste à une bataille entre l'Agence mondiale antidopage et les laboratoires qui élaborent les substances dopantes. Ceux-ci s'efforcent de découvrir des substances non décelables, que l'Agence tente de repérer. En même temps, l'argent inonde le sport, avec la pub et les parrainages des multinationales qui produisent des articles de sport. Naturellement, les fédérations nationales des petits pays soutiennent que l'Agence mondiale s'acharne sur leurs athlètes et ferme les yeux sur ceux des grandes nations. Ce qui est vrai, mais pour d'autres raisons. L'Agence trouve étrange qu'un athlète d'un petit pays batte les records, parce qu'il a un réservoir d'athlètes bien plus restreint qu'un grand. Il est normal, par exemple, que les États-Unis aient des athlètes plus nombreux et plus performants que la Grèce.

– Quel est l'athlète grec dopé le plus célèbre ?

Je pose la question bien que je connaisse la réponse.

– Haris Tsolakis, répond-il sans hésiter. Le phénomène du 800 mètres. Pendant des années il a réussi à passer entre les mailles du filet. Un jour, évidemment, il s'est fait gauler. On n'a jamais su quel labo lui fournissait sa dope. Il n'a jamais parlé. Entre-temps il avait gagné beaucoup d'argent, mais il a détruit sa santé. Aujourd'hui, c'est une ruine.

– J'aimerais bien comprendre, dit Sotiropoulos qui ronge son frein. Quel rapport entre les athlètes et ton affaire ?

– Quand j'aurai fini mon enquête, je te raconterai tout en détail, même ce qui ne sera pas divulgué. Mais pas tout de suite. Je te fais confiance pour ne rien écrire, mais je ne suis pas encore sûr de me trouver sur la bonne voie. Ce ne sera pas long, dans quelques jours je saurai.

– Tu es la reine des anguilles, commissaire.

– Merci du compliment.

– Tu sais que dès le début je n'ai pas cru à l'hypothèse terroriste. Mais des athlètes impliqués là-dedans, jamais je n'y aurais pensé.

Je les remercie tous deux, les laisse devant leurs cafés frappés et retourne monter la garde dans mon bureau.

La Direction de la police de l'Attique est inhabituelle

ment calme. Mon couloir est vide. Double preuve qu'il s'est produit quelque chose d'extraordinaire. Sur mon bureau je trouve un mot : « Appelez le procureur Mavromatis. » Je m'exécute aussitôt.

– Comment avez-vous compris ? me demande-t-il.

– Quoi ?

– Que Varoulkos avait lui aussi reçu son virement ? Existe-t-il une institution philanthropique distribuant cinquante mille euros à tous les athlètes retraités ?

– Il n'y a pas de philanthropie là-dedans, et l'argent va à d'anciens athlètes dopés.

Je lui confie les résultats de l'enquête. Il est sidéré.

– En tout cas, dit-il, Varoulkos a touché l'argent le premier, avant Okamba. Il a reçu comme lui cinq virements à la même banque.

– Ce qui confirme que le donateur a changé de procédure après la découverte des virements d'Okamba et son arrestation.

– Précisément.

– Il faut absolument connaître l'identité du possesseur de ce compte aux îles Caïmans, monsieur le procureur.

– Vous croyez que je n'en suis pas conscient ? Mais ce n'est pas facile du tout. Nous avons toutes les chances de tomber sur un compte alimenté par un autre compte, et je ne sais pas combien de temps cela va nous prendre pour remonter jusqu'à la source.

– Je vous comprends, mais c'est urgent pour moi.

– Pour moi aussi.

Et nous raccrochons.

J'essaie de mettre de l'ordre dans le tourbillon d'informations arrivées ces deux derniers jours. Deux athlètes qui ont abandonné l'athlétisme pour cause de dopage, et qui reçoivent tous deux cinquante mille euros. Sgouridou dont il est prouvé qu'elle a renseigné l'assassin de Robinson et de Fanariotis. Varoulkos dont on attend l'interrogatoire, mais dont je suis sûr qu'il a servi d'informateur pour l'assassinat de De Mor.

Restent deux questions. Bill Okamba d'abord. Puisqu'il a touché les cinquante mille euros lui aussi, il doit avoir un lien avec l'athlétisme. Et rien n'exclut qu'il ait renseigné l'assassin de Zissimopoulos sur les horaires de la victime.

J'appelle Vlassopoulos dans mon bureau.

– Pourquoi un tel calme aujourd'hui ?

– Nous sommes en deuil.

– En deuil ?

– On vient de publier le projet de loi qui aligne notre âge de retraite sur celui des autres. Retraite à soixante ans. Seuls à être épargnés, ceux qui doivent partir avant la fin de l'année.

Encore un tour de cochon, me dis-je. Ils te sucrent les primes, le quatorzième et le treizième mois, et maintenant ils t'ajoutent cinq ans de boulot. Nos prédécesseurs sont bénis des dieux, et nous qui restons, nous nous sommes fait blouser.

– Je peux interrompre ton deuil ?

– Allez-y, je ne suis pas concerné.

– Pourquoi ? Ta retraite est encore loin.

– Monsieur le commissaire, je rentre tous les soirs avec mon repas que j'achète au McDo du coin. Je passe la soirée avec mon burger dans une main, dans l'autre la télécommande, jusqu'à minuit, sans même savoir ce que je regarde. Vous croyez que ma vie sera plus agréable si je prends ma retraite et fais la même chose toute la journée ? Non, je ne suis pas pressé.

J'avais oublié que Vlassopoulos a divorcé récemment et qu'il vit seul.

– Qu'est-ce que tu racontes, Vlassopoulos ? réagit Dermitzakis qui est entré dans mon bureau sans que je l'entende. Parce que tu te sens seul, moi je devrais bosser cinq ans de plus ? Moi, si je pouvais, je m'arrêterais tout de suite.

J'irais cultiver le champ de mon grand-père, pour trouver la sérénité. Je ne demande rien d'autre.

– Tu as raison, Nikos, dit Vlassopoulos accablé. Je te comprends, toi et tous nos collègues.

Un Grec sur deux rêve de prendre sa retraite pour semer le champ de son grand-père. Oui, mais le moment venu il s'aperçoit que le champ ne peut être transféré à côté de son appartement et il le laisse là où il est.

– La filature de Sgouridou, ça donne quoi ?

– Chou blanc, monsieur le commissaire, répond Dermitzakis. Une vie rangée, rien d'anormal.

– Avec Varoulkos, tu as touché le gros lot, dis-je à Vlassopoulos. Lui aussi a empoché cinquante mille euros.

Tous deux restent sans voix.

– Lui aussi ? s'écrie Dermitzakis. C'est le troisième, sauf erreur. Vous croyez qu'on va palper nous aussi ?

– Tu n'es pas athlète et tu ne t'es pas dopé. Donc, aucun espoir. Je veux que vous m'ameniez Varoulkos le plus vite possible. D'habitude il ne bouge pas de chez lui. Prenez une voiture du commissariat de Koropi. Je veux le voir cet après-midi.

– C'est parti.

– Et dites à Koula de venir.

Death ? Destruction ? Delete, comme le croyaient ces petits malins d'Anglais ? Non : la signature de l'assassin, c'est D comme *Doping*. Belle découverte, mais qu'est-ce que cela signifie ? Un ancien athlète dopé tue des banquiers, pourquoi ? Si les victimes étaient membres de l'Agence mondiale antidopage ou des laboratoires fabriquant des substances dopantes, je comprendrais. Mais les banques ? Quel rapport avec l'athlétisme ?

Je passe à ma seconde question, la plus désagréable pour moi. Quel rapport Haris Tsolakis a-t-il avec l'affaire ? Lui aussi est un athlète exclu pour dopage. La différence est que Sgouridou et Varoulkos croulent sous les dettes, alors que Tsolakis est riche. Serait-ce lui le généreux donateur ? Mais pourquoi ? En tout cas, il ne peut absolument pas être l'assassin. Il est infirme et ne peut quitter sans aide sa chaise roulante. Par ailleurs, lors de nos trois rencontres, il a répondu de façon exacte et sincère. Il n'y a peut-être aucun rapport, c'est sans doute une coïncidence, une erreur de mon cerveau pervers. Quoi qu'il en soit, il faut que j'enquête là-dessus, ne serait-ce que pour avoir l'esprit tranquille.

– Vous m'avez demandée, monsieur le commissaire ?

Koula m'arrache à mes pensées.

– Tu es en deuil toi aussi ?

– En deuil ?

Elle comprend et se met à rire.

– Non, moi, j'ai bu la potion amère quand nous avons été alignées sur les hommes. Certains collègues alors me taquinaient en me disant : Fini les privilèges et la retraite à quarante ans ! Maintenant c'est à leur tour de broyer du noir… Pardonnez ma question, mais vous, cela ne vous fait pas mal de voir la retraite s'éloigner ?

– Ça me fait mal, Koula, mais pas pour les raisons que tu crois. Je me dis que je peux sans problème servir encore quelques années, jusqu'à ce que Katérina fasse un enfant que j'emmènerai au jardin public dans sa poussette. C'est autre chose qui me rend furieux.

– Quoi ?

– Pendant cinq ans de plus je vais me faire traiter à tout bout de champ de porc et de facho.

– Cela ne m'est pas encore arrivé, dit-elle innocemment.

– Tu étais à l'abri dans l'antichambre de Guikas. Tu vas voir, quand tu vas sortir dans le monde. Enfin, revenons au boulot, c'est la meilleure des thérapies, à ce qu'on dit. Je vais te donner deux noms. Le premier, Haris Tsolakis. Haris pour Theoharis, Harilaos ou Haralambos. Le second est le nom d'une entreprise : Hôtels de l'Égée. Trouve-moi tout ce qui concerne ces deux noms. Laisse tomber Tsolakis et l'athlétisme. Là, je sais tout.

– Pas de problème. Ce sera bientôt fait.

Je pourrais appeler Phanis pour lui demander le prénom exact de Tsolakis, mais je ne veux pas troubler ses vacances, peut-être sans raison.

Puis je téléphone à Guikas.

– Vous pouvez me rendre un service ?

– Avancer l'âge de ta retraite ? Impossible, répond-il sèchement.

– Non, c'est autre chose. Je voudrais que vous appeliez Leonidis, l'avocat d'Okamba, pour lui dire d'amener son client après-demain matin pour interrogatoire. S'il vous demande la raison, tranquillisez-le, dites-lui que c'est sans rapport avec l'affaire.

– Il y a du nouveau ? demande-t-il avec impatience.

– D'abord, vous pouvez dire au patron qu'il avait raison quand il m'a dit d'aller voir du côté des cinquante mille euros d'Okamba. Le résultat, c'est que j'ai découvert un virement identique en faveur de Varoulkos.

– Qu'est-ce que cela signifie ?

– Laissez-moi cuisiner Varoulkos et Okamba, pour que j'aie d'autres éléments. Ensuite je viendrai vous faire un rapport complet.

– Tu te venges parce que je ne peux pas avancer l'âge de ta retraite, dit-il, et il raccroche.

42

En face de moi, dans le bureau des interrogatoires, Stefanos Varoulkos est assis à la même place que Sgouridou, mais pas dans la même posture. Coudes sur la table, bras croisés, il nous regarde alternativement, Mavromatis et moi. Ils ont mis moins d'une heure pour me l'amener depuis Koropi, même s'il a d'abord refusé de venir. Il a fallu le menacer des menottes.

Pourtant il semble à l'aise. Il doit considérer sa convocation comme une simple corvée. Ce qui sans doute le rassure, c'est que nous avons déjà fouillé chez lui, avec son accord qui plus est, sans rien trouver. Ou peut-être qu'il en a déjà tant vu dans sa vie que plus rien ne lui fait peur.

– Monsieur Varoulkos, il y a environ un mois tu as reçu cinq virements de dix mille euros chacun, venant d'une banque des îles Caïmans.

– Oui. Était-ce bien la peine de me trimbaler jusqu'ici pour que je vous le dise ?

– Peux-tu me dire qui est l'émetteur des virements ?

– Aucune idée.

La réponse est directe et paraît absolument sincère.

– Le nom de l'envoyeur n'était pas mentionné ? demande Mavromatis.

– Si. C'était une société dont je voyais le nom pour la première fois.

– Tu ne connaissais pas non plus le directeur de la société ?

– Non plus.

– Mais enfin, s'étonne Mavromatis, une société inconnue vous envoie cinquante mille euros et vous les encaissez sans vous poser de questions ?

– Vous parlez sérieusement, monsieur le procureur ? Je suis endetté jusqu'au cou. J'ai sauvé ma maison car c'est un local agricole et qu'elle ne vaut pas un clou. J'ai évité la prison parce que je réussis à rendre deux, trois sous à mes créanciers, et tant que tu donnes, on ne te met pas en prison, pour presser le citron jusqu'au bout. Voilà qu'arrivent cinquante mille euros, et moi je dois dire non ? La plus grande partie est passée dans le remboursement du prêt, et avec le reste je me suis acheté une voiture, pour me sentir à nouveau normal.

– Quelle marque ? dis-je.

– Un pick-up d'occasion. Si tu avais fait le tour de la maison, quand tu es venu me questionner, tu l'aurais vu.

– Et personne n'est venu vous dire qu'il était le donateur ? demande Mavromatis.

– Personne. Au début, j'ai même cru à une erreur, et je n'ai pas touché à l'argent. Mais au bout d'une dizaine de jours, en l'absence de toute réaction, j'ai décidé que la somme était à moi et j'en ai fait usage.

– Quand je suis venu chez toi, tu ne m'as rien dit.

– Tu ne m'as rien demandé. Je te l'aurais dit et tu n'aurais pas eu à me faire venir.

Je n'ai rien demandé car je ne savais rien. Et je ne veux pas encore aborder le chapitre de l'athlétisme. Je le garde comme joker, une fois que d'autres points seront éclaircis. Je dis à Varoulkos qu'il peut disposer.

– Oui, mais vous allez me ramener en voiture, comme pour l'aller. Je n'ai pas l'intention de prendre les transports. Puisque vous m'avez amené sous la contrainte, comme me l'a dit le petit salopard dans la voiture, vous me devez un retour dans la dignité.

Dès qu'il est sorti, Mavromatis remarque :

– Sgouridou et Varoulkos ont des discours très différents… Reste à savoir lequel des deux dit la vérité.

– La société émettrice est la même ?

– La même dans les trois cas.

– Alors, c'est Varoulkos qui dit vrai.

– Comment pouvez-vous être aussi affirmatif ?

– Si l'on admet que l'émetteur était un des clients de Sgouridou, comme elle le soutient, pourquoi enverrait-il de l'argent aux deux autres ? Varoulkos et Okamba n'étaient sûrement pas ses clients. Je suis pratiquement sûr que Sgouridou non plus ne sait pas qui c'est. Mais elle a eu peur d'avoir des problèmes pour avoir accepté une forte somme de provenance inconnue, elle a craint qu'on ne lui impose de rembourser l'argent, et elle a inventé une histoire.

– Et Varoulkos ? Il n'a pas peur, pourquoi ?

– Il a tout perdu et n'a plus rien à perdre. Il faut à tout prix trouver l'émetteur des virements.

– Nous le cherchons, mais ce n'est pas facile.

– Voyons ce que Koula nous a trouvé.

– Ce qu'on trouve d'habitude sur le Net, me dit Koula un peu plus tard. Le seul élément nouveau, c'est une certaine Aristea Tsolaki, qui dirige le groupe hôtelier.

– La sœur de Haris Tsolakis.

– Bien, on va chercher aussi de ce côté-là. Vous pensez que les virements pourraient venir de Tsolakis ?

– J'espère que non, car il m'est sympathique, mais tout converge dans cette direction.

Entre-temps, Dimitriou a tiré les photos prises par la caméra de sécurité. J'en donne deux à Dermitzakis.

– Tu vas tout de suite aller voir les gamins qui ont posé les autocollants à Keratsini. Demande-leur s'ils reconnaissent dans Varoulkos le type qui les a embauchés.

Je prends les deux autres, montrant Varoulkos assis et debout, et me dirige vers la rue Athanassias. L'avantage du quartier de Pagrati, c'est son calme et sa monotonie. Si quelqu'un veut prouver que routine et sûreté sont sœurs, il n'a qu'à visiter Pagrati.

Je m'arrête devant la quincaillerie. Le Meetings est hermétiquement fermé. La quincaillière me reconnaît aussitôt et me salue. J'attends que s'en aille une cliente qui achetait du fil et sors une photo.

– Cet homme vous rappelle quelque chose ?

Elle la prend à deux mains et l'examine.

– Ça doit me rappeler quelque chose ? demande-t-elle, hésitante.

– Peut-être, ou peut-être pas. Mais regardez plus attentivement.

Elle se concentre longuement, puis, toujours hésitante :

– Le mendiant ?

– Je ne sais pas. Moi, je ne l'ai pas vu. C'est vous qui allez me le dire.

– C'est le mendiant, dit-elle, enfin catégorique. Ce qui m'a embrouillée au début, c'est qu'il avait d'autres vêtements.

– Quels vêtements, vous vous souvenez ?

– Un jean délavé, un T-shirt sale. Mais ce n'est pas ça qui m'a gênée. C'est la casquette.

– Quel genre ?

– Une de ces casquettes de base-ball qui sont à la mode ces derniers temps. Elle cachait en partie son visage, au moins de loin. Si je ne l'avais pas vu de près, quand je lui ai dit qu'il paierait la TVA sur sa mendicité, je crois bien que je ne l'aurais pas reconnu.

Et de deux ! Parfait. Si les gamins reconnaissent Varoulkos, ce qui me paraît presque sûr, il ne nous restera plus qu'à trouver le Noir qui a organisé le collage d'affiches.

– Le bar a fermé ? dis-je à la quincaillière.

– Ne m'en parlez pas, le pauvre Nassos a bien du malheur. Personne n'y mettait plus les pieds. Il a décidé de fermer et de rouvrir en octobre sous un autre nom.

Je suis près de chez moi et décide de ne pas regagner mon bureau. D'autant que je me trouve de bonne humeur et je ne veux pas qu'une nouvelle tuile me la fasse perdre.

Adriani à la cuisine prépare des aubergines *imam* pour le dîner. Ce qui embellit encore mon humeur. Je la taquine :

– Les enfants sont partis en vacances, tu n'auras pas besoin de leur apporter à manger.

Elle s'interrompt et me jette un regard furieux.

– Mais dis-moi, ils sont devenus fous ?

Cueilli à froid, je ne vois pas de quoi elle parle.

– Qui ça ?

– Ceux qui vous collent cinq années de plus au boulot ! Je me demande comment vous pouvez avaler ça.

– Qu'est-ce qu'on peut faire ? On est dans la police. Tu veux quoi ? Que la moitié d'entre nous descende dans la rue pour tout casser et que l'autre moitié matraque ses collègues et les fourre au bloc ?

– Je ne sais pas ce que vous allez faire, mais je me souviens de ce qu'on disait dans le temps : les quatre-vingts premières années sont difficiles, puis tu meurs et tu es tranquille. Mais maintenant, les quatre-vingts premières années ne sont pas seulement difficiles, on va les passer à bosser.

– Tu connais une meilleure solution ?

– Oui. Diminuer la population de moitié. Nous ne serons plus que cinq millions et demi et nous dépenserons moitié moins. On ferait comme les Français qui chassent les Roms.

– Nous dépenserons moitié moins, et gagnerons moitié moins aussi. Tu y as pensé ?

– Bien sûr. On chasserait ceux qui doivent vingt-quatre milliards d'euros en impôts. On leur en ferait cadeau et on les chasserait. De toute façon, on n'a aucune chance de les récupérer, même dans les quatre-vingts années difficiles qui nous attendent. Resteront seulement les imbéciles qui paient leurs impôts. Donc, les dépenses et la corruption diminueront avec le départ des fraudeurs, et les gains seront les mêmes, grâce aux imbéciles.

Je reste bouche bée.

– Tu l'as eu quand, ton master d'économie ?

Elle change tranquillement de sujet :

– Nous ne sommes pas partis en vacances, mon chéri.

Je tente de me justifier.

– Tu as raison, mais toutes les affaires tordues me tombent dessus en été.

– Cesse de chercher des excuses. Ce n'est pas ça que je veux dire. Ceux qui sont partis en vacances, comme ma fille et mon gendre, passent leur temps sur la plage au soleil et leur peau devient noire. Moi qui reste ici toute la journée devant la télé, c'est mes idées qui sont noires.

Je m'allonge sur mon lit et prends le dictionnaire de Dimitrakos pour me détendre.

> **Vacance** n.f. État d'une charge, d'un poste vacant. Poste sans titulaire à pourvoir. Interruption. Vide. Thucydide, Pélop. III, 27. « Les Spartiates profitèrent de la vacance du pouvoir. »

Pour moi, pas de vacance, ni au pluriel ni au singulier. Pour les vacanciers, le vide, pour moi, le trop-plein perpétuel. Et je m'obstine dans cette existence idiote.

43

J'ai décidé de prendre une déposition officielle d'Okamba, pour éviter toute embrouille avec Leonidis. J'ai fait venir une interprète accréditée de grec en anglais. Koula assise à côté de moi prend la déposition en note sur son portable pour que Leonidis la lise avant de la faire signer par Okamba. L'avocat et son client sont assis en face de moi.

– Monsieur Okamba, ceci est une déposition officielle, mais je vous dis d'emblée qu'elle est sans rapport avec le terrorisme et l'accusation portée contre vous il y a quelques jours. J'attends seulement de vous quelques renseignements qui nous seront précieux pour élucider les quatre assassinats.

J'attends que l'interprète ait fini de traduire. Bill Okamba, droit sur sa chaise comme toujours, fixe sur moi un regard froid et hautain.

– Mon client répondra franchement à toutes vos questions, monsieur le commissaire. À condition, naturellement, que ses droits soient respectés.

Leonidis m'annonce par là qu'à tout instant il est prêt à intervenir.

– Ils le seront.

Et je me tourne aussitôt vers Okamba.

– Avez-vous pratiqué le sport de haut niveau, monsieur Okamba ?

Il est surpris par la question, et Leonidis plus encore.

Koula, elle, sait où je veux en venir, mais du coin de l'œil je la vois qui attend la réponse, l'air tendu.

– Tout à fait, répond Okamba. J'ai appartenu à l'équipe nationale de rugby d'Afrique du Sud.

– Je ne vois pas quel rapport peuvent avoir les activités sportives de mon client avec l'affaire, remarque Leonidis.

– Patience, maître.

Je me retourne vers Okamba.

– Pourquoi avez-vous abandonné le rugby ?

– Les meilleures choses ont une fin.

– Ce n'était pas une question d'âge ?

– Non, j'aurais pu continuer.

– Vous êtes-vous arrêté pour cause de dopage ?

Je ne crois pas que Phédon Leonidis, avocat criminaliste expérimenté, ait jamais eu autant de surprises en si peu de temps.

Mais la réaction intéressante est celle d'Okamba. Pour la première fois, il perd le contrôle, se levant d'un bond et criant en anglais :

– *That's a lie ! I never doped ! Never !*

– Sans doute. Mais on vous a accusé de dopage.

Pourvu que je ne me sois pas trompé.

Okamba se rassoit. Il a perdu de sa superbe.

– J'ai attrapé la grippe deux jours avant un match contre l'Australie. Je voulais jouer à tout prix et j'ai pris des médicaments puissants. J'aurais dû le déclarer à la Fédération, mais je ne l'ai pas fait. Après le match, on m'a contrôlé, j'ai été accusé de dopage et exclu.

Soudain, ce grand gaillard fond en larmes. Comme un enfant. Leonidis ne sait plus que faire et se tourne vers moi.

– Pouvez-vous m'expliquer où vous voulez en venir ? Est-ce bien nécessaire de troubler ainsi mon client ?

– Oui, maître. Attendez, vous aller voir.

Je me tourne vers Okamba, qui s'est un peu repris.

– *The wound is still there,* me dit-il, la blessure est toujours là, après tant d'années.

Okamba, Sgouridou, Varoulkos, même famille. J'en étais sûr, mais la confirmation officielle me soulage.

– Je vous comprends, monsieur Okamba. Mais laissons de côté ce passé désagréable et venons-en au virement de cinquante mille euros. Vous avez dit précédemment que vous ne saviez pas qui vous avait envoyé l'argent.

– C'est vrai, je ne sais pas.

– Il n'y avait pas le moindre indice ?

– Pas le moindre.

Il a vaguement hésité. Je me tourne vers Leonidis.

– Je vous prie d'expliquer à votre client qu'il ne court aucun risque. Encaisser un virement n'est pas un délit.

Okamba écoute l'explication attentivement.

– Avec le dernier versement, me dit-il enfin, il y avait un message.

– Qui disait ?

– « De la part d'un ami. »

– Rien de plus ?

– Rien.

– Et il n'y a pas eu de suite ?

Il hésite encore.

– Quelques jours plus tard, j'ai reçu un appel. Une voix m'a demandé si j'étais content du virement.

– Une voix d'homme ou de femme ?

– D'homme.

– Et elle a dit quoi d'autre ?

– Qu'elle connaissait mon histoire, que j'étais victime d'une injustice. Puis elle m'a demandé si j'étais content de mon travail. J'ai dit que oui, que j'en étais reconnaissant à M. Zissimopoulos. Alors il m'a demandé comment mon patron occupait sa retraite. Il jardine, ai-je dit. L'autre m'a demandé si mon patron passait beaucoup de temps au jardin et je lui ai dit à quelles heures il s'y trouvait.

C'est ainsi que l'assassin s'est renseigné. Tout simplement.

– Et par la suite vous n'avez jamais fait le rapport entre ces questions et l'assassinat ?

– Non ! s'écrie-t-il, effrayé. Je n'y ai jamais pensé. Mais maintenant que vous le dites, je comprends. M. Zissimopoulos et ses enfants sont mes bienfaiteurs. Jamais je ne pourrais leur faire de mal, je vous le jure.

– Je vous crois.

Soudain, c'est Leonidis qui se lève, hors de lui.

– Et moi, pourquoi m'avez-vous caché tout cela ?

Leonidis prenant le rôle du méchant, j'en profite pour endosser celui du gentil.

– Parce que personne ne le lui a demandé, maître. L'enquête s'est concentrée sur le terrorisme, et mes collègues se sont contentés de chercher des complices qui n'existaient pas.

Leonidis se rassoit et je reviens à Okamba, qui se tient la tête à deux mains.

– Une dernière question, monsieur Okamba. Celui qui vous a téléphoné vous a parlé en anglais ?

– Oui.

– Il parlait anglais comme un Anglais ?

– Non. Comme M. Zissimopoulos.

C'était donc un Grec.

– J'ai terminé, dis-je aux deux hommes. On imprime la déposition, vous la lisez, M. Okamba la signe et ensuite il peut rentrer chez lui.

Leonidis et Okamba semblent soulagés, mais le second est effondré.

– Cet inconnu qui a téléphoné… me dit Leonidis. Vous pourriez contrôler les appels chez Zissimopoulos et trouver son numéro.

– Je vais le faire, même si je n'attends rien.

– Pourquoi ?

– Je suis presque sûr qu'il a appelé depuis une cabine.

Je me lève pour prendre congé.

– J'ai entendu dire beaucoup de bien de votre fille, monsieur le commissaire, me dit Leonidis en me serrant la main.

– De ma fille ? Par qui ?

– Mon confrère Seïmenis est un bon ami. Il parlait de votre fille l'autre jour et les compliments pleuvaient.

D'habitude, le malheur arrive par vagues et le bonheur au compte-gouttes. Pour moi, aujourd'hui, c'est l'inverse.

44

Dermitzakis fait irruption dans mon bureau avec un large sourire.

– Les gamins l'ont reconnu tout de suite ! C'est bien Varoulkos qui leur a donné les autocollants.

Je m'y attendais.

J'ai demandé à ce qu'on m'amène Sgouridou et Varoulkos ensemble l'après-midi, car je veux les confronter. Je souhaite profiter d'une heure de battement pour mettre de l'ordre dans mes idées, mais j'ai compté sans ma déveine – Guikas en l'occurrence.

– Il veut vous voir d'urgence, dit Stella.

Tandis que j'entre dans son bureau, je comprends aussitôt l'urgence. Assis face à lui, je vois le chargé d'affaires néerlandais.

– M. Sifel est venu aux nouvelles, me dit mon supérieur.

Il aurait pu donner les nouvelles sans moi, mais il a besoin de moi comme d'une béquille ou pour tirer les marrons du feu, comme on voudra. Seulement, je ne me sens pas du tout en mesure de renseigner Sifel. Primo, je ne connais pas encore l'assassin, et secundo je ne peux pas lui révéler ce que je sais. Restons dans le vague.

– L'enquête est en bonne voie, monsieur Sifel. Nous avons bien avancé depuis notre dernière rencontre et j'espère que nous pourrons procéder à des arrestations dans les jours qui viennent.

– Vous savez que la famille d'Henrik De Mor fait pression sur nous sans arrêt ?

– Je comprends. Nous sommes sous pression nous aussi, nous voulons terminer, mais les recherches prennent du temps, même quand elles avancent bien.

– L'ennui pour nous, c'est que la famille ne vit pas en Grèce, et ne sait donc pas que si la Grèce appartient à la zone euro, elle est en dehors du temps européen. Ils utilisent la même monnaie que nous, mais pour eux le temps coule différemment.

Nous le regardons. Ou plutôt nous le fusillons ensemble du regard, car il se dégonfle aussitôt.

– Excusez-moi. Je plaisantais.

L'avantage, avec les Européens, c'est qu'ils ont l'excuse toute prête, que ce soit pour tuer ou pour plaisanter.

– Il vaut mieux être patient, lui dit Guikas avec sang-froid. La précipitation des Anglais dans le cas de Robinson nous a fait faire fausse route et nous a beaucoup ralentis.

– Vous avez peut-être raison, mais dans la situation où se trouve la Grèce actuellement, les retards causent du tort à son *image.* Jusqu'à présent les contacts passent par l'ambassade, mais je ne peux pas vous garantir que demain notre ministère des Affaires étrangères n'interviendra pas auprès du vôtre.

Si le but était d'intimider Guikas, c'est plutôt raté. Il hausse les épaules avec indifférence :

– Nous sommes des policiers, monsieur Sifel, pas des diplomates. Si votre ministère intervient, la réponse officielle ne sera pas différente de celle-ci. Je peux vous assurer que notre ministre actuellement n'en sait pas plus que vous.

Comprenant qu'il ne pourra rien nous arracher d'autre, Sifel nous quitte, et Guikas promet de l'informer dès qu'il y aura du nouveau.

– Il faut prévenir tout de suite le ministre, me dit Guikas. Avant que les Néerlandais interviennent et qu'il se mette à râler.

– Laissez-moi le temps d'interroger Sgouridou et Varoulkos.

– Où en est-on avec Okamba ?

Je lui raconte l'interrogatoire. Il reste bouche bée.

– C'est comme ça que l'assassin s'y est pris ?

– Deux questions lui ont suffi.

– J'attends que tu aies terminé. Même si c'est long. Je veux être informé tout de suite.

Sgouridou et Varoulkos sont arrivés.

– Vous les avez mis dans des bureaux séparés ? dis-je à Vlassopoulos.

– Bien sûr.

– Laissez-les mijoter un peu.

Je prépare les photos de Sgouridou, surtout celle que Stratos a retravaillée, la photo de Varoulkos et je demande qu'on m'amène tout le monde dans le bureau des interrogatoires.

Sgouridou entre la première et tout de suite passe à l'offensive.

– Je peux savoir pourquoi on m'a traînée jusqu'ici de cette façon ? Encore heureux qu'on ne m'ait pas mis les menottes ! J'exerce une profession, monsieur le commissaire, vous ne pouvez pas me donner ainsi en spectacle, comme si j'étais une criminelle.

Le temps qu'elle achève son discours, Dermitzakis a fait entrer Varoulkos. Les deux athlètes se regardent, surpris, mais sans se saluer.

– Vous vous connaissez ? dis-je.

– De vue seulement, répond Sgouridou.

– Vous ne vous êtes jamais rencontrés sur un stade ?

Ils me regardent sans répondre.

– Allons allons, nous savons que vous étiez athlètes et que vous avez raccroché une fois convaincus de dopage.

Aucun des deux ne prend l'initiative de répondre. J'en suis satisfait : c'est la preuve que j'ai semé en eux la confusion.

– J'ai été dopée à mon insu, dit Sgouridou, les dents serrées. Mon salopard d'entraîneur me faisait avaler des pilules en me disant que c'était des vitamines. Quand je me suis fait pincer, j'ai compris quel tour il m'avait joué.

Varoulkos se montre fataliste.

– D'accord, j'étais dopé. Mais à quoi ça sert de savoir si je le savais ou pas ? Ce qui compte, c'est que j'ai dû arrêter.

– Vous nous avez fait venir pour ça, monsieur le commissaire ? attaque à nouveau Sgouridou. Pour nous dire que nous avons été exclus pour dopage ? Écoutez, cela fait des années que j'ai payé aux autorités sportives.

– Malheureusement pour vous, cette fois ce ne sont pas les autorités sportives qui vous poursuivent.

Je sors de l'enveloppe la photo retravaillée par Stratos et la pose devant elle. Elle lui jette un coup d'œil et s'efforce de garder son sang-froid.

– C'est quoi, ça ? demande-t-elle, visiblement gênée.

– C'est la mendiante qui surveillait la maison de Robinson à Psyhiko. J'ai un témoin : le vigile de l'immeuble, qui t'a reconnue. Il te chassait et tu revenais. Autre témoin, le marchand de journaux de la rue Samou qui t'a reconnue quand tu jouais les mendiantes pour surveiller Fanariotis.

J'attends une réaction, qui ne vient pas. Pour la première fois, Sgouridou a avalé sa langue. Je sors de l'enveloppe la photo de Varoulkos et la pose devant lui.

– C'est la quincaillière de la rue Athanassias qui t'a reconnu. Celle qui t'a dit un jour que tu paierais la TVA sur tes aumônes. Et les gamins de Keratsini t'ont reconnu aussi.

Second silence.

– Chaque fois que vous vous pointiez quelque part en mendiants, un meurtre suivait. Richard Robinson, Henrik De Mor, Kyriakos Fanariotis. Ce qui fait de vous des complices de trois meurtres et le procureur n'aura aucun mal à le prouver.

Ils continuent de se taire. Ils regardent droit devant eux, évitant le regard de l'autre. Comme pour dire : Chacun pour soi. Enfin, Sgouridou prend la parole.

– Oui, mais moi je ne savais pas qu'on allait le tuer.

– Moi c'est pareil, dit Varoulkos.

– Je vous crois. Je crois aussi que vous ne savez pas qui vous a envoyé les cinquante mille euros. Mais vous m'avez tous deux caché quelque chose.

– Quoi donc ? demande Varoulkos.

– Vous ne m'avez rien dit du message qui accompagnait les virements.

– Vous appelez ça un message ? dit Sgouridou. Avec le dernier virement, il y avait un mot : « De la part d'un ami qui te connaît. » Mais moi je ne le connaissais pas. Qu'est-ce que je pouvais vous dire ? J'ai dit que je ne le connaissais pas.

– Ce n'est pas ce que tu as dit. Tu nous as sorti une histoire de client reconnaissant. Et ton message à toi, Varoulkos ?

– Même chose.

– D'accord, mais quelques jours plus tard un coup de fil a suivi, que vous m'avez caché aussi, vrai ou faux ?

Pas de réponse, mais cette fois le silence est affirmatif. Je demande à Sgouridou :

– Qu'est-ce qu'il vous a dit ?

– Qu'il était l'ami qui avait envoyé l'argent. Je lui ai demandé tout de suite qui il était, il a répondu que ça n'avait aucune importance, qu'il savait que j'en avais besoin. Puis il m'a demandé un petit service. De m'habiller en mendiante et d'aller dans la rue Malakassi pour lui dire à quelle heure Robinson partait de chez lui le matin. J'ai accepté, c'était si peu de chose à côté de cette somme d'argent.

– Et comment l'as-tu informé ?

– C'est lui qui a téléphoné. Je lui ai dit que Robinson partait à sept heures, ou huit heures, ou neuf heures…

– Tes habits de mendiante, où les as-tu achetés ?

– Nulle part. Il me les a envoyés par la poste.

– Et la deuxième fois ?

– Il m'a téléphoné pour me donner des instructions. Mais cette fois il n'a pas envoyé de vêtements. Il m'a dit de me mettre en noir.

Je me tourne vers Varoulkos.

– Et toi, qu'est-ce qu'il t'a dit au téléphone ?

– À peu près la même chose.

– C'était un homme ou une femme ?

– Un homme. Il m'a dit de mettre mes plus vieux vêtements. Ça tombait bien. Ils sont tous vieux.

– Et pour les autocollants ?

– Les instructions par téléphone et un paquet par la poste.

– Mais enfin, dis-je à Sgouridou, en apprenant le meurtre de Robinson, tu n'as pas compris qu'il t'avait demandé de le surveiller pour qu'il le tue ?

– Comment aurais-je pu comprendre, monsieur le commissaire ? J'ai surveillé le domicile de Robinson, il a été tué à son bureau. Pourquoi aurais-je pensé à mal ?

– Admettons. Mais la deuxième fois, Fanariotis a été assassiné sur les lieux où tu le surveillais. Tu ne pouvais pas ne pas comprendre, et pourtant tu n'es pas allée voir la police.

Sgouridou se tait, n'ayant rien à répondre. Je me tourne vers Varoulkos.

– Avec toi, c'est la même chose. On te fait surveiller un étranger, il est assassiné, et tu ne penses même pas à prévenir la police ?

Là encore, pas de réponse.

– Il vous a promis un nouveau virement ?

– Non, il n'a rien promis.

Ils ont répondu d'une seule voix.

– Mais vous vous êtes dit, puisqu'il nous donne tant d'argent sans qu'on n'ait rien fait, maintenant qu'on lui a rendu service il va peut-être en donner encore.

– Que vouliez-vous que je fasse ? me demande Sgouridou. Je suis endettée jusqu'au cou, les cinquante mille euros sont arrivés comme une manne. Je me suis dit, si je lui rends service et s'il me donne une rallonge, je pourrai sortir du trou une fois pour toutes.

– C'est ce que tu t'es dit toi aussi ? dis-je à Varoulkos.

– J'ai pensé que s'il me donnait encore un peu d'argent, je pourrais peut-être former une équipe et refaire ma vie. Construire un hangar, agrandir une maison…

Que l'organisateur soit Tsolakis ou quelqu'un d'autre, une chose est sûre : voilà un plan satanique. L'homme ne savait pas seulement qu'ils avaient besoin d'argent, il connaissait leur psychologie. Tsolakis me paraît assez intelligent pour le rôle, et peut-être plus encore.

– Et maintenant, que va-t-il se passer ?

– Vous êtes impliqués dans trois meurtres. Je suis obligé de vous garder et de vous déférer au juge d'instruction.

– Nous sommes innocents ! s'écrie Sgouridou. Nous ne savions pas que cet homme avait l'intention de tuer.

– Le juge d'instruction en jugera. Et il s'appuiera sur le fait que vous n'avez pas informé la police en apprenant le meurtre de ceux que vous aviez surveillés. Vous feriez bien de contacter vos avocats.

Sgouridou couvre son visage de ses mains. Le regard de Varoulkos me traverse.

Je les laisse dans le bureau aux bons soins de mes adjoints, et je monte au cinquième informer Guikas.

Il m'attend comme un enfant le père Noël.

– Alors, on avance ?

– Nous avons deux arrestations pour complicité d'assassinat.

Je lui résume l'entretien.

– Qui est le cerveau derrière tout cela ? demande-t-il.
– Je suis pratiquement sûr qu'il s'agit de Haris Tsolakis.
– Qui ça ?

Je lui raconte toute l'histoire de Tsolakis, sans jamais mentionner Phanis.

– Pourquoi ne pas l'arrêter ?
– Il nous manque encore des éléments. L'essentiel est de prouver que c'est lui qui a envoyé l'argent. Mavromatis est en train de remonter la piste du côté des îles Caïmans. Mais il nous manque aussi l'assassin.
– Ce n'est pas Tsolakis ?
– Il est infirme et ne peut même pas se lever tout seul.

Guikas téléphone au ministre pour l'informer.

– Demain matin, dix heures à son bureau, dit-il en raccrochant.

45

Je ne sais quelle est l'ambiance au café du matin des ministres et des chefs de parti. Mon café à moi, *semi-grec*, car préparé à la grecque mais sorti de la machine, je le bois seul dans mon bureau, et je suis fou de rage si quelqu'un ou quelque chose me gâche ce premier plaisir de la journée, qui est souvent le seul.

Si l'on en juge par l'ambiance au bureau du ministre, ce doit être plutôt convivial. Le ministre plaisante avec Arvanitopoulos et le secrétaire général, aujourd'hui présent, accueillant les bons mots de celui-ci et du chef de la police, qu'on peut ranger dans la catégorie basse flatterie. Lorsque Guikas l'informe de la visite du chargé d'affaires néerlandais et l'intervention annoncée, il répond avec indifférence : Laissez-le faire, il n'apprendra rien de plus.

Puis il se tourne vers moi.

– Eh bien, monsieur le commissaire, nous attendons les bonnes nouvelles.

Voilà qui explique en partie l'ambiance badine de ce café matinal : ils ont préencaissé la bonne nouvelle. Crise ou pas crise, les Grecs n'arrêtent pas de préencaisser.

Je me lance dans un récit-marathon, ne faisant grâce d'aucun détail. Tout le monde m'écoute la bouche ouverte.

– Satanique, commente le secrétaire général.

Et nous qui cherchions des terroristes, dit le ministre en jetant un regard au chef de la police.

J'interviens.

– Sur un point, cependant, vous aviez absolument raison, monsieur le chef de la police.

– Lequel ?

– La clé du mystère, c'était les cinquante mille euros.

– Vous voyez ? s'écrie-t-il, jubilant. Je vous l'avais bien dit !

– Et maintenant, où en sommes-nous ? me demande le ministre.

– Nous gardons Sgouridou et Varoulkos pour complicité d'assassinat.

– Et les autocollants ? demande le secrétaire général.

– Je ne sais si nous pouvons inculper. Le procureur décidera.

– Pourquoi n'arrêtons-nous pas Tsolakis ? demande le chef de la police. C'est lui le cerveau.

– Nous sommes persuadés qu'il est l'émetteur des virements, mais sans avoir de preuves, et il va sûrement nier. Notre seule chance est de découvrir le compte à l'origine de l'envoi et son détenteur. Le procureur Mavromatis s'en occupe. De plus, nous ne connaissons pas l'assassin. Tsolakis le connaît, bien sûr, mais tant que nous ne pouvons pas le coincer, il ne dira rien.

– Connaissons-nous le mobile ?

– Non, même pas, hélas. Une chose est sûre : il ne connaissait pas au moins deux des victimes, Robinson et De Mor. Mais à supposer qu'il ait connu Zissimopoulos et Fanariotis, je ne vois pas quelle raison il avait de les tuer. Le seul mobile qui tienne, c'est la vengeance.

– Mais pour se venger de quoi ? demande le chef de la police.

– Nous nous posons la même question, répond Guikas.

– Que pouvons-nous rendre public ? demande le ministre.

– À mon avis, rien encore, monsieur le ministre, dit Guikas. Il faut attendre d'avoir arrêté Tsolakis ou du moins l'émetteur des virements.

– Quoi qu'il en soit, nous sommes sur le bon chemin, conclut le ministre, satisfait.

Cette impression se vérifie dès mon retour au bureau.

– M. Mavromatis vient d'appeler, me dit Koula. Il veut vous parler. C'est urgent.

– Nous avons trouvé le compte, me dit-il tout joyeux dès qu'il entend ma voix.

Je grille d'impatience, et en même temps je crains d'entendre le nom de Tsolakis.

– C'est le compte d'une fondation qui a son siège au Liechtenstein. La FOSDAT. Foundation for supporting doped athletes.

Une fondation qui soutient les athlètes dopés envoie de l'argent à certains d'entre eux. Tout est absolument légal et limpide à première vue.

Mavromatis interrompt ma réflexion :

– Vous devez savoir que le Liechtenstein est le paradis des fondations.

– Comment se fait-il ?

– Les fondations sont la vitrine de la fraude fiscale.

– Sans doute, mais peu m'importe. Ce que je veux savoir, c'est qui a donné l'ordre de virement.

– Un certain Kleon Rokanas.

– Jamais entendu ce nom.

– Je n'en doute pas, mais cet homme est le mari d'Aristea Tsolaki et le beau-frère de Haris Tsolakis. C'est votre collaboratrice qui nous a ouvert les yeux. Si elle ne nous avait pas donné le nom Tsolakis, nous en serions encore à chercher, Europol et nous.

– Merci, c'est du beau travail.

– On fait son devoir, dit-il, et il raccroche.

Nous le tenons, me dis-je, mais je suis tout sauf réjoui. Je ne peux que tirer mon chapeau à Tsolakis. Comment soupçonner une fondation qui soutient financièrement des athlètes dopés au bord du gouffre ? Surtout lorsque le nom du directeur ne peut être rattaché au cerveau de la machination ? S'y retrouver dans cette affaire, c'est comme passer par le chas d'une aiguille, que Tsolakis a tout fait pour rétrécir.

Parfois, quand le fil commence à se dérouler, que les révélations vous tombent dessus comme un tas de briques sur la tête, on est aveuglé au point de ne plus voir l'évidence. Cela m'est arrivé non seulement cette fois-ci, mais bien d'autres fois. Jusqu'à présent, obnubilé par les athlètes dopés, je n'ai pas suffisamment pensé à l'infirme. Sans doute parce qu'il m'est sympathique. Mais un infirme dépend de l'aide continuelle d'un petit cercle de personnes. Sans elles, il est condamné. Autour de Tsolakis il y avait Phanis, son médecin, sa sœur, son beau-frère et son serviteur noir. Je me donnerais des baffes de n'avoir pas pensé à son serviteur noir.

J'appelle Katérina sur son portable.

– Comment ça se passe là-bas, ma chérie ?

– Merveilleusement, papa. Un vrai paradis.

– Tu te sentiras encore mieux quand je te dirai que Leonidis a dit beaucoup de bien de toi.

– Leonidis ? Comment me connaît-il, Leonidis ?

Elle n'a pas l'air d'y croire.

– Il a entendu Seïmenis te tresser des couronnes.

– C'est formidable ! Je vais piquer une tête en ton honneur, papa.

– Vas-y. Phanis est là ?

– Je te le passe.

Mieux vaut donner d'abord les bonnes nouvelles.

– Comment vont les damnés qui poursuivent le crime dans la fournaise ? attaque Phanis.

– Ils ne sont pas au mieux de leur forme.

– J'imagine.

Il ne peut pas imaginer, mais bon.

– Dis-moi, Phanis, sais-tu d'où vient le serviteur de Tsolakis ?

– Rachid ? Du Soudan, je crois.

Qui m'a parlé du Soudan et des Janjas quelque chose qui manient l'épée en virtuoses ? L'un des Noirs que j'ai interrogés ici ou l'un des marchands ambulants de la rue Menandrou, quand je cherchais l'arme du crime. Je ne me souviens plus.

– Pourquoi cette question ? Il se passe quelque chose ?

– Oui, mais rien qui concerne le médecin.

– Alors ?

– Laisse, nous en parlerons à ton retour.

– Non, je veux savoir maintenant, dit-il avec brusquerie. Tsolakis est mon patient.

Je lui raconte l'histoire sans rien cacher. Il reste silencieux le temps de digérer la nouvelle. Puis il me pose la question que tout le monde pose quand on refuse l'évidence.

– Tu es vraiment sûr ?

– Si j'avais le moindre doute, je ne t'aurais rien dit.

Autre silence.

– Pourquoi a-t-il fait ça ?

– Franchement, je ne sais pas. J'espère qu'il va me le dire.

Il réfléchit.

– Peut-être qu'il se sent mourir. On ne sait jamais de quoi sont capables les gens qui vivent en comptant les jours.

– C'est peut-être ça. Je le saurai bientôt.

– Appelle-moi, je veux savoir.

– Je t'appellerai quand j'aurai fini.

– Fais en sorte qu'il y ait un médecin pour l'examiner.

– Pourquoi ?

– Il ne tiendra pas le coup en prison, commissaire. Il va vous claquer entre les doigts. Il vaudrait mieux l'hospitaliser.

– Bon, je vais voir ce que je peux faire.

Je raccroche et appelle Guikas aussitôt.

– On a trouvé le titulaire du compte. L'émetteur des virements est le beau-frère de Tsolakis.

– Parfait ! s'écrie-t-il, emballé. Tu vas l'arrêter ?

– Oui, ainsi que l'assassin.

– Tu sais qui c'est ? dit-il, sidéré.

– C'est son serviteur soudanais. Ah, et il faudrait qu'un médecin soit à la disposition de Tsolakis.

– Nous devons lui fournir des soins en plus ? dit-il, ironique.

– Oui, parce que c'est une ruine et qu'il risque d'y passer. Et après, pour nous justifier, nous pourrons toujours courir, et le ministre aussi.

– Bon, je m'en occupe.

J'appelle Vlassopoulos et Dermitzakis et leur dis de préparer deux voitures.

46

En arrivant chez lui à Politia, je laisse mes adjoints devant l'entrée, préférant qu'ils n'entendent pas ce qui sera dit. Tsolakis est seul, assis sur sa terrasse. Je monte les marches et il me sourit comme s'il m'attendait.

– Bienvenue, monsieur le commissaire, me dit-il avec sa cordialité habituelle. Je vois qu'aujourd'hui tu es venu accompagné.

– Je ne pouvais faire autrement, Haris, hélas. Où est ton serviteur ?

– Rachid ? Il est rentré au Soudan.

Je reste coi. La seule chose que je n'avais pas prévue. Je me maudis de n'avoir pas pensé au Soudanais plus tôt. Je suis vexé : Tsolakis m'a devancé, cette fois encore.

– Tu as chassé l'assassin ? dis-je, et je me retiens pour ne pas lui sauter dessus.

Il m'envoie son sourire amical de toujours.

– Quel assassin, monsieur le commissaire ? Si tu es venu arrêter l'assassin, le voici. Rachid n'a été que mon bras. D'accord, j'ai coupé le bras, mais le coupable est tout de même entier devant toi.

– Tu es l'instigateur. L'exécuteur, c'est le Soudanais.

– Il va falloir que tu demandes son extradition au gouvernement du Soudan.

Là, c'est mal barré – comme lorsque nous avons demandé à la Thaïlande l'extradition de ceux qui avaient torturé et massacré toute une famille à Kifissia…

– C'est moi l'assassin, tous les autres sont innocents. Sgouridou, Varoulkos, Okamba, Rachid… Tous.

– Innocents, pas tant que ça. Tu les as grassement payés pour t'informer. Ils sont tes complices.

– Quand tu enquêteras sur la FOSDAT, tu verras que nous avons aidé une foule d'athlètes sans aucune contrepartie.

– Comment sais-tu que nous avons découvert la FOSDAT ?

– Là, tu me sous-estimes, monsieur le commissaire. Serais-tu là si tu ne l'avais pas découverte ? Kleon, mon beau-frère, ne court aucun danger. Il a fait trois virements, après tant d'autres, sur ma demande. Sgouridou et Varoulkos croulent sous les dettes, nous les avons aidés à s'en tirer. Quant à Okamba, tu sais ce que cela représente d'avoir été une star dans son pays et de se retrouver larbin en Grèce ?

Je revois le fier Okamba qui se décompose et fond en larmes.

– Ils t'ont tout de même renseigné sur tes victimes.

– Mais sans savoir qui je suis ni ce que j'allais faire. Supposons qu'ils soient venus me dénoncer. Que dire ? Qu'une voix inconnue leur a demandé un petit service ? Je veillerai à ce qu'ils aient un bon avocat, aucun danger pour eux.

Il le fera, c'est sûr. Il a tout prévu, jusqu'au moindre détail. J'admire malgré moi le sens moral d'un assassin qui couvre ses complices et prend tout sur lui.

– C'est Rachid qui a trouvé les immigrés colleurs d'affiches ?

– Oui, en trois coups de fil à des amis. Mais j'ai confié les autocollants à Varoulkos, car exposer Rachid une deuxième fois pouvait être dangereux pour lui.

– Tu n'as rien laissé au hasard, dis-je avec une pointe d'ironie.

– J'ai pensé à tout. Quand tu es cloué dans un fauteuil avec un ordinateur pour toute compagnie, tu n'as rien d'autre à faire que penser et programmer.

– Tu me donneras la suite du programme ?

– Les vacances de Phanis et Katérina se passent bien ? demande-t-il au lieu de répondre.

– Quel rapport ? dis-je, furieux.

Il rit.

– Attention, je ne vais pas te demander un traitement de faveur sous prétexte que j'ai offert des vacances à ta fille et ton gendre. D'abord, je dois beaucoup à Phanis. C'est lui qui m'a maintenu en vie jusqu'à présent. Donc, les vacances gratuites ne font que payer ma dette. Ensuite, j'ai éloigné Phanis parce que je voulais arrêter les médicaments, et que je ne pouvais le faire qu'en échappant à son contrôle. J'ai arrêté le jour de leur départ. Ce qui veut dire qu'il me reste trois mois de vie au plus.

– Pourquoi ?

– J'ai fini ce que j'avais à faire. Désormais, je n'ai plus besoin de souffrir. Que ce soit chez moi ou en prison.

Il s'interrompt et me regarde. Pour la première fois je le vois en difficulté.

– Je veux aussi te dire autre chose. Chaque fois que tu es venu me questionner, je t'ai toujours dit la vérité. Je n'ai jamais cherché à t'induire en erreur.

– Je sais. Ce que je ne sais pas, c'est pourquoi tu as fait tout cela. Pourquoi tu as tué quatre personnes qui, autant que je sache, ne t'ont jamais fait le moindre mal. Et pourquoi tu voulais frapper les banques.

– Il est vrai que ces quatre-là ne m'ont rien fait personnellement.

Il s'arrête comme pour mettre de l'ordre dans ce qu'il va dire.

– Je ne suis pas sûr que tu puisses comprendre.

– Au point où nous en sommes, tu ne perds rien à essayer.

– Écoute, monsieur le commissaire. Nous tous qui nous sommes dopés pour une médaille, nous l'avons payé très cher. Je l'ai payé de ma santé, les trois autres ont été ruinés. La sanction est juste. Mais ce que font les banques, si ce n'est pas du dopage, alors c'est quoi ? Les cartes de crédit qu'elles t'envoyaient par la poste, sans qu'on les demande, les prêts au logement, les prêts à la consommation, les prêts vacances ou mariage qu'elles distribuaient à tous, les *hedge funds,* les paris sur la faillite d'un pays étranger qui ne leur avait rien fait de mal, tout cela, ce n'est pas du dopage ?

– D'où le D dont l'assassin signait ses crimes ?

Un silence.

– Tu as un don rare, dit-il.

– Lequel ?

– Tu donnes l'impression d'être idiot, de ne rien comprendre, mais ton cerveau derrière tourne rond.

– Ce n'est pas tellement une question de cerveau. Il faut être patient, rassembler les éléments un par un et les mettre en ordre.

– En tout cas, bravo. Le D donnait la cause de leur mort. Nous autres les athlètes avons payé, les victimes des banques ont payé en se faisant ruiner, en perdant leurs maisons, mais les banques, avec leur dopage, non seulement n'ont pas payé, mais ont été récompensées. Elles ont reçu des milliards des États pour continuer. Est-il juste que je paye et que les autres dopés soient payés avec ton argent et le mien ? Toutes ces victimes naïves ont cru ce que disaient leurs gouvernements : oui, certes, les banques sont des tigres, mais elles sont devenues végétariennes. Quand j'ai compris ce qui se passait, j'étais hors de moi. Et j'ai décidé de les punir moi-même, puisque ceux qui auraient dû le faire ne le faisaient pas. Tu comprends ? Tu es le beau-père de Phanis, et en plus je t'estime, alors je veux que tu comprennes.

– Je comprends, dis-je très sincèrement. Et je comprends pourquoi tu es prêt à subir les conséquences. Mais tu n'aurais pas dû renvoyer Rachid. Lui aussi devait payer pour les quatre crimes.

– J'ai le temps de te raconter l'histoire de Rachid ?

– On n'est pas pressés.

– Rachid était un grand coureur de 10 000 mètres. Nous l'admirions tous. Si quelqu'un ne s'est jamais dopé, c'est bien lui. Il n'en avait pas besoin, fort comme il l'était. Sa fédération était aux petits soins et lui promettait monts et merveilles. C'était un paysan simple et honnête, et il les croyait. Tout ce qu'il a eu, c'est des clopinettes. Il n'a rien dit, il a raccroché pour rentrer au village et cultiver son champ. Un jour, des experts étrangers sont venus lui dire de ne pas cultiver le maïs, mais de se reconvertir dans l'éthanol, le carburant vert comme ils disent, qui soi-disant rapportait plus. Mais ç'a été une catastrophe et il a perdu son champ. Il avait une femme et trois petits enfants à nourrir. Pousser quelqu'un à cultiver un ersatz d'essence et causer sa ruine, ce n'est pas du dopage ? Un jour, il m'a écrit pour me demander si j'avais du travail pour lui parce que sa famille crevait de faim. Je l'ai donc fait venir ici pour s'occuper de moi. Quand je lui ai raconté mon plan, il m'a dit simplement « je serai ton bras ». Et il l'a fait. Tu crois qu'il n'a pas suffisamment payé ? Nous autres nous sommes vendus, lui on l'a vendu. Enfin, même si vous le faites extrader, sa famille est à l'abri.

Je ne commente pas. Je ne trouve rien à dire. Que je sois d'accord ou non, quelle importance ? Ce qui importe, c'est que cet homme pense avoir bien agi et qu'il est prêt à mourir. D'être en prison ou sans médicaments, là aussi peu importe.

– Où est l'épée ?

– Je ne sais pas.

– Là tu te fous de moi.

– Rachid m'a dit qu'il la ferait disparaître. Je ne sais pas ce qu'elle est devenue. Fouille la maison si tu veux.

On verra plus tard. De toute façon, les chances de la retrouver sont presque nulles. Bilan : nous avons le cerveau et les deux complices, l'assassin et l'arme du crime nous échappent.

– Si nous avons fini, dit-il, nous pouvons y aller.

Il sort de sa poche un trousseau de clés et me le tend.

– Les clés de la maison. Tu vas vouloir fouiller. Quand tu auras fini, tu les donneras à ma sœur.

Je pousse le fauteuil roulant. Nous descendons une rampe jusque dans l'entrée. Vlassopoulos et Dermitzakis l'aident à monter dans la première voiture, puis ils plient le fauteuil et le placent dans le coffre.

– Pas de menottes, leur dis-je. C'est inutile.

Dermitzakis monte à l'arrière avec lui et je m'assieds à côté du conducteur. Nous descendons l'avenue Kifissias vers notre destination. Dans le rétroviseur je le vois qui observe les rues et les maisons tandis que nous passons dans un hurlement de sirène. Vers l'hôpital de la Croix-Rouge, la foule se fait plus dense.

– Autrefois, quand je courais encore, il y avait toujours quelqu'un dans la rue pour m'arrêter et me féliciter. Maintenant, plus personne.

– Ça te manque ?

– Au début, oui. Plus maintenant. Les rues et la ville non plus ne me manqueront pas.

Il sourit et poursuit :

– Si certains veulent me féliciter pour m'être attaqué aux banques, ils ne me trouveront pas, car comme tu le sais, je n'irai plus dans les rues.

Il le dit d'une voix neutre, sans amertume. Quand nous arrivons à l'avenue Alexandras, je dis au conducteur de passer par le garage souterrain : si quelqu'un a mis les journalistes au parfum, nous sommes attendus.

Dermitzakis et Vlassopoulos font descendre Tsolakis et l'assoient dans son fauteuil.

– À bientôt, lui dis-je.

On le dirige vers les cellules et je regagne mon bureau.

J'appelle aussitôt Guikas. Avoir laissé filer l'assassin ne lui plaît pas du tout.

– On va demander l'extradition, bien sûr, mais c'est sans espoir. Ton rapport, je l'aurai quand ?

– Demain, dis-je d'un ton sec.

Je ne suis pas d'humeur à parler de mon rapport.

Il se dispense de commentaires.

– Bon, je me charge d'informer le ministre.

– Et le médecin ?

– Je te l'envoie.

Il devait attendre dehors, car aussitôt je vois se pointer un grand type en T-shirt, jean et chaussures de sport.

– Docteur Kalentzidis, généraliste.

J'aimerais mieux un cardiologue, mais je n'y ai pas pensé à temps et Phanis non plus.

– Le détenu est là ? Je peux l'examiner ?

– Vous pouvez, mais autant que je sache, c'est une vraie ruine et je vous conseille de parler avec son médecin traitant pour éviter des incidents désagréables.

– Qui est le médecin traitant ?

– La cardiologue Phanis Ouzounidis.

Il est surpris.

– Phanis ? Quelle coïncidence ! Nous avons fait notre médecine ensemble.

Tant mieux, me dis-je. J'envoie le médecin vers Tsolakis, puis n'ayant plus rien d'autre à faire, je ferme boutique et rentre chez moi.

Le temps que j'arrive, les journalistes ont appris les arrestations et développent des théories devant l'objectif, la conclusion habituelle étant qu'ils ne savent rien.

– Alors ? Vous l'avez arrêté ? demande Adriani, collée devant la télévision.

– Oui, je te dis tout dans un moment.

Phanis a priorité.

– C'est bon, je me suis arrangé avec Kalentzidis, dit-il

dès qu'il entend ma voix. Il va tâcher de le transférer à l'Hôpital général, où se trouve son dossier.

– Il a cessé de prendre ses médicaments. C'est pour ça qu'il vous a envoyés en vacances. Pour que tu sois loin quand il cesserait le traitement.

Je crois que la ligne est coupée, tant le silence est long.

– Je rentre, dit Phanis.

– Si tu veux mon avis, il vaut mieux que tu restes là-bas.

– Dis-moi, commissaire, lance-t-il d'un ton rude, quand t'ai-je demandé de laisser filer un suspect ?

– Quel rapport ?

– Tu ne peux pas me demander de consentir au suicide d'un de mes patients.

– Ce n'est pas ce que je te demande. Je voudrais que tu lui laisses un peu de temps pour s'habituer. Toi, tu t'y connais en malades, moi, je m'y connais en détenus. Laisse tes confrères s'occuper de lui et rentre dans quelques jours quand il sera plus calme. Alors tu lui seras plus utile.

– Bon, je vais réfléchir, et il raccroche.

Adriani attend son tour. Je lui raconte l'histoire en détail, car elle sait tout sur Tsolakis, bien qu'elle ne le connaisse pas personnellement.

– Il a de la chance, conclut-elle. S'il n'y avait pas Phanis derrière, le médecin de la police et toi vous n'auriez pas bougé le petit doigt et le gardien aurait bien pu le retrouver mort un matin dans sa cellule.

– Tu exagères, on n'est plus sous la dictature.

– Ne va pas chercher la dictature. Ici, même à l'hôpital, il faut du piston pour qu'on ne te balance pas sur un lit de camp dans le couloir, en attendant qu'un médecin stagiaire veuille bien s'occuper de toi. Les étrangers peuvent dire ce qu'ils veulent, mais en Grèce le piston sauve des vies.

Elle a tout dit. Point final.

Postface

Après *Journal de la nuit*, *Une défense béton*, *Le Che s'est suicidé*, *Publicité meurtrière* et *L'Empoisonneuse d'Istanbul*, revoici donc le commissaire Charitos dans une nouvelle enquête. Il y affronte quasi seul, armé de son obstination proverbiale, le monde arrogant de la finance, les ambitions de certains collègues, les pesanteurs de la vie familiale et les tourments d'un pays en pleine crise.

Le lecteur fidèle ne sera pas dépaysé. Autour d'une série de meurtres spectaculaires, une fois de plus, Petros Markaris tricote ensemble en virtuose une intrigue policière pleine de surprises, des scènes savoureuses montrant le commissaire dans son petit monde familial et professionnel, et surtout un portrait fouillé de la Grèce martyre d'aujourd'hui. Il réussit, sans ralentir l'action, à décrire des mécanismes économiques assez complexes, tout en donnant de ses personnages et de la société grecque une image riche et juste. Sous le regard lucide de Markaris, chez qui l'esprit critique s'allie à l'empathie et l'émotion à l'humour, la Grèce paraît à la fois irritante et attachante – comme Adriani elle-même, vaillante et redoutable épouse du commissaire, porte-parole de la Grèce traditionnelle. Les bons, ici, n'ont pas que des bons côtés, à commencer par Charitos lui-même ; les méchants sont rarement de parfaits salauds ; on aura notamment du mal à ne pas absoudre, en partie du moins, le malheureux assassin, figure insolite et digne d'estime. Les relations entre les personnages, souvent tendues et rugueuses, mais débouchant parfois sur des accalmies inespérées, sont d'une ambiguïté remarquable.

Par-delà les attraits dc l'histoire, c'est l'humanité profonde des polars de Markaris qui a fait d'eux des best-sellers non seulement dans son pays, mais aussi, chose curieuse, en Allemagne – chez ceux qui ces derniers temps font tellement souffrir la Grèce. Les Grecs se sont retrouvés dans ces fictions si proches d'un réel brûlant, où l'auteur, avec la même obstination que son héros, montre l'éternelle corruption des puissants et les souffrances de leurs victimes. Markaris, qui fut aussi scénariste pour le cinéaste Angelopoulos, est devenu la voix de son pays – tout comme Mankell pour la Suède ou Montalban pour Barcelone. On souhaite que Mme Merkel et son équipe fassent au plus tôt connaissance avec ses livres, cela ne pourra pas faire de mal à la Grèce.

Michel Volkovitch a traduit plus d'une centaine de poètes grecs, une vingtaine de prosateurs et quelques auteurs dramatiques. Il a également publié huit ouvrages personnels et anime un site partiellement consacré à la Grèce, www.volkovitch.com.

Le Seuil s'engage pour la protection de l'environnement

Ce livre a été imprimé chez un imprimeur labellisé Imprim'Vert, marque créée en partenariat avec l'Agence de l'Eau, l'ADEME (Agence de l'Environnement et de la Maîtrise de l'Énergie) et l'UNIC (Union Nationale de l'Imprimerie et de la Communication).
La marque Imprim'Vert apporte trois garanties essentielles :

- la suppression totale de l'utilisation de produits toxiques ;
- la sécurisation des stockages de produits et de déchets dangereux ;
- la collecte et le traitement des produits dangereux.

RÉALISATION : NORD COMPO À VILLENEUVE-D'ASCQ
IMPRESSION : NORMANDIE ROTO IMPRESSION S.A.S. À LONRAI
DÉPÔT LÉGAL : OCTOBRE 2012. N° 105351-6 (13-1545)
– *Imprimé en France* –